GRANDES NOVELISTAS

Sidney Sheldon

RECUERDOS DE LA MEDIANOCHE

Traducción de Raquel Albornoz

DEL MISMO AUTOR
por nuestro sello editorial

MÁS ALLÁ DE LA MEDIANOCHE
UN EXTRAÑO EN EL ESPEJO
LAZOS DE SANGRE
CARA DESCUBIERTA
VENGANZA DE ÁNGELES
EL PRECIO DE LA INTRIGA
SI HUBIERA UN MAÑANA
EL CAPRICHO DE LOS DIOSES
LAS ARENAS DEL TIEMPO

Sidney Sheldon

RECUERDOS DE LA MEDIANOCHE

EMECÉ EDITORES

Diseño de tapa: *Eduardo Ruiz*

Fotografía del autor: *Ernesto Monteavaro*

Título original: *Memories of Midnight*
Copyright © *1990 by Sheldon Literary Trust*
Todos los derechos reservados, inclusive los derechos
de reproducción total o parcial, en cualquier forma

© *Emecé Editores, S.A, 1990*
Alsina 2062 - Buenos Aires, Argentina

Primera edición en offset: 35.000 ejemplares.

Impreso en Compañía Impresora Argentina S.A., Alsina 2041/49,
Buenos Aires, octubre de 1990

I.S.B.N.: 950-04-0996-8
8.756

A Alexandra, con cariño.

No me entonen canciones a la luz del día
Porque el sol es enemigo de los amantes
En cambio canten a las sombras y las tinieblas
Y a los recuerdos de la medianoche

SAFO

Prólogo

Kowloon,   *mayo de 1949.*

—Debe parecer que fue un accidente. ¿Podrá hacerlo?

Lo tomó como un insulto y sintió que crecía la furia en su interior. Uno le hacía esa clase de preguntas a algún vago que encontraba por la calle, y tentado estuvo de responder irónicamente: *Sí, creo que puedo hacerlo. ¿Prefiere un accidente en el interior de alguna casa? Puedo hacer que ella ruede por una escalera y se quiebre el pescuezo.* La bailarina de Marsella. *También podría emborracharse y terminar ahogada en la bañera.* La rica heredera de Gstaad. *Podría ser que ingiriera una sobredosis de heroína.* De esa forma había eliminado a tres. *O bien, quedarse dormida en la cama con un cigarrillo encendido.* El detective sueco, en L'Hôtel, de París. *¿O prefiere que ocurra al aire libre? Podría ser un accidente de tránsito, uno de avión, o también desaparecer en el mar.*

Pero nada de eso dijo pues, a decir verdad, el hombre que tenía sentado ante sí le daba miedo. Había oído demasiadas historias aterradoras sobre él, y tenía motivos para creerlas.

Por eso, lo único que dijo fue:

—Sí, señor, puedo hacerlo. Nadie lo sabrá jamás. —Y en el momento en que pronunciaba tales palabras, pensó: *Él sabe que lo sabré yo.* Entonces, esperó.

Se hallaban en el primer piso de un edificio de la ciudad amurallada de Kowloon, construida en 1840 por un grupo de chinos para protegerse de los bárbaros británicos. Los paredones habían sido derribados en la Segunda Guerra Mundial, pero había otras barreras que contenían el ingreso de extraños en esa zona: bandas de asesinos, drogadictos y violadores que merodeaban por la conejera que formaban esas calles angostas y sinuosas, esas escaleras oscuras que desembocaban en la penumbra total. A los turistas se les advertía que no debían acercarse, y ni siquiera la policía se aventuraba a trasponer la calle Tung Tau Tsuen, de los alrededores. Desde ese piso alcanzaba a oírse el rumor de la calle y el discorde sonido políglota de las diversas lenguas que hablaban los residentes de la ciudad.

El hombre lo estudiaba con una mirada impasible, y por fin habló.

—Muy bien. El método elíjalo usted.

—Sí, señor. ¿La persona se halla aquí, en Kowloon?

—En Londres. Se llama Catherine Alexander.

Una limusina, seguida por un segundo auto en el que viajaban dos guardaespaldas armados, llevó al hombre a la Casa Azul, en la zona de Tsim Sha Tsui. Allí se atendía sólo a clientes especiales: jefes de Estado, artistas de cine y presidentes de grandes empresas. La gerencia se enorgullecía de su discreción. Años atrás, una de las chicas que allí trabajaban le había hecho comentarios a un periodista sobre los clientes del local, y a la mañana siguiente la encontraron en el puerto de Aberdeen: le habían cortado la lengua. En la Casa Azul se podía comprar cualquier cosa: vírgenes, niños, lesbianas que se satisfacían sin el "tallo de jade" de los hombres, animales. Era el único sitio donde aún se practicaba el arte de Ishinpo, del siglo X. La Casa Azul era una cornucopia de placeres prohibidos.

En esa oportunidad el hombre pidió por las mellizas, un par de bellezas, de cuerpo increíble y sin la menor inhibición. Recordaba la última vez que había estado ahí...la banqueta alta sin fondo y las lenguas y los dedos suaves de las mellizas, la bañera llena de agua tibia y aromática que se desbordaba sobre el piso de cerámica, mientras las bocas calientes se apoderaban de su cuerpo. Entonces, sintió el comienzo de una erección.

—Ya llegamos, señor.

Tres horas más tarde, cuando acabó con ellas, satisfecho y feliz, el hombre ordenó que la limusina enfilara hacia la calle Mody, en la zona de Tsim Sha Tsui. Miró por la ventanilla las luces brillantes de la ciudad que nunca dormía. Los chinos la llamaban *Gaulung* —nueve dragones—, y él imaginó a esas bestias que medraban por las montañas en las afueras de la ciudad, listas para abatirse y aniquilar a los débiles e incautos. Él no era ni lo uno ni lo otro.

Llegaron a la calle Mody.

El sacerdote taoísta que lo aguardaba parecía una figura sacada de un antiguo pergamino. Vestía la clásica túnica oriental y tenía una larga barba blanca.

—*Jou Sahn*.

—*Jou Sahn*.

—*¿Gei Do Chin?*

—*Yat-Chihn*.

—*Jou*.

El sacerdote cerró los ojos, oró en silencio y comenzó a agitar el *chim*, la copa de madera llena de palillos de oración numerados. Cuando uno de tales palillos se cayó, cesó el movimiento. En medio del silencio, el monje taoísta consultó una tabla y se dirigió al visitante en un inglés defectuoso.

—Los dioses dicen que pronto se librará usted de peligroso enemigo.

El hombre se sintió agradablemente sorprendido. Era demasiado inteligente como para no darse cuenta de que el antiguo arte del *chim* no era nada más que una superstición, pero precisamente porque era inteligente no podía dejar de hacerle caso. Además, había otro signo que presagiaba buena suerte. Ese día era su cumpleaños.

—Los dioses lo han ungido con buena *fung shui*.
—*Do jeh*.
—*Hou wah*.

Cinco minutos más tarde se hallaba en la limusina camino a Kai Tak, el aeropuerto de Kowloon, donde lo aguardaba su avión privado para llevarlo de regreso a Atenas.

Capítulo 1

Janina (Grecia),   *julio de 1948.*

Todas las noches se despertaba gritando, siempre con la misma pesadilla. Estaba en un lago en medio de una tormenta infernal, y un hombre y una mujer le metían con fuerza la cabeza dentro del agua helada para ahogarla. Se despertaba aterrada, jadeante, empapada en sudor.

No sabía quién era ni recordaba nada del pasado. Hablaba inglés, pero no sabía cuál era su país de origen ni cómo había ido a parar a Grecia, al pequeño convento carmelita donde se alojaba.

Con el correr del tiempo, tuvo pantallazos de recuerdos, imágenes borrosas, efímeras, que desaparecían demasiado rápido como para que pudiera retenerlas y analizarlas. Esas imágenes aparecían en el momento más inesperado; la tomaban desprevenida y la llenaban de confusión.

Al principio había hecho preguntas. Las monjas eran bondadosas y comprensivas, pero se trataba de una orden religiosa de silencio, por lo cual la única persona que tenía permiso para hablar era la hermana Theresa, la anciana madre superiora.

—¿Sabe usted quién soy yo?

—No, mi niña —respondió la hermana Theresa.

—¿Cómo llegué hasta aquí?

—Al pie de estas montañas hay una aldea llamada Janina. El año pasado ibas navegando en un barquito por el lago, un día de tormenta. El barco se hundió y, por la gracia de Dios, dos de nuestras hermanas te vieron y te salvaron.

Después te trajeron aquí.

—Pero...¿de dónde venía yo?

—Lo siento, querida. No lo sé.

No podía quedarse satisfecha con esa explicación.

—¿Nadie preguntó por mí? ¿Nadie ha tratado de encontrarme?

La hermana Theresa hizo un ademán de negación.

—Nadie.

Sintió deseos de gritar, llena de frustración.

—Seguramente en los diarios debe de haber salido alguna noticia...sobre mi desaparición.

—Como tú sabes, no se nos permite comunicarnos con el mundo exterior. Debemos aceptar la voluntad de Dios, hija, y darle gracias por todas sus bondades. Felizmente estás con vida.

Más de eso no pudo averiguar. Al principio estuvo demasiado enferma como para preocuparse demasiado por su identidad, pero a medida que pasaron los meses fue recuperando las energías.

Cuando se sintió fuerte como para moverse, empezó a ocuparse de los coloridos jardines que había en el predio del convento. Pasaba los días a la luz incandescente del sol que bañaba a Grecia de un brillo celestial, con los vientos suaves que transportaban el olor intenso de limones y viñedos.

El ambiente era de una gran serenidad, pero ella no podía encontrar la paz. *Estoy perdida*, pensaba, *y a nadie le importa. ¿Por qué? ¿Habré cometido algún acto censurable? ¿Quién soy? ¿Quién soy? ¿Quién soy?*

Las imágenes se le presentaban espontáneamente. Una mañana se despertó con una visión en la que aparecía ella en una habitación, y un hombre desnudo que la desvestía. ¿Era un sueño o se trataba de algo que le había ocurrido en el pasado? ¿Quién era ese hombre? ¿Habría sido su marido? ¿Tenía marido? No llevaba alianza matrimonial. De hecho, no tenía ni una sola pertenencia, salvo el hábito de carmelita que la hermana Theresa le había

16

dado, y un prendedor de oro con forma de pájaro, con ojos de rubíes y las alas extendidas.

Era un ser anónimo, una extraña que vivía entre extrañas. No había nadie que la ayudara, ningún psiquiatra que le dijera que su mente había sufrido un traumatismo tan importante, que la única forma de conservar la cordura había sido bloquear su mente para no recordar el pasado tan terrible.

Y las imágenes seguían viniendo, cada vez más rápido. Era como si su mente de pronto se hubiese convertido en un gigantesco rompecabezas, y las piezas fueran colocándose de a poco en su lugar. Pero las piezas en sí no tenían sentido. Tuvo una visión de un inmenso estudio lleno de hombres con uniforme militar. Daba la impresión de que estaban filmando una película. *¿Habré sido actriz?* No; ella parecía estar dirigiendo. *Pero, ¿dirigiendo qué?*

Un soldado le entregó un ramo de flores. *Tendrás que pagarlas tú misma*, dijo él, entre risas.

Dos noches más tarde, soñó con ese mismo hombre. Ella lo estaba despidiendo en un aeropuerto, y se despertó llorando porque sufría al tener que separarse de él.

A partir de ese momento ya no tuvo paz. Ésos no eran meros sueños; eran fragmentos de su vida, del pasado. *Tengo que averiguar quién soy, quién soy.*

E inesperadamente, en medio de la noche, un nombre afloró en su subconsciente. *Catherine. Mi nombre es Catherine Alexander.*

Capítulo 2

Atenas (Grecia)

El imperio de Constantin Demiris no podía ubicarse en los mapas, y sin embargo él gobernaba un feudo de mayores dimensiones y más poderoso que muchos países. Era uno de los dos o tres hombres más ricos del mundo, y su influencia, incalculable. Pese a no contar con título ni cargo oficial alguno, constantemente compraba y vendía primeros ministros, cardenales, embajadores y reyes. Los tentáculos de Demiris llegaban a todas partes y se entrelazaban en medio de la trama de decenas de naciones. Era un hombre carismático, con una mente brillante y de llamativo aspecto físico: estatura superior al término medio, pecho y hombros anchos. De tez morena, tenía un perfil griego y ojos oscuros. En conjunto, su rostro era el de un halcón, un ave depredadora. Cuando se lo proponía, podía llegar a ser muy simpático. Hablaba ocho idiomas y era un famoso narrador. Poseía una de las colecciones de obras de arte más importantes del mundo, una flota de aviones privados, una docena de departamentos, chalets y residencias desparramados por todo el orbe. Era un experto en el tema de la belleza femenina, y las mujeres bellas le resultaban irresistibles. Se había hecho fama de ser un amante muy versátil, y sus aventuras amorosas eran tan pintorescas como sus aventuras financieras.

Constantin Demiris se enorgullecía de ser patriota —en su residencia de Kolonaki y en Psara, su isla privada, flameaba siempre la bandera blanca y azul de Grecia—, pero no pagaba impuestos. No se sentía obligado a cumplir con las normas que acataban los hombres comunes. Por sus venas corría la sangre de los dioses.

Casi todas las personas que conocían a Demiris pretendían obtener algo de él: financiación para algún proyecto comercial, una donación para alguna obra de caridad o simplemente el poder que se obtenía con sólo ser amigo suyo. A Demiris le gustaba adivinar qué era lo que se proponía cada persona, ya que rara vez era lo que parecía ser. Su mente analítica tomaba con escepticismo la verdad visible en la superficie, y por consiguiente no creía en nada de lo que se le decía, como tampoco confiaba en nadie. Su lema era: "Mantén cerca a tus amigos; y a tus enemigos, más cerca aún". A los periodistas que investigaban su vida se les permitía ver sólo su simpatía y cordialidad, todo su encanto de hombre de mundo. No tenían motivos para sospechar que, debajo de tan agradable fachada, Demiris era un asesino, un delincuente de los bajos fondos que apuntaba siempre a la yugular del enemigo.

No perdonaba ni olvidaba jamás un desprecio. Para los griegos de la antigüedad, la palabra *thekaeossini* —justicia— a menudo era sinónimo de *ekthekissis* —venganza—, y a Demiris le obsesionaban ambas. Recordaba hasta la última afrenta jamás sufrida, y los que tenían la desgracia de ser sus enemigos, padecían mil y una formas de venganza. Ellos jamás lo percibían, ya que la mente matemática de Demiris encaraba como un juego el hecho de tomarse la revancha, y con una enorme paciencia inventaba complicadas trampas y tramas complejas en las que, finalmente, el enemigo resultaba atrapado y destruido.

Disfrutaba de las horas que pasaba planeando la caída de sus adversarios. Estudiaba detenidamente a la víctima, analizaba su personalidad, evaluaba sus puntos fuertes y débiles.

Una noche, en una fiesta, Demiris oyó por casualidad que un productor cinematográfico se refería a él llamándolo "ese griego sucio". Demiris entonces esperó su oportunidad. Dos años más tarde, el productor contrató a una bellísima actriz de fama internacional como protagonista principal de una multimillonaria producción en la cual él invirtió su propio dinero. Demiris aguardó hasta que se hubiera llegado a la mitad de la filmación y luego convenció a la actriz para que dejara la película y se fuera de viaje con él en yate.

—Será nuestra luna de miel —le prometió.

La muchacha tuvo la luna de miel, pero no la boda. Hubo que dar por terminada la filmación, y el productor quedó arruinado.

En el jueguito de Demiris, había varios jugadores de quienes aún no se había desquitado, pero él no tenía prisa. Disfrutaba con la expectativa, el planeamiento y la ejecución. En esos momentos ya no se hacía de enemigos puesto que ningún hombre podía darse el lujo de serlo, de modo que sus víctimas eran sólo las que se habían cruzado en su camino en tiempos pasados.

Pero el sentido de justicia de Constantin Demiris tenía dos caras. Así como nunca perdonaba una ofensa, tampoco olvidaba un favor. Un pobre pescador que lo había protegido de niño pasó a ser dueño de una flota pesquera. Una prostituta que le había dado de comer y lo había vestido de joven, cuando él no tenía dinero para pagarle, misteriosamente heredó un edificio de departamentos, y nunca supo quién era su benefactor.

Demiris era hijo de un estibador del Pireo. Como eran catorce hermanos, en su casa nunca había comida suficiente en la mesa.

Desde muy pequeño demostró un talento natural para los negocios. Ganaba dinero realizando diversas tareas después de las horas de clase, y a los dieciséis años había ahorrado lo suficiente como para poner un puesto de venta de comida en el puerto, con un socio de más edad. El negocio anduvo sobre rieles, pero el socio lo estafó y le hizo perder su cincuenta por ciento. Demiris demoró diez años en arruinarlo. El muchacho hervía de ambición. Por las noches se quedaba despierto y pensaba en la oscuridad. *Voy a ser rico. Voy a ser famoso. Algún día todos conocerán mi nombre.* Ese era el único arrullo que lograba hacerlo dormir. No sabía cuándo iba a suceder, pero sí que iba a suceder.

A los diecisiete leyó un artículo sobre los pozos petroleros de Arabia Saudita, y tuvo la sensación de que de pronto se abría ante sus ojos una puerta mágica de entrada al futuro.

Entonces fue a hablar con su padre.

—Me voy a Arabia Saudita, a trabajar en los campos petrolíferos.

—*Too-sou!* ¿Qué sabes tú de campos petrolíferos?

—Nada, padre, pero pienso aprender.

Un mes más tarde Constantin Demiris se hallaba ya en camino.

La política de la Empresa Petrolera Transcontinental era que a los empleados del extranjero se les hacía firmar un contrato de trabajo de dos años de duración, pero Demiris no vaciló. Pensaba quedarse en Arabia Saudita todo el tiempo que fuese necesario para amasar una fortuna. Se había imaginado una aventura en el maravilloso país de las mil y una noches, un país misterioso, lleno de mujeres exóticas y oro negro que surgía de la tierra. La realidad lo dejó anonadado.

Una mañana de verano llegó a Fadhili, un sórdido campamento enclavado en medio del desierto, compuesto por un feo edificio de piedra, rodeado de *barastis*, míseras chozas de paja. Allí trabajaban mil operarios de última categoría, en su mayor parte sauditas. Las mujeres que caminaban por esas polvorientas calles de tierra usaban gruesos velos.

Demiris entró en el edificio donde tenía su despacho J.J. McIntyre, el jefe de personal.

McIntyre levantó la mirada al verlo.

—De modo que a usted lo contrató la oficina central, ¿verdad?

—Sí, señor.

—¿Tiene alguna experiencia de trabajo en campos petrolíferos, hijo?

Por un momento Demiris estuvo tentado de mentirle.

—No, señor.

McIntyre sonrió.

—Le va a encantar este lugar. Está a millones de kilómetros de cualquier parte, la comida es mala, no hay mujeres que pueda tocar sin arriesgarse a que le corten las pelotas y además no hay nada para hacer de noche. Pero el sueldo es bueno.

—Vine a aprender.

—¿Ah, sí? Entonces le voy diciendo lo que le conviene aprender en seguida: está usted en un país musulmán, y eso significa que tiene prohibidas las bebidas alcohólicas. Al que pescan robando, le cortan la mano derecha. La segunda vez, la izquierda. La tercera vez, le cortan un pie. Si mata a alguien, lo decapitan.

—No tengo intenciones de matar a nadie.

—Espere —se fastidió McIntyre—. No se olvide de que acaba de llegar.

El campamento era una Torre de Babel de personas provenientes de una decena de países distintos y que hablaban sus respectivos idiomas. Demiris tenía buen oído y mucha facilidad para aprender las demás lenguas. Los hombres estaban ahí para construir caminos en el medio de un desierto inhóspito, levantar casas, realizar instalaciones eléctricas, establecer comunicaciones telefónicas, edificar talleres, organizar la provisión de agua y el sistema de cloacas, la atención médica y, según le parecía al joven Demiris, para llevar a cabo mil tareas más. Trabajaban con temperaturas superiores a los cuarenta grados, padecían el azote de las moscas, los mosquitos, el polvo, la fiebre y la disentería. Aun en el desierto había una escala social. En la parte más alta estaban los hombres cuya misión era localizar el petróleo, y abajo los obreros y también los empleados, a los que se conocía por el sobrenombre de "pantalones brillosos".

Casi todos los hombres que participaban en la perforación —los geólogos, agrimensores, ingenieros y químicos del petróleo— eran norteamericanos puesto que el nuevo torno rotatorio se había inventado en los Estados Unidos, y por ende los norteamericanos estaban más familiarizados con su uso. El joven Demiris se desvivía por hacerse amigo de ellos.

Pasaba el mayor tiempo posible cerca de los perforadores, y nunca dejaba de hacerles preguntas. Almacenaba la información y la absorbía de la misma forma que la arena caliente absorbe el agua. Pronto advirtió que se utilizaban dos métodos distintos de perforación.

Se acercó a uno de los operarios que trabajaban cerca de una gigantesca torre de cuarenta metros de alto, y preguntó:

—¿Por qué se usan dos formas diferentes de perforación?

El hombre se lo explicó.

—Para una se utilizan herramientas con cable y, para la otra, un instrumento giratorio. Ahora nos estamos dedicando más a este último sistema, aunque los dos empiezan de la misma manera.

—¿Ah, sí?

—Sí. En los dos hay que construir una torre como ésta para elevar el instrumental que luego se introduce en el pozo. — Contempló el rostro ansioso del muchacho. — ¿Sabes por qué a estas torres de las denomina "derricks"?

—No, señor.

—Ese era el apellido de un famoso verdugo del siglo XVII.

—Entiendo.

—La perforación por sistema de cables se remonta a aquella época. Hace cientos de años, los chinos perforaban pozos de agua de esa manera. Hacían un agujero en la tierra levantando y dejando caer una pesada herramienta cortante que colgaba de un cable. Pero hoy en día el ochenta y cinco por ciento de los pozos se cavan por el método giratorio.

—Se volvió para reanudar su trabajo.

—Perdón, pero ¿cómo funciona el sistema giratorio?

El hombre se detuvo.

—Bueno, en vez de hacer un orificio golpeando la tierra, se perfora uno. ¿Ves aquí? En la plataforma de la torre hay un platillo con un mecanismo que lo hace girar. Ese platillo sujeta y hace girar un tubo que va hacia abajo, y que en la punta lleva una mecha.

—Sencillo, ¿no?

—Es más complicado de lo que parece. Hay que poder sacar el material que se desprende al excavar, impedir que las paredes se derrumben y que entren agua y gas en el pozo.

—Con tanta perforación, ¿nunca se desafila el torno?

—Por supuesto. Entonces hay que sacar todo el aparato, ponerle una mecha nueva y volver a introducirlo en el pozo. ¿Piensas dedicarte a la perforación?

—No, señor. Pienso ser dueño de pozos petrolíferos.

—Felicitaciones. ¿Ahora puedo volver a mi trabajo?

Una mañana, Demiris vio que introducían una herramienta en el pozo, pero en vez de cavar hacia abajo, la máquina cortaba pequeños pedacitos circulares a los costados de la perforación, y sacaba rocas.

—Perdón. ¿Para qué hacen eso? —preguntó.

El operario se secó la frente.

—Esto se llama sondaje de las paredes laterales. Se extraen esas rocas para analizarlas y determinar si tienen petróleo.

—Comprendo.

Cuando las cosas salían bien, Demiris oía que los perforadores gritaban: "Voy a girar a la derecha", lo cual significaba que estaban perforando un agujero. Notó que había decenas de hoyos diminutos por todo el campo, a veces de diámetro tan pequeño como cinco o seis centímetros.

—Perdón. ¿Para qué son ésos? —preguntó.

—Son pozos de ensayo. Sirven para saber qué hay debajo, y a la compañía le ahorran mucho tiempo y dinero.

—Entiendo.

Todo resultaba fascinante para el muchacho, y sus preguntas eran infinitas.

—Perdón. ¿Cómo saben *dónde* hay que perforar?

—Los geólogos miden los estratos y estudian los cortes de los pozos. Después los perforadores...

Constantin Demiris trabajaba desde la mañana temprano hasta el atardecer arrastrando aparejos por el desierto ardiente, limpiando el instrumental, conduciendo tractores por esa zona donde se elevaban llamas de los picos rocosos. Las llamas ardían día y noche, llevándose los gases venenosos.

J.J. McIntyre había dicho la verdad. La comida era mala, las condiciones de vida espantosas, y de noche no había nada que hacer. Demiris tenía la sensación de que cada poro de su cuerpo estaba lleno de granos de arena. El desierto tenía vida, y no había forma de escapar de él. La arena se filtraba en la choza, se le metía en la ropa y en el cuerpo hasta trasmitirle la sensación de que se estaba volviendo loco. Pero después la situación empeoró.

Llegó el *shamaal*. Durante un mes entero hubo tormentas de arena lo suficientemente intensas como para enloquecer a todos.

Demiris miraba los remolinos de arena desde la puerta de su choza.

—¿Vamos a salir a trabajar en medio de semejante vendaval?

—Por supuesto. Esto no es un baño termal.

Dos personas llegaron al campamento: un geólogo inglés y su mujer. Henry Potter tenía algo menos de setenta años, y Sybil, su esposa, apenas más de treinta. En otro contexto, Sybil Potter habría sido una mujer obesa y fea, de voz desagradable. En Fadhili, era toda una belleza. Como su marido estaba siempre afuera, buscando sitios para nuevos pozos, ella quedaba mucho tiempo sola.

El joven Demiris recibió la orden de ayudarla a instalarse en sus aposentos.

—Éste es el sitio más espantoso que he visto en la vida —se quejó Sybil Potter con su voz chillona—. Henry vive arrastrándome a lugares horribles como éste. No sé cómo lo tolero.

—Su marido realiza un trabajo muy importante.

La mujer estudió al muchacho.

—Mi marido no está cumpliendo con todas sus obligaciones...no sé si me entiendes.

Demiris le entendió perfectamente.

—No, señora —dijo, sin embargo.

—¿Cómo te llamas?

—Demiris, señora. Constantin Demiris.

—¿Cómo te dicen tus amigos?

—Costa.

—Bueno, Costa, creo que tú y yo vamos a hacernos muy amigos. Por cierto no tenemos nada en común con todos esos extranjeros.

—Tengo que volver al trabajo —anunció el muchacho.

Durante las semanas siguientes, Sybil Potter a cada rato encontraba pretextos para mandarlo llamar.

—Henry volvió a partir esta mañana. Se fue a hacer esas estúpidas perforaciones. —Y agregó, enojada: —

Debería hacer más perforaciones en su casa.

Demiris nada respondió. El geólogo ocupaba un cargo muy alto en la empresa, y él no tenía la menor intención de mezclarse con la mujer de Potter y poner en peligro su empleo. No sabía muy bien cómo, pero tenía la convicción de que, de alguna manera, ese trabajo sería su pasaporte para acceder a esa otra vida que soñaba. El petróleo era el futuro, y estaba decidido a desempeñar un papel preponderante en él.

Un día, a medianoche, Sybil Potter lo mandó a llamar. Demiris llegó hasta la casa donde ella vivía, y golpeó la puerta.

—Adelante. —Sybil tenía puesto un fino camisón, que lamentablemente no ocultaba nada.

—¿Quería verme, señora?

—Sí, pasa, Costa. Este velador no funciona bien.

Demiris esquivó la mirada, se dirigió al velador y lo tomó para revisarlo.

—No tiene lamparita... —En ese momento ella apretó su cuerpo contra él, y sus manos comenzaron a recorrerlo.

— Señora...

Lo besó con pasión, al tiempo que lo empujaba a la cama. Y él no tuvo ningún control sobre lo que sucedió después.

Se sacó la ropa y penetró a esa mujer que gritaba de felicidad.

—¡Así, así! ¡Dios mío, cuánto tiempo hacía...! —Con un último estremecimiento, ella exclamó: —Querido, querido, te quiero.

Demiris estaba presa del pánico. *¿Qué hice? Si Potter llega a enterarse, estoy liquidado*.

Como si le hubiera leído los pensamientos, Sybil soltó unas risitas.

—Los dos guardaremos el secreto, ¿verdad, mi amor?

El secreto se prolongó durante varios meses. Demiris no tenía forma de evitar a la mujer, y como Potter estaba ausente varios días cada vez que salía a hacer alguna exploración, el muchacho no encontraba excusas para no acostarse con la mujer. Lo que empeoró las cosas fue que Sybil Potter se enamoró perdidamente de él.

—Eres demasiado bueno como para trabajar en un lugar así, querido. Tú y yo nos volveremos a Inglaterra.

—Yo vivo en Grecia.

—Ya no. —Acarició el delgado cuerpo juvenil. —Regresarás conmigo. Voy a divorciarme de Henry así podemos casarnos.

Demiris sintió un repentino susto.

—Sybil...yo no tengo dinero...

Ella lo besó en el pecho.

—Eso no es problema. Conozco una forma para que hagas dinero.

—¿Ah, sí?

—Anoche Henry me contó que acaba de descubrir un importante campo petrolífero. Para esas cosas es muy competente. Bueno, estaba muy entusiasmado. Redactó el informe antes de partir y me pidió que lo despachara con el correo de esta mañana. Pero lo tengo aquí. ¿Quieres verlo?

El corazón de Demiris comenzó a latir con fuerza.

—Sí...me encantaría. —La miró bajarse de la cama y dirigirse hacia una mesita desvencijada que había en un rincón. La mujer tomó un sobre marrón de grandes dimensiones y lo llevó de vuelta a la cama.

—Ábrelo —dijo.

Demiris titubeó apenas un instante. Abrió el sobre y sacó los papeles que había adentro, en total, cinco páginas. Las leyó rápidamente una vez; luego volvió al principio y fue leyendo detenidamente cada palabra.

—¿Vale algo esa información?

¿Vale algo esa información? Se trataba de un informe acerca de una nueva zona con posibilidades de convertirse en uno de los campos petrolíferos más ricos de la historia.

Demiris tragó saliva.

—Sí...Podría ser...

—Bueno, ahí está —afirmó Sybil, feliz—. Ahora tenemos dinero.

—No es tan sencillo —sostuvo él, con un suspiro.

—¿Por qué?

Demiris lo explicó.

—Esto vale mucho para una persona que pueda comprar las opciones de terreno alrededor de esa zona. Pero para eso hace falta dinero. —Él tenía ahorrados trescientos dólares en el Banco.

—Ah, por eso no te preocupes. Henry tiene de sobra. Te extenderé un cheque. ¿Te alcanzará con cinco mil dólares?

Constantin Demiris no podía creer lo que estaba oyendo.

—Sí...No...no sé qué decir.

—Es para nosotros, querido. Para nuestro futuro.

El se incorporó en la cama, mientras pensaba a toda velocidad.

—Sybil, ¿puedes retener ese informe uno o dos días?

—Por supuesto. Lo retengo hasta el viernes. ¿Tendrás suficiente tiempo, querido?

Él asintió lentamente.

—Sí; eso me da tiempo para moverme.

Con los cinco mil dólares que le dio Sybil —*no, no es un regalo sino un préstamo*, se dijo—, Constantin Demiris compró opciones sobre los terrenos que circundaban la zona potencialmente petrolífera. Meses más tarde, cuando comenzaron a aparecer los pozos surtidores en el campo principal, se convirtió instantáneamente en millonario.

Devolvió a Sybil Potter los cinco mil dólares, le envió un camisón nuevo y regresó a Grecia. Ella no volvió a verlo nunca más.

Capítulo 3

Existe una teoría según la cual nada se pierde en la naturaleza: todo sonido emitido jamás, toda palabra pronunciada perdura en algún lugar del tiempo y el espacio, y algún día pueden ser vueltos a oír.

Antes de que se inventara la radio, dicen, *¿quién iba a creer que el aire que nos rodea pudiera transportar el sonido de la música y las voces desde todos los confines del mundo? Algún día podremos viajar en el tiempo y escuchar el discurso de Lincoln en Gettysburg, la voz de Shakespeare, el Sermón de la Montaña...*

Catherine Alexander escuchaba voces de su pasado, pero le llegaban ahogadas, fragmentadas, y la llenaban de confusión...

"...¿Sabes que eres muy especial, Cathy? Lo supe desde el día en que te conocí..."

"...Esto se terminó. Estoy enamorado de otra mujer. Quiero el divorcio..."

"...Sé lo mal que me he portado, y me gustaría compensarte..."

"...Trató de matarme..."

"...¿Quién?"

"...Mi marido..."

Las voces no se detenían, no cesaban de atormentarla. Su pasado se convirtió en un calidoscopio de imágenes que cruzaban, veloces, por su mente.

El convento podía haber sido un maravilloso remanso de paz, pero de repente se había transformado en una cárcel. *Mi lugar no está aquí.* Pero, *¿dónde* es mi lugar? No tenía idea.

No había espejos en el convento, pero afuera, cerca del jardín, había un estanque donde podía verse reflejada. Catherine hasta ese momento lo había evitado por miedo a lo que pudiera ver. Pero esa mañana se dirigió hacia allí, lentamente se arrodilló, miró abajo y vio la imagen de una mujer preciosa, bronceada, de pelo negro, facciones perfectas y ojos grises cargados de tristeza... aunque quizás eso último fuese una ilusión que producía el agua. Vio también una boca generosa que parecía dispuesta a sonreír, y una naricita respingada. En suma, una bella mujer de treinta y tantos años. Pero una mujer sin pasado y sin futuro. Una mujer perdida. *Necesito que alguien me ayude*, pensó, desesperada, *alguien con quien hablar*. Entonces fue al despacho de la superiora.

—Hermana...

—¿Sí, mi niña?

—Quisiera... consultar a un médico, alguien que me pueda ayudar a descubrir quién soy.

La hermana Theresa la observó un largo instante.

—Siéntate.

Catherine se ubicó en la silla recta que había del otro lado del antiguo escritorio.

—Mi querida —dijo la religiosa con voz pausada—, Dios es tu médico. A su debido tiempo te hará saber lo que Él desea que sepas. Además, no se permite el ingreso de personas extrañas dentro de estos muros.

Un repentino recuerdo cruzó por la mente de Catherine... la imagen imprecisa de un hombre que le hablaba en el jardín de un convento y le entregaba algo... pero después se borró.

—Yo no tengo que estar aquí.

—¿Y dónde tienes que estar?

Casualmente ése era el problema.

—No estoy segura. Lo estoy buscando. Perdóneme, hermana, pero sé que mi lugar no está aquí.

La superiora la estudiaba con expresión pensativa.

—Entiendo. ¿Y adónde te irías si te marcharas de aquí?

—No sé.

—Déjame pensarlo un poco, hija, y después volvemos a hablar.

—Gracias, hermana.

Cuando Catherine se retiró, la hermana Theresa permaneció sentada largo rato a su escritorio, con la mirada perdida. La decisión que debía tomar era difícil. Por último, tomó lápiz y papel y comenzó a escribir.

"Estimado señor: Ha ocurrido algo que, en mi opinión, usted debe conocer. Nuestra amiga en común me informa que desea abandonar el convento. Indíqueme, por favor, qué debo hacer."

El hombre leyó la notita una vez; luego se apoyó contra el respaldo de su sillón, analizando las consecuencias del mensaje.

¡De modo que Catherine Alexander quiere regresar de entre los muertos! Qué pena. Voy a tener que eliminarla. Con cuidado, con mucho cuidado.

El primer paso sería sacarla del convento. Demiris decidió entonces que debía ir a visitar a la hermana Theresa.

A la mañana siguiente, se hizo llevar por su chofer a Janina. Mientras viajaban por el campo, iba pensando en Catherine Alexander. Recordó lo bonita que era cuando la conoció. Era una chica alegre, vivaz y feliz de encontrarse en Grecia. *Esa chica lo tenía todo*, pensó. Pero después los dioses se vengaron. Catherine se casó con uno de los pilotos de Demiris, y el matrimonio fue un infierno. Casi de la noche a la mañana ella envejeció diez años, engordó y se dedicó a la bebida. Demiris lanzó un suspiro. *Qué desperdicio.*

Ya estaba sentado en el despacho de la hermana Theresa.

—Lamento haberlo molestado por esto —se disculpó la religiosa—, pero la niña no tiene adónde ir y...

—Usted hizo lo que correspondía —le aseguró Constantin Demiris—. ¿Ella recuerda algo de su pasado?

La superiora negó con la cabeza.

—No, pobre... —Se encaminó a la ventana y desde allí observó a un grupo de monjas que trabajaban en el jardín. —Está ahí afuera —dijo.

Demiris se ubicó a su lado y miró también. Había tres religiosas que le daban la espalda. Cuando una de ellas se volvió y él pudo verle el rostro, tuvo que contener el aliento de la impresión. Era preciosa. ¿Dónde había quedado la mujer gorda y arruinada?

—Es la del medio —dijo la hermana Theresa.

Demiris hizo un gesto de asentimiento.

—Sí.

—¿Qué quiere que haga con ella ahora, señor? *Con cuidado*.

—Déjeme pensarlo, y cuando decida algo le avisaré.

Constantin Demiris tenía que tomar una decisión. El aspecto de Catherine Alexander lo había sorprendido. La mujer había cambiado radicalmente. *Nadie diría que es la misma*, pensó. Y la idea que se le ocurrió fue tan diabólica, pero tan simple, que casi se rió en voz alta.

Esa noche envió una nota a la hermana Theresa.

Es un milagro, pensó Catherine. *Un sueño hecho realidad.* La hermana Theresa había ido a verla a su celda después de los maitines.

—Tengo novedades para ti, pequeña.

—¿Sí?

La religiosa eligió cuidadosamente sus palabras.

—Buenas noticias. Escribí a un señor amigo de este

33

convento, le conté tu caso y él desea ayudarte.

Catherine sintió que el corazón le daba un vuelco.

—¿Ayudarme...cómo?

—Eso te lo dirá él. Se trata de un hombre muy bueno y generoso. Te marcharás del convento.

Esas palabras hicieron erizar a Catherine. Saldría a un mundo extraño, que ni siquiera recordaba. *¿Y quién era su benefactor?*

Lo único que le informó la hermana Theresa fue:

—Es un hombre muy bondadoso. Debes sentirte agradecida. Mandará a buscarte con su auto el lunes por la mañana.

Catherine no pudo dormir las dos noches siguientes. De pronto, la idea de salir del convento y aventurarse en el mundo la aterraba. Se sentía desnuda, perdida. *A lo mejor lo que me conviene es no saber quién soy. Dios mío, por favor, no me dejes sola.*

El lunes, la limusina llegó a las puertas del convento a las siete de la mañana. Catherine había pasado la noche en vela, pensando en ese futuro desconocido que la aguardaba.

La hermana Theresa la acompañó hasta el portón que comunicaba con el mundo exterior.

—Rezaremos por ti. Recuerda que, si decides regresar, siempre tendrás un lugar aquí.

—Gracias, hermana. Lo tendré presente.

Pero dentro de su corazón Catherine estaba segura de que nunca iba a regresar.

En el largo viaje de Janina a Atenas, Catherine se sintió invadida por sentimientos conflictivos. La emocionaba estar fuera del convento, y sin embargo el mundo exterior le resultaba en cierto modo ominoso. *¿Llegaría a saber qué cosa tan terrible le había sucedido en el pasado? ¿Tendría algo* *que ver con el sueño recurrente de que alguien trataba de ahogarla?*

En las primeras horas de la tarde dejaron atrás el campo, pasaron por pequeñas aldeas en los alrededores de Atenas y pronto se hallaron en el centro de la bulliciosa ciudad. A Catherine todo le resultaba extraño e irreal, y al mismo tiempo, curiosamente conocido también. *Yo he estado antes aquí*, pensó, contenta.

El conductor giró al este, y quince minutos más tarde llegaron a una enorme residencia enclavada en una loma. Cruzaron un alto portón de hierro y una casilla de guardia construida en piedra, recorrieron el largo camino de acceso flanqueado por cipreses majestuosos y se detuvieron frente a una inmensa mansión mediterránea rodeada por seis estatuas magníficas.

El chofer le abrió la puerta y Catherine bajó. Un hombre la aguardaba al frente de la casa.

—*Kalimehra*. —La palabra, que significaba "buenos días", afloró instintivamente en los labios de Catherine.

—*Kalimehra*.

—¿Es usted...la persona a la que vengo a ver?

—No, no. El señor Demiris la espera en la biblioteca.

Demiris, un apellido que jamás había oído. ¿Por qué tendría interés en ayudarla?

Catherine entró detrás del hombre hasta una enorme rotonda, con techo abovedado y casetonado. Los pisos eran de mármol italiano, de color claro.

Por su parte, el living era inmenso, con vigas altas en el techo y cómodos sillones y sillas por doquier. Una inmensa tela de Goya cubría una pared entera. Cuando iban llegando a la biblioteca, el hombre se detuvo.

—El señor Demiris la espera adentro —anunció.

Las paredes de la biblioteca estaban revestidas en *boiserie* blanca y dorada, y en las estanterías se veían libros con tapas de cuero repujado en oro. El hombre que estaba sentado detrás del descomunal escritorio levantó la mirada al ver entrar a Catherine, y se puso de pie. Buscó algún signo de reconocimiento en su rostro, pero no encontró ninguno.

—Bienvenida. Soy Constantin Demiris. ¿Cuál es su nombre? —Trató de que la pregunta sonara natural. *¿Recordaba ella su nombre?*

—Catherine Alexander.

Él no manifestó reacción alguna.

—Bienvenida, Catherine. Tome asiento, por favor. — Se sentó frente a ella, en un sofá de cuero negro. Vista de cerca, era más bonita aún. *Es magnífica*, pensó. *Incluso vestida con este hábito negro. Qué pena tener que destruir algo tan hermoso*, se dijo. *Pero al menos morirá contenta.*

—Muy amable de su parte en recibirme... pero no entiendo por qué...

Demiris sonrió.

—Es muy sencillo. De vez en cuando le doy una mano a la hermana Theresa. El convento tiene muy poco dinero, y yo colaboro lo más posible. Cuando ella me escribió para preguntarme si podía ayudarla, le contesté que con gusto haría lo que estuviera a mi alcance.

—Es muy... —Catherine se detuvo porque no supo cómo seguir. —¿Le dijo la hermana Theresa que... he perdido la memoria?

—Sí, algo me dijo sobre eso. —Luego le preguntó con naturalidad: —¿Qué es lo que recuerda?

—Sé mi nombre, pero no de dónde vengo ni quién soy. —Y agregó, esperanzada: —A lo mejor aquí en Atenas puedo encontrar a alguien que me conozca.

Constantin Demiris sintió una punzada de temor. Eso era lo último que quería.

—Es posible, desde luego —dijo—. ¿Por qué no lo conversamos por la mañana? Ahora lamentablemente tengo una reunión. Le hice preparar un dormitorio aquí mismo. Creo que va a estar cómoda.

—Yo...sinceramente no sé cómo agradecerle.

El hombre agitó una mano como restándole importancia.

—No tiene nada que agradecer. Acá la cuidaremos. Siéntase como en su casa.

—Gracias, señor...

—Los amigos me dicen Costa.

Un ama de llaves la llevó a un fantástico dormitorio en suite, decorado en tonos de beige y blanco. Había allí una inmensa cama con dosel, sofás y sillones blancos, mesas y lámparas antiguas y cuadros impresionistas en las paredes. Las persianas, de tono verde agua, no dejaban pasar el resplandor del sol. Catherine vio por las ventanas el mar de un color turquesa a la distancia.

—El señor Demiris —le explicó la mujer— ordenó que le enviaran aquí prendas de vestir para que usted elija las que más le gustan.

Por primera vez, Catherine tomó conciencia de que todavía llevaba puesto el hábito.

—Gracias. —Se sentó en la cama mullida y tuvo la sensación de estar viviendo un sueño. *¿Quién era ese extraño, y por qué se portaba tan amablemente con ella?*

Una hora más tarde llegó una furgoneta cargada con ropa, y una modista se dirigió al cuarto de Catherine.

—Soy la señora Dimas. A ver con qué tengo que trabajar. ¿Puede desvestirse, por favor?

—Perdón...¿cómo dijo?

—Que se desvista. No puedo darme cuenta de la figura que tiene debajo de todos esos trapos.

¿Cuánto hacía que no se desnudaba delante de otra persona?

Catherine comenzó a quitarse la ropa lentamente, algo cohibida. Cuando quedó desnuda, la señora de Dimas la estudió con ojos avezados y quedó impresionada.

—Tiene usted una hermosa figura. Creo que podremos vestirla muy bien.

Dos muchachas ayudantes entraron con cajas de vestidos, ropa interior, blusas, faldas, zapatos.

—Elija lo que le guste —dijo la modista—, y se lo probaremos.

—Yo...no puedo comprar nada de esto. No tengo dinero.

La costurera se rió.

—No creo que el dinero sea problema. El señor Demiris pagará todo.

Pero, ¿por qué?

Las telas le trajeron recuerdos táctiles de ropa que en algún momento seguramente había usado. Eran sedas, tweeds y algodones, en una exquisita variedad de colores.

Como las tres mujeres eran rápidas y eficientes, dos horas más tarde Catherine ya tenía seis preciosos conjuntos. Abrumada de la impresión, se quedó sentada allí, sin saber qué hacer.

Estoy vestida de punta en blanco, se dijo, *y no tengo adónde ir*. Sin embargo, *había* un sitio adonde ir: a la ciudad. La clave de cualquier cosa que le hubiese sucedido estaba en Atenas; de eso estaba convencida. Entonces se levantó. *Vamos, extraña. Trataremos de averiguar quién eres*.

Se encaminó al hall de entrada, y allí se le acercó el mayordomo.

—¿Necesita ayuda, señorita?

—Sí...Querría ir a la ciudad. ¿Podría llamarme un taxi?

—Seguramente no será necesario. Tenemos limusinas a su disposición. En seguida le consigo un chofer.

Catherine vaciló.

—Ah, gracias. —*¿Se enojaría el señor Demiris si ella iba a la ciudad? Al menos no le había dicho que no debía hacerlo*.

Unos minutos más tarde estaba sentada en el asiento

trasero de una limusina Daimler, e iba camino a Atenas.

Quedó deslumbrada por la ciudad bulliciosa y la interminable sucesión de ruinas y monumentos que aparecían por todas partes.

El conductor señaló hacia adelante y dijo, orgulloso:

—Ése es el Partenón, señorita, en la cima de la Acrópolis.

Catherine miró el edificio de mármol blanco, que le resultaba conocido.

—Dedicado a Atenea, la diosa de la sabiduría —se sorprendió ella misma al decirlo.

El chofer sonrió complacido.

—¿Es usted estudiante de historia griega, señorita?

A Catherine se le empañaron los ojos de lágrimas.

—No sé —murmuró—. No lo sé.

En ese momento pasaban frente a otra ruina.

—Ése es el teatro de Herodes Atico. Como verá, las paredes aún están en pie. En una época albergaba a más de cinco mil personas.

—Seis mil doscientos cincuenta y siete —dijo Catherine, en tono quedo.

Modernos hoteles y edificios de oficinas se mezclaban en medio de las ruinas eternas, en una exótica fusión del pasado y el presente. La limusina pasó por un gran parque en el centro de la ciudad, con fuentes de aguas danzarinas en el medio. Diseminadas en el parque había mesitas de colores, y una sucesión de toldos azules.

Esto lo he visto antes, pensó, con la sensación de que se le ponían frías las manos. *Y me sentía feliz.*

Había cafés al aire libre en casi todas las manzanas, y en las esquinas abundaban los hombres que vendían esponjas recién pescadas. Por todas partes se multiplicaban los coloridos puestos de venta de flores.

La limusina llegó entonces a la plaza Syntagma.

Cuando pasaban frente a un hotel de una esquina, Catherine pidió:

—¡Pare, por favor!

El chofer estacionó en la banquina. A Catherine le costaba respirar. *Reconozco este hotel porque estuve alojada aquí.*

Cuando habló, lo hizo con voz temblorosa.

—Quiero bajarme. ¿Podría venir a buscarme dentro de... dos horas?

—Desde luego, señorita. —El hombre se bajó en el acto a abrirle la puerta y Catherine salió al cálido aire del estío. Sentía las rodillas flojas. —¿Se siente bien, señorita? —Ella no pudo responder. Tenía la sensación de hallarse en el borde de un precipicio, a punto de caer en un abismo desconocido, aterrador.

Avanzó entre la muchedumbre, maravillada de ver tanta gente que caminaba presurosa por las calles, creando un gran bullicio con sus conversaciones. Luego del silencio y la soledad del convento, todo le parecía irreal. Después se encaminó hacia Plaka, la parte vieja de Atenas en el corazón de la ciudad, con sus callejuelas sinuosas y sus escaleras decrépitas que llevaban a casas diminutas, cafeterías y ruinosos edificios blancos. Sabía el camino por algún misterioso instinto que no entendía ni trataba de dominar. Pasó frente a una taberna desde la cual se podía observar la ciudad, y se paró a mirar. *Yo he estado sentada a esa mesa. Me entregaron un menú escrito en griego. Éramos tres.*

—*¿Qué quieres comer?* —*le habían preguntado.*

—*¿Por qué no pides tú por mí? Tengo miedo de pedir cualquier cosa.*

Ellos rieron. Pero, ¿quiénes eran esos "ellos"?

Un camarero se le acercó.

—*Borro Nah Sahss?*

—*Ochi Ehfkhahreesto.*

¿Necesita ayuda? No, gracias. ¿Cómo es que supe decir eso? ¿Acaso soy griega?

Siguió su camino presurosa, como si alguien fuera guiándola. Parecía saber con certeza adónde iba.

Todo le resultaba conocido. Y nada. *Dios mío*, pensó. *Me estoy volviendo loca. Tengo alucinaciones.* Pasó delante de un café donde decía "Treflinkas". Un recuerdo la perturbaba casi en el límite de lo consciente. Algo que le había pasado, una cosa importante. Pero no sabía qué era.

Recorrió las callecitas sinuosas, muy concurridas, y dobló a la izquierda en Voukourestiou, una zona donde abundaban las tiendas. *Yo solía venir aquí de compras.* Cuando iba a cruzar la calle, un auto azul dio rápidamente la curva en la esquina, y por poco la atropella.

Creyó recordar una voz que le decía: *Aquí todos conducen de esa manera. Los griegos todavía no hicieron la transición al automóvil. En el fondo de su corazón todavía montan en burro. Si quieres comprender acabadamente a este pueblo, no leas las guías para turistas: lee las antiguas tragedias griegas. Nos inundan grandes pasiones, celos profundos y terribles padecimientos, y no hemos aprendido a disimular todo bajo un barniz de conducta civilizada.*

¿Quién se lo había dicho?

En ese momento, un hombre se acercaba presuroso hacia a ella. Al verla, puso cara de reconocerla y aminoró la marcha. Era alto, de tez morena, y Catherine estaba segura de no haberlo visto nunca. Sin embargo...

—Hola. —Parecía contento de encontrarla.

—Hola. —Catherine respiró hondo. —¿Me conoces?

El hombre sonrió.

—Por supuesto que te conozco.

El corazón le dio un vuelco. Por fin iba a saber la verdad sobre su pasado. Pero, ¿cómo se hace para preguntarle a un desconocido "quién soy" en plena calle, rodeados de gente?

—¿Podemos...hablar?

—Desde luego —repuso el hombre.

Estaba sumamente ansiosa. El misterio de su identidad iba a develarse. Sin embargo, sentía un miedo profundo. *¿Y si en el fondo no quiero saberlo? ¿Y si he cometido algún acto censurable?*

El hombre la conducía hacia un bar al aire libre.

—¡Estoy tan contento de haberte encontrado!

—Yo también. —Catherine tragó saliva.

Un camarero los acompañó hasta una mesa.

—¿Qué quieres beber?

Hizo un gesto de negación con la cabeza.

—Nada. —Había tantas preguntas que hacerle. *¿Por dónde empiezo?*

—Eres muy bonita. Esto es obra del destino, ¿no lo crees?

—Sí. —Por poco temblaba de la emoción. Entonces, respiró hondo. —¿Dónde...dónde nos conocimos?

El individuo sonrió.

—¿Acaso importa, *boritsimon*? En París, en Roma, en las carreras, en alguna fiesta. —Le tomó una mano. —Eres la más bella de las que he visto por aquí. ¿Cuánto cobras?

Catherine se quedó mirándolo, pues por un momento no captó. Después, se levantó horrorizada.

—¡Eh! ¿Qué te pasa? Te pagaré lo que...

Dio media vuelta y salió corriendo a la calle. Al llegar a la esquina aminoró el paso y dobló, con los ojos llenos de lágrimas de humillación.

Vio adelante una pequeña taberna con un letrero en la ventana que decía: "Madame Piris - Adivina". Se detuvo. *Yo conozco a madame Piris. He venido a este lugar.* El corazón comenzó a latirle con fuerza. Supo que allí, atravesando ese zaguán oscuro, se hallaba el comienzo del fin del misterio. Abrió la puerta y entró. Varios segundos demoró en adaptarse a la penumbra del recinto. Había un mostrador en un rincón, y una decena de mesas y sillas. Un camarero se le acercó y le habló en griego.

—*Kalimehra.*

—*Kalimehra. ¿Pou inch* madame Piris?

—¿Madame Piris?

El hombre le señaló una mesa vacía, en un rincón; Catherine fue hasta allí y tomó asiento. Todo estaba exactamente como lo recordaba.

Una mujer increíblemente vieja, vestida de negro, de rostro enjuto que parecía disecado hasta formar sólo ángulos y planos, se acercó a la mesa.

—¿En qué puedo serv...? —Se interrumpió y estudió fijamente la cara de Catherine. Entonces abrió desmesuradamente los ojos. —Yo a usted la conocía, pero su cara...¡Ha vuelto!

—¿Sabe quién soy?

La mujer observaba su semblante con expresión horrorizada.

—¡No! ¡Usted está muerta! ¡Váyase de aquí!

Catherine lanzó un tenue gemido, y sintió que se le erizaba el pelo.

—Por favor, sólo...

—¡Váyase, señora Douglas!

—Tengo que saber...

La anciana se persignó, dio media vuelta y se retiró.

Catherine permaneció sentada un instante, temblorosa. Luego se marchó a la calle. *¡Señora Douglas!*

Fue como si se hubiera abierto una compuerta que dejó entrar decenas de imágenes de colores en su mente, una serie de brillantes calidoscopios que danzaban fuera de control. *Estoy casada con Larry Douglas. Vio el rostro atractivo de su marido. Se había enamorado perdidamente de él, pero algo anduvo mal. Algo...*

En la imagen siguiente aparecía ella tratando de suicidarse, y luego despertaba en un hospital.

Catherine se había detenido en la calle, temerosa de que las piernas no la sostuvieran, mientras los recuerdos se agolpaban a su mente.

Había estado bebiendo en exceso por haber perdido a Larry. Pero después él volvió. Estaban sentados en el Café Treflinkas, y Larry decía: "Sé que me porté muy mal y quiero compensarte, Cathy. Te amo. Nunca he querido a nadie como a ti. Dame otra oportunidad. ¿No te gustaría que nos fuéramos de segunda luna de miel? Conozco un lugar precioso. Se llama Janina."

Después, empezó el horror.

Las imágenes que poblaban su mente eran aterradoras.

Estaba sentada en la cima de una montaña con Larry, perdidos en medio de una neblina gris. Él se le acercaba con los brazos extendidos, con la intención de empujarla a un precipicio. En ese preciso instante llegaron unos turistas que la salvaron.

Después estuvo también el episodio de las cuevas.

Me contaron que hay unas cavernas por aquí cerca, donde suelen ir las parejas en luna de miel.

Fue así como fueron a las cuevas, y Larry la llevó hasta las entrañas de una de ellas y la dejó allí para que se muriera.

Se tapó las orejas como si con ese gesto pudiese borrar los pensamientos terribles que la atormentaban.

Había sido rescatada y llevada de vuelta al hotel, y un médico le dio un sedante. Pero a medianoche se despertó y oyó a Larry y su amante, que estaban en la cocina planeando su asesinato, pero el viento se llevaba algunas de sus palabras.

...nadie lo sabrá jamás...

Te dije que yo me encargaría de...

...estaba equivocado. No puedes hacer...

...ahora, mientras está dormida.

Recordaba que salió corriendo en medio de la tormenta espantosa, perseguida por ellos; que subió a un bote y que el viento empujó el bote hasta el medio del lago. Cuando la embarcación estaba a punto de hundirse, perdió el conocimiento.

Se sentó en un banco de la calle, demasiado agotada como para moverse. Entonces las pesadillas habían ocurrido de verdad. El marido, junto con su amante, había tratado de matarla.

Volvió a pensar en el extraño que había ido a visitarla al convento poco después de su rescate. Le había regalado un bellísimo prendedor de oro en forma de pájaro, con las alas desplegadas para volar. *Ahora nadie te hará daño. Los malvados ya han muerto.* Aún no recordaba nítidamente su rostro.

Comenzó a sentir puntadas en la cabeza.

Por último, se levantó y caminó lentamente hacia la calle donde debía encontrarse con el chofer que la llevaría de regreso a casa de Constantin Demiris, donde podía descansar con tranquilidad.

Capítulo 4

—¿Por qué le permitió salir de la casa? —quiso saber Demiris.

—Perdóneme, señor —repuso el mayordomo-, pero como usted no me dijo que no la dejara salir...

Demiris trató de mostrarse sereno.

—Bueno, no es tan importante. Probablemente regresará en seguida.

—¿Algo más, señor?

—No.

Cuando el mayordomo se retiró, se puso a mirar por una ventana el jardín impecable. Era muy peligroso que Catherine Alexander anduviera por las calles de Atenas, donde alguien podía reconocerla. *Qué pena que no puedo permitirle vivir. Pero primero... mi venganza. Seguirá viva hasta que me haya vengado. Voy a divertirme con ella. La enviaré lejos de aquí, a algún lugar donde nadie la conozca. Londres puede ser un sitio seguro. Allí podremos vigilarla. Le daré un empleo en mis oficinas de Londres.*

Una hora más tarde, cuando Catherine regresó a la casa, Constantin Demiris percibió en el acto el cambio que se había operado en ella. Daba la impresión de que se había descorrido una pesada cortina, y de repente había cobrado vida. Tenía puesto un bonito traje de seda azul y camisa blanca. A Demiris le llamó la atención lo mucho que había cambiado su aspecto. *Nostimi*, pensó. *Sexy*.

—Señor Demiris...

—Costa.

—Sé quién soy...y también lo que pasó.

El rostro masculino permaneció impasible.

—¿Ah, sí? Siéntate, querida, y cuéntamelo.

Estaba demasiado excitada como para sentarse. Entonces, comenzó a pasearse sobre la alfombra, desgranando las palabras que venían a su mente.

—Mi marido y su...amante, de nombre Noelle, trataron de asesinarme. —Se interrumpió y lo miró fijamente. —¿Le parece una locura lo que digo? No sé... a lo mejor lo es.

—Prosigue, querida —trató él de tranquilizarla.

—Unas monjas del convento me salvaron. Mi marido trabajaba para usted, ¿verdad?

Demiris vaciló un instante, mientras sopesaba su respuesta.

—Sí. —¿Hasta dónde debía contarle? —Era uno de mis pilotos. Yo me sentí responsable por ti...

—Pero entonces sabía quién soy. ¿Por qué no me lo dijo esta mañana?

—Tenía miedo de que pudiera darte un shock. Por eso me pareció mejor dejar que fueras descubriendo tú sola las cosas.

—¿Sabe qué suerte corrieron mi marido y... esa mujer? ¿Dónde están?

Demiris la miró a los ojos.

—Fueron ejecutados.

Catherine se puso pálida. Hizo un pequeño sonido, y de pronto sintió que perdía las fuerzas como para estar de pie, por lo cual se hundió en un sillón.

—Yo no...

—Los ejecutaron las autoridades, Catherine.

—Pero... ¿por qué?

Cuidado. Peligro.

—Porque intentaron matarte.

Frunció el entrecejo.

—No entiendo. ¿Por qué tenían que ejecutarlos? Yo estoy viva...

—Catherine, las leyes griegas son muy estrictas, y aquí la justicia es muy veloz. Hubo un juicio público. Varios testigos declararon que tu marido y Noelle Page habían tratado de asesinarte. Se los recluyó, y luego fueron sentenciados a muerte.

—Me cuesta creerlo. —Estaba anonadada. —El juicio...

Constantin Demiris se le acercó y apoyó una mano sobre su hombro.

—Tienes que olvidar el pasado. Ellos quisieron hacerte algo muy malo, y lo pagaron. —Trató de imprimir un tono más animado a su voz. —Creo que tú y yo deberíamos hablar de tu futuro. ¿Tienes algún plan?

No lo oía. *Larry*, pensó. *El bello rostro de Larry, sonriente. Sus brazos, su voz...*

—Catherine...

Levantó la mirada.

—Perdóneme —dijo.

—¿Has pensado algo para el futuro?

—No... No sé lo que voy a hacer. Supongo que podría quedarme en Atenas...

—No —se opuso firmemente Demiris—. No sería una buena idea porque te traería a la memoria muchos malos recuerdos. Yo te sugeriría que te fueras de Grecia.

—Pero no tengo otro sitio adonde ir.

—Yo lo estuve pensando... Tengo oficinas en Londres. En una época tú trabajaste con un señor de nombre William Fraser, en Washington. ¿Te acuerdas?

—¿William...? —De pronto le vino a la memoria. Había sido una de las épocas más felices de su vida.

—Eras su asistente administrativa, creo.

—Sí...

—Podrías hacer el mismo trabajo para mí en Londres.

Titubeó.

—No sé. No quiero parecer desagradecida, pero...

—Comprendo. Sé que todo te da la impresión de estar ocurriendo demasiado rápido —se solidarizó Demiris—. Necesitas tiempo para reflexionar. ¿Por qué no cenas tranquila, en tu cuarto, y mañana seguimos hablando del tema?

El hecho de sugerirle que cenara en su cuarto había sido una inspiración de último momento. No podía darse el lujo de que su mujer se topara con ella.

—Es usted muy bueno y generoso. Esta ropa...

Demiris le dio una palmadita en la mano y se la retuvo un instante más de lo necesario.

—No tienes nada que agradecerme.

Sentada en su dormitorio observó el sol deslumbrante que se ponía sobre el azul Egeo, provocando una explosión de color. *No tiene sentido que reviva el pasado. Tengo que pensar en el futuro. Gracias a Dios que existe Constantin Demiris.* De no haber sido por él, no tenía a ninguna otra persona a quien acudir. Y ahora le ofrecía un puesto en Londres. *¿Lo acepto, o no?* Un golpecito en la puerta interrumpió sus pensamientos.

—Le traigo la cena, señorita.

Largo rato después de que Catherine se retiró, Demiris permanecía aún en la biblioteca pensando en lo que habían conversado. *Noelle.* En una sola oportunidad Demiris se había permitido perder el control sobre sus emociones. Se enamoró perdidamente de Noelle Page y la convirtió en su amante. Nunca había conocido a una mujer como ella. Sabía de arte, de música, de negocios, y se volvió indispensable. Nada en Noelle lo sorprendía, y al mismo tiempo todo en ella lo sorprendía también, lo obsesionaba. Era la mujer más hermosa y sensual que hubiera conocido jamás. Dejó su carrera de actriz para quedarse a su lado. Despertaba en él emociones nunca vividas hasta entonces. Era su amante, su confidente, su amiga. Demiris le entregó toda su confianza, y ella lo engañó con Larry Douglas, error que pagó con su vida. Constantin Demiris arregló con las autoridades que sus restos fueran sepultados en el cementerio de Psara, la isla privada que poseía en el Egeo. Todos comentaron qué gesto hermoso y sentimental había sido. De hecho, Demiris lo quiso así para disfrutar del placer de poder caminar por encima de la tumba de esa puta. En la mesa de noche de su dormitorio conservaba una foto preciosa de ella en la que lo miraba sonriente. Siempre sonriente, congelada en el tiempo.

Inclusive ahora, transcurrido ya un año, Demiris no podía dejar de pensar en ella. Era una herida abierta que ningún médico podía curar.

¿Por qué, Noelle, por qué? Te di todo. Te amaba, hija de puta. Te amaba. Te amo.

También estaba el asunto con Larry Douglas, que tuvo que pagar con su vida. Pero eso no fue suficiente para Demiris. Tenía pensada otra venganza perfecta: iba a complacerse con la esposa de Douglas, tal como Douglas lo había hecho con Noelle. Después, enviaría a Catherine a reunirse con su marido.

—Costa...

Era la voz de su mujer.

Melina entró en la biblioteca.

Constantin Demiris estaba casado con Melina Lambrou, una bella mujer proveniente de una aristocrática familia griega. Era alta, elegante y de una dignidad innata.

—Costa, ¿quién es la mujer que vi en el hall? —preguntó ella, con voz tensa.

La pregunta lo tomó desprevenido.

—¿Qué? Ah, sí. Es una amiga de un socio mío. Va a trabajar en mis oficinas de Londres.

—La vi de paso y me hizo acordar a alguien.

—¿Ah, sí?

—Sí. —Titubeó. —Me recuerda a la esposa del piloto que trabajaba contigo, pero sé que es imposible porque la asesinaron.

—Sí. La mataron.

Cuando Melina se fue, la siguió con la mirada. Tendría que tener cuidado. Melina no era ninguna tonta. *Nunca debí haberme casado con ella*, se dijo. *Fue un gran error...*

Diez años antes, la boda de Melina Lambrou y Constantin Demiris había conmocionado los círculos sociales y de negocios desde Atenas hasta la Riviera y Newport. Lo que hizo más jugosa la noticia fue el hecho de que, hasta un mes antes de casarse, la novia había estado comprometida con otro hombre.

De niña, Melina Lambrou había dado muchos dolores de cabeza a su familia. A los diez años decidió que quería ser marinera. El chofer de la familia la encontró un día en el puerto, tratando de subir subrepticiamente a un barco, y la llevó de vuelta a su casa. A los doce intentó escaparse con la gente de un circo.

A los diecisiete, Melina ya se había resignado a su suerte: era bella, inmensamente rica e hija de Mihalis Lambrou. A los diarios les encantaba escribir sobre ella, un personaje de cuento de hadas que jugaba con príncipes y princesas, pese a lo cual, y por milagro, no se había vuelto consentida. Tenía un hermano, Spyros, que le llevaba diez años, y se adoraban uno al otro. Los padres habían muerto en un accidente de barco cuando Melina tenía trece años, por lo que fue Spyros quien la crió.

El hermano la protegía (demasiado, en opinión de ella). Investigaba a todos los candidatos que pedían la mano de Melina, pero ninguno le parecía lo suficientemente bueno.

—Debes tener cuidado —le advertía constantemente— porque estás en la mira de todos los cazadores de fortunas del mundo. Eres joven, linda y rica, y además llevas un apellido famoso.

—Bravo, querido hermano. Eso me servirá de inmenso alivio cuando tenga ochenta años y me muera solterona.

—No te preocupes, Melina. Ya va a aparecer el hombre indicado.

Fue el conde Vassilis Manos, un hombre de más de cuarenta años, empresario afamado proveniente de una distinguida familia griega. El conde se enamoró locamente de la joven y bella Melina, y a las pocas semanas de haberla conocido, le propuso matrimonio.

—Es perfecto para ti —se pronunció Spyros, feliz—. Tiene los pies puestos en la tierra, y lo has vuelto loco.

Melina no compartía su entusiasmo.

—No tiene nada de emocionante, Spyros. Cuando estamos juntos, no habla más que de negocios y negocios. Me gustaría que fuera más... romántico.

—El matrimonio no se basa exclusivamente en el romanticismo —reaccionó el hermano—. Te hace falta un marido asentado, estable, alguien que se te entregue por entero.

Por último convenció a Melina para que aceptara al conde.

Manos estaba encantado.

—Me has hecho el hombre más feliz del mundo. Acabo de crear una nueva empresa, que se va a llamar Melina International.

Ella habría preferido una docena de rosas. Se fijó la fecha de la boda, se envió un millar de invitaciones y comenzaron a elaborarse complejos planes.

Fue entonces cuando Constantin Demiris entró en la vida de Melina Lambrou.

Se conocieron en una de las tantas fiestas de compromiso que se organizaron para la pareja.

La dueña de casa los presentó.

—Ésta es Melina Lambrou. Constantin Demiris.

Demiris la contempló con sus ojos negros, pensativos.

—¿Cuánto tiempo te permitirán quedarte? —preguntó.

—Perdone, no le entiendo.

—No me cabe duda de que te han enviado de los cielos para enseñarnos a los mortales lo que es la belleza.

Melina se rió.

—Me halaga, señor Demiris.

—No lo tomes como un simple elogio. Cualquier cosa que yo diga no te haría justicia.

En ese momento se acercó el conde Manos, e interrumpió la conversación.

Esa noche, antes de dormirse, Melina pensó en Demiris. Desde luego había oído hablar de él, un hombre rico, viudo, que tenía fama de empresario despiadado y mujeriego compulsivo. *Me alegro de no tener nada que ver con él*, se dijo.

Los dioses se rieron.

A la mañana siguiente de la fiesta, el mayordomo de Melina entró en el comedor.

—Ha llegado un paquete para usted, señorita. Lo entregó el chofer del señor Demiris.

—Tráigamelo, por favor.

Así que Constantin Demiris piensa que me va a impresionar con su fortuna. Bueno, se va a llevar una desilusión. Lo que me haya mandado...ya sea una alhaja costosa o alguna valiosa antigüedad...se la devolveré en el acto.

El paquetito era rectangular y venía muy bien envuelto. Curiosa, Melina lo abrió. La tarjeta decía, simplemente: "Pensé que te gustaría esto. Constantin".

Era una edición encuadernada en cuero de *Todo Raba* por Nikos Kazantzakis, su autor preferido. *¿Cómo lo supo?*

Melina le escribió entonces una notita de agradecimiento, y pensó: *Bueno, esto se acabó.*

A la mañana siguiente le llegó otro paquete. En esa oportunidad se trataba de una grabación de Delius, su compositor favorito. La tarjeta decía: "Quizá disfrutes escuchando esta música mientras lees *Todo Raba*".

A partir de entonces recibió obsequios todos los días. Las flores, el perfume, la música, los libros que más le gustaban. Constantin Demiris se había tomado el trabajo de averiguar sus preferencias, y ella no pudo menos de sentirse halagada por sus atenciones.

Cuando lo llamó por teléfono para agradecerle, él dijo:

—Nada de lo que yo pueda darte será nunca lo que te merezcas.

¿A cuántas mujeres le habría dicho lo mismo?

—¿Vendrás a almorzar conmigo, Melina?

Iba a contestarle que no, pero luego pensó: *¿Qué tiene de malo que le acepte la invitación? Después de todo, ha sido muy amable conmigo.*

—Bueno.

Cuando le contó que iba a almorzar con Constantin Demiris, el conde Manos se enojó.

—¿Por qué lo haces, querida? No tienes nada en común con ese hombre tan terrible. ¿Por qué vas a verlo?

—Vassilis, me ha estado enviando pequeños obsequios todos los días. Voy para decirle que no me mande nada más.

—Pero aún en el momento en que daba la excusa, pensó: *También se lo podría haber dicho por teléfono.*

Constantin Demiris había reservado mesa en el popular restaurante Flocas, de la calle Panepistimiou, y ya estaba esperando a Melina cuando ésta llegó.

Se puso de pie.

—Viniste. Tenía tanto miedo de que cambiaras de opinión.

—Siempre cumplo con mi palabra.

El la miró y añadió, con cierto aire solemne:

—Yo también cumplo la mía. Voy a casarme contigo.

Melina meneó la cabeza, en parte divertida pero también con algo de fastidio

—Señor Demiris, estoy comprometida para casarme.

—¿Con Manos? —Hizo un ademán como restándole importancia a la idea. —No es hombre para ti.

—¿Ah, no? ¿Y por qué?

—Lo he hecho investigar. Hay casos de demencia en

su familia. Además, es hemofílico, tiene antecedentes policiales por una denuncia de índole sexual contra él en Bruselas y juega muy mal al tenis.

No pudo contener una risa.

—¿Y usted?

—Yo no juego al tenis.

—Entiendo. ¿Y por eso debo casarme con usted?

—No. Te casarás conmigo porque te haré la mujer más feliz sobre la tierra.

—Señor Demiris...

El le tomó una mano.

—Costa.

Retiró la mano.

—Señor Demiris, vine hoy para pedirle que no siga mandándome regalos. No pienso volver a verlo nunca más.

El la observó un largo instante.

—Estoy seguro de que no eres cruel.

—Espero que no.

Demiris sonrió.

—Bien. Entonces no querrás partirme el corazón.

—Dudo de que sea fácil partir su corazón, a juzgar por la fama que tiene.

—Ah, eso fue antes de conocerte. Hace mucho que vengo soñando contigo.

Melina soltó una risa.

—Lo digo en serio. Cuando era joven, solía leer cosas sobre la familia Lambrou. Tú eras rica y yo muy pobre. Vivíamos con lo justo. Mi padre era estibador y trabajaba en los muelles del Pireo. Tuve catorce hermanos, y teníamos que pelear por todo lo que queríamos.

Melina no pudo dejar de conmoverse.

—Pero ahora es rico —dijo.

—Sí, aunque no tanto como voy a serlo.

—¿Qué fue lo que lo hizo rico?

—El hambre. Siempre viví con hambre, y hasta el día de hoy también.

Pudo leer en sus ojos que le estaba contando la verdad.

—¿Cómo... cómo fue que empezó?

—¿De veras quieres saberlo?

—Sinceramente.

—Cuando tenía diecisiete años, me fui al Oriente Medio a trabajar en una pequeña empresa petrolera. No me iba demasiado bien. Una noche salí a cenar con un geólogo joven que trabajaba en una petrolera importante. Recuerdo que pedí un bife y él pidió apenas una sopa. Cuando le pregunté por qué no comía carne, me contestó que porque le faltaban las muelas de atrás, y no tenía dinero para hacerse poner postizas. Entonces le di cincuenta dólares para que fuera al dentista. Un mes más tarde me llamó una noche y me contó que acababa de descubrir un yacimiento de petróleo y aún no se lo había informado a su jefe. Por la mañana, pedí prestado todo el dinero posible, y a la noche ya había comprado todas las opciones sobre los terrenos adyacentes al nuevo yacimiento, que resultó ser uno de los más grandes del mundo.

Melina escuchaba fascinada hasta la última palabra.

—Ése fue el comienzo. Como necesitaba buques-cisterna para transportar el petróleo, con el tiempo adquirí una flota. Después, una refinería, una línea aérea. —Se encogió de hombros. —Y después la cosa siguió.

Sólo mucho tiempo después de casados Melina descubrió que la historia sobre el bife era puro invento.

Melina Lambrou no tenía intenciones de volver a ver a Demiris, pero, por una serie de coincidencias cuidadosamente planeadas, Demiris se las ingeniaba para aparecer en la misma fiesta, teatro o reunión de beneficencia a que concurría ella. Y en cada oportunidad, Melina sentía el poderoso magnetismo de su persona. Comparado con Demiris, Vassilis Manos —lamentaba reconocerlo, inclusive ante sí misma— parecía aburrido.

A ella le gustaban los pintores flamencos, y cuando salió a la venta el *Cazadores en la Nieve*, de Bruegel, antes de que pudiera adquirirlo, Constantin Demiris ya lo había comprado y enviado de regalo.

La fascinaba la forma misteriosa en que él conocía sus gustos.

—No puedo aceptarle un obsequio tan costoso.

—No, no es un obsequio. Tendrás que pagarlo: ven a cenar conmigo esta noche.

Por último, accedió. Ese hombre era irresistible.

Una semana más tarde rompió su compromiso con el conde Manos.

Cuando le contó la noticia al hermano, éste quedó pasmado.

—¿Por qué, si se puede saber? *¿Por qué?* —reaccionó Spyros.

—Porque voy a casarme con Constantin Demiris.

El hermano se espantó.

—Te has vuelto loca. No puedes casarte con él. Es un monstruo. Te destruirá. Si...

—Lo estás juzgando mal, Spyros. Es maravilloso. Y estamos enamorados...

—*Tú* estás enamorada —le retrucó él—. No sé qué es lo que busca, pero no tiene nada que ver con el amor. ¿Sabes la fama que tiene con las mujeres?

—Es cosa del pasado, Spyros. Voy a casarme igual.

Y el muchacho no pudo convencerla para que cambiara de decisión.

Un mes más tarde, se realizó la boda de Melina Lambrou y Constantin Demiris.

Al principio parecía el matrimonio perfecto. Constantin era un compañero atento, divertido, un amante apasionado y constantemente sorprendía a su mujer con regalos costosos y viajes a exóticos lugares.

La primera noche de casados dijo:

—Mi primera mujer no pudo nunca darme hijos. Nosotros en cambio vamos a tener muchos varones.

—¿Ninguna hija mujer? —bromeó Melina.

—Si quieres...Pero primero un varón.

El día en que ella se enteró de que estaba embarazada, Demiris quedó arrobado.

—Mi hijo se hará cargo de mi imperio —declaró, feliz.

En el tercer mes de embarazo, Melina perdió a la criatura. En ese momento Constantin no se encontraba en el país, y cuando regresó, reaccionó como un loco.

—¿Qué hiciste? —le recriminó—. ¿Cómo fue que pasó?

—Costa, yo...

—¡No tuviste cuidado!

—No, te lo juro...

El respiró hondo.

—De acuerdo. Lo hecho, hecho está. Tendremos otro hijo.

—Yo... no puedo. —No se atrevía a mirarlo a los ojos.

—¿Qué dices?

—Tuvieron que hacerme una operación... y no puedo tener más hijos.

Demiris quedó petrificado unos instantes. Luego giró sobre sus talones y se marchó sin decir una palabra.

A partir de ese momento, la vida de Melina se convirtió en un infierno. Con su comportamiento, Constantin demostraba que, para él, su esposa había matado deliberadamente al hijo. No la tomaba en cuenta para nada, y comenzó a salir con mujeres.

Eso Melina podría haberlo tolerado, pero lo que más la humillaba era el placer con que él exhibía en público sus asuntos amorosos. Tenía aventuras con conocidas estrellas de cine, cantantes de ópera y hasta con las mujeres de ciertos amigos. Llevaba a sus amantes a Psara, su isla privada; las invitaba a realizar cruceros en su yate y a funciones públicas. El periodismo se deleitaba relatando las escapadas sentimentales de Constantin Demiris.

Estaban cenando en casa de un conocido banquero.

—Tienes que venir con Melina —había dicho el banquero— . Tengo un nuevo cocinero oriental que prepara la más exquisita comida china.

En la lista de invitados figuraban todas personas de renombre. Así, se reunió alrededor de la mesa una fascinante colección de pintores, políticos e industriales. La comida por cierto fue excelente. El chef había preparado sopa de aletas de tiburón, bollitos de camarones, cerdo *mui shu*, pato de Pekín, fideos orientales y decenas de platos más.

Melina estaba sentada en la cabecera de la mesa, al lado del anfitrión, y su marido en el otro extremo, junto a una joven actriz de cine. Demiris brindaba a esa muchacha toda su atención, sin reparar en las demás personas. Melina alcanzaba a oír trozos de su conversación.

—Cuando termines la película, tienes que venir a navegar en mi yate. Será un hermoso descanso para ti. Recorreremos la costa dálmata...

Trató de no oír, pero era imposible pues Demiris no hacía el menor esfuerzo por bajar la voz.

—No conoces Psara, ¿verdad? Es una isla preciosa, totalmente aislada. Te va a gustar. —Melina quería esconderse debajo de la mesa, pero aún no había llegado lo peor.

Acababan de comer costillitas de cerdo, y los camareros traían a la mesa pequeños bols para enjuagarse los dedos.

Cuando colocaron uno delante de la actriz de cine, Demiris dijo:

—No vas a necesitar esto. —Acto seguido, muy sonriente le tomó una mano y lentamente comenzó a lamerle los dedos, uno por uno, para quitarle los restos de salsa. Los demás invitados desviaron la mirada.

Melina se puso de pie y se disculpó ante el anfitrión.

—Perdóneme, pero me duele la cabeza.

Todos la observaron marcharse apresuradamente de la habitación. Demiris no volvió a su casa esa noche ni la siguiente.

Cuando Spyros se enteró del incidente, quedó demudado.

—Dame tu autorización —dijo, indignado—, y ya mismo mato a ese hijo de puta.

—Él no puede evitarlo —lo defendió Melina—. Es su carácter.

—¿Su carácter? ¡Es un animal! Habría que recluirlo. ¿Por qué no te divorcias de él?

Esa pregunta ella se la había formulado a menudo en la quietud de las largas noches que pasaba sola. Y siempre llegaba a la misma conclusión: "Porque lo amo".

A las cinco y media de la madrugada, una mujer del personal fue a despertar a Catherine.

—Buenos días, señorita...

Catherine abrió los ojos y miró en derredor, desorientada. En vez de hallarse en la minúscula celda del convento, se encontraba en un hermoso dormitorio de... De pronto le vinieron los recuerdos. *El viaje a Atenas... Eres Catherine Douglas... Ellos fueron ejecutados...*

—Señorita...

—¿Sí?

—El señor Demiris desea que se reúna a desayunar con él en la terraza.

Catherine la miró, adormilada. Se había quedado despierta hasta las cuatro de la mañana por los pensamientos que daban vuelta por su cabeza.

—Gracias. Dígale al señor que en seguida estoy con él.

Veinte minutos más tarde, el mayordomo la acompañó hasta una enorme terraza que daba al mar. Un muro de piedra no muy alto rodeaba la terraza, y desde allí se veían los jardines, unos seis metros más abajo. Constantin Demiris se hallaba sentado a una mesa, esperando. Miró llegar a Catherine, que se acercaba a él. La muchacha poseía un aire de inocencia muy atrayente. Él iba a apoderarse de ese rasgo tan bello, iba a poseerlo, a hacerlo suyo. La imaginó desnuda en la cama de él, ayudándolo a castigar una vez más a Noelle y Larry.

—Buenos días. Perdona que te haya despertado tan temprano, pero dentro de unos minutos salgo para la oficina y quería que conversáramos antes.

—Sí, por supuesto.

Catherine tomó asiento a la larga mesa de mármol, frente a él, o sea de cara al mar. El sol estaba despuntando, rociando el agua con miles de reflejos.

—¿Con qué quieres desayunar?

—No tengo hambre.

—¿Café, tal vez?

—Gracias.

El mayordomo le sirvió café en un jarrito.

—Bueno, Catherine. ¿Pensaste en algo sobre lo que conversamos?

No había pensado en otra cosa toda la noche. No le quedaba nada por hacer en Atenas, y tampoco tenía otro lugar adonde ir. *No voy a regresar al convento*, juró mentalmente. La propuesta de trabajar en Londres para Constantin Demiris le pareció tentadora. *De hecho*, tuvo que reconocer, *me entusiasma. Podría ser el inicio de una vida nueva.*

—Sí, pensé.

—¿Y?

—Creo...que me gustaría probar.

Demiris logró ocultar su sensación de alivio.

—Me alegro. ¿Alguna vez estuviste en Londres?

—No. Es decir...creo que no. —*¿Por qué no estoy segura?* Aún tenía tantas lagunas en la memoria. *¿Cuántas sorpresas más voy a tener?*

—Es una de las pocas ciudades civilizadas que quedan

en este mundo. Pienso que te va a gustar mucho.

Vaciló. —Señor Demiris, ¿por qué se toma tantas molestias conmigo?

—Digamos que porque siento cierta responsabilidad. — Hizo una pausa. —Yo le presenté a Noelle Page a tu marido.

—Ah. —*Noelle Page*. El solo nombre le dio escalofríos. Ambos habían muerto uno por el otro. *Larry debe de haberla querido mucho*.

Luego hizo un esfuerzo y formuló la pregunta que la había atormentado la noche entera.

—¿En qué...forma los ejecutaron?

Se produjo una breve pausa.

—Les disparó un pelotón de fusilamiento.

—Ah. —Le pareció sentir las balas que perforaban la carne de Larry, que desgarraban el cuerpo del hombre al que tanto había amado. Entonces lamentó haberlo preguntado.

—Te doy un consejo: no pienses en el pasado porque sólo puede ocasionarte dolor. Debes dejar todo atrás.

—Tiene razón —aceptó, en tono quedo—. Trataré de no pensar.

—Bien. Casualmente uno de mis aviones vuela esta mañana a Londres. ¿Puedes prepararte para partir dentro de un rato?

Pensó en todos los viajes que había hecho con Larry, en el entusiasmo de los preparativos, en cómo le gustaba armar las maletas.

Esta vez no iría con nadie, tendría muy poco que empacar y nada para lo cual prepararse.

—Sí, por supuesto.

—Excelente. A propósito —dijo Demiris sin dejar traslucir nada especial en su tono de voz—, ahora que has recobrado la memoria, quizás haya alguna persona de tu pasado a la que quieras hacerle saber que estás bien.

El nombre que le vino de inmediato a la mente fue el de Bill Fraser, la única persona del mundo que aún quedaba del pasado. Sin embargo, sabía que todavía no estaba en condiciones de encontrarse con él. *Cuando ya esté instalada*, pensó, *Cuando haya empezado a trabajar, me pondré en contacto con él*.

Constantin Demiris estudiaba su rostro, aguardando una respuesta.

—No —dijo por fin—. No hay nadie.

Desde luego no sabía que acababa de salvarle la vida a William Fraser.

—Yo te conseguiré un pasaporte. —Le entregó un sobre. —Aquí tienes un adelanto de sueldo. No tendrás que preocuparte en buscar un lugar donde vivir porque la compañía posee un apartamento en Londres, que puedes ocupar.

Se sintió abrumada.

—Es demasiado generoso.

Demiris le tomó una mano.

—Ya vas a ver que puedo... —A mitad de camino cambió lo que iba a decir. *Trátala con cuidado*, pensó. *No te apresures, no sea cosa que la chica se espante.* —...que puedo llegar a ser un buen amigo.

—Ya *es* un buen amigo.

Demiris sonrió. *Espera y vas a ver.*

Dos horas más tarde Demiris la ayudó a subir al Rolls Royce que habría de llevarla al aeropuerto.

—Disfruta de Londres —dijo—. Ya tendrás noticias mías.

Cinco minutos después de que el auto se hubo marchado, Demiris estaba hablando por teléfono con Londres.

—Ya va en camino —anunció.

Capítulo 5

El avión debía decolar del aeropuerto de Hellienikon a las 09:00 de la mañana. Era un Hawker Siddeley, y Catherine advirtió con sorpresa que la única pasajera era ella. El piloto, un griego de mediana edad y rostro afable, de apellido Pantelis, comprobó que estuviera cómodamente sentada y se hubiese abrochado el cinturón.

—Vamos a despegar dentro de unos minutos.

—Gracias.

Lo miró dirigirse a la cabina donde se hallaba el copiloto, y el corazón comenzó a latirle con fuerza. *Éste es el avión que piloteaba Larry. ¿Noelle Page se habría sentado en este mismo asiento?* De pronto tuvo la sensación de que iba a desmayarse, de que las paredes la encerraban. Cerró los ojos y respiró hondo. *Eso se terminó*, se dijo. *Demiris tiene razón. No puedo hacer nada para cambiar el pasado.*

Oyó el rugir de los motores y abrió los ojos. La nave levantaba vuelo rumbo al noroeste, hacia Londres. *¿Cuántas veces había hecho Larry el mismo vuelo? Larry.* Se emocionó por la mezcla de emociones que despertaba en ella su nombre. *Y los recuerdos. Los recuerdos maravillosos, terribles...*

Corría el verano de 1940, el año previo al ingreso de los Estados Unidos en la guerra. Ella acababa de egresar de la Northwestern University, y viajó de Chicago a Washington en busca de su primer trabajo.

Una compañera le había contado:

—Se ofrece un puesto de secretaria en el Departamento de Estado, para la oficina de William Fraser. Es un personaje importante, que dirige todo lo vinculado con las relaciones públicas. Yo me enteré anoche. Si vas ya mismo, puedes ganarles a las demás.

Catherine salió corriendo, pero lamentablemente la sala de espera de Fraser estaba colmada de aspirantes al cargo de secretaria. *No tengo ni la menor posibilidad*, se dijo. En ese momento se abrió la puerta que comunicaba con el despacho, y salió William Fraser, un rubio alto, bien parecido, con canas en las sienes, ojos de un azul intenso y una mandíbula importante.

—Necesito un ejemplar de *Life* —le indicó a la recepcionista—. El número que salió hace tres o cuatro semanas, que trae la foto de Stalin en la tapa.

—En seguida se lo pido, señor.

—Sally, tengo al senador Borah en la línea y quiero leerle un párrafo que se publicó en ese número. Le doy dos minutos para que me lo consiga. —Volvió a entrar en su despacho y cerró la puerta.

Las aspirantes a secretarias se miraron unas a otras y se encogieron de hombros.

Catherine trató de pensar ingeniosamente. Dio media vuelta y se abrió paso para retirarse de la oficina. Al salir, oyó que una de las jóvenes comentaba: "Genial. Una menos".

Tres minutos más tarde regresó con el ejemplar de *Life* que tenía la foto de Stalin en la tapa, y se lo entregó a la recepcionista. Diez minutos más tarde, estaba sentada en el despacho de Bill Fraser.

—Me dice Sally que eres la joven que trajo la revista.

—Sí, señor.

—Supongo que no habrás tenido por casualidad una revista vieja en la cartera.

—No, señor.

—¿Cómo fue que la encontraste tan rápido?

—Fui hasta una peluquería de aquí cerca. Se sabe que en las peluquerías y los consultorios de dentistas siempre hay revistas viejas.

—¿Eres tan inteligente para todo?

—No, señor.

—Eso lo vamos a averiguar. Quedas contratada —dijo William Fraser.

La entusiasmaba trabajar para Fraser. Su jefe era soltero, rico y sociable, y parecía que en Washington conocía a todo el mundo. La revista *Time* lo había nombrado: "El soltero más codiciado del año".

Seis meses después de que empezó a trabajar allí, Fraser y Catherine se enamoraron.

En el dormitorio de él, Catherine dijo:

—Tengo que advertirte una cosa: soy virgen.

Fraser meneó la cabeza, azorado.

—Increíble. ¿Cómo vine a caer con la única mujer virgen de la ciudad de Washington?

Un día Fraser le dijo:

—Me pidieron que nuestra oficina supervisara una película para promover el reclutamiento de muchachos en el ejército, que se está filmando en los estudios de la MGM, en Hollywood, y quiero que te ocupes tú de eso mientras dure mi estada en Londres.

—¿Yo? Bill, ni siquiera soy capaz de cargar una máquina fotográfica. ¿Qué sé yo de filmación?

Fraser sonrió.

—Más o menos lo mismo que los demás. No te preocupes, porque hay un director. Se llama Allan Benjamin. El ejército piensa usar actores en el filme.

—¿Ah, sí? ¿Por qué?

—Seguramente pensarán que los soldados no son demasiado convincentes como soldados.

—Típico del ejército.

Fue así como Catherine viajó a Hollywood para supervisar el rodaje de la película.

El escenario estaba colmado de extras, la mayoría de ellos vestidos con uniformes que les quedaban mal.

—Disculpe —se dirigió Catherine a un hombre que pasaba—, ¿está por aquí el señor Allan Benjamin?

—¿El cabo petisito? —Señaló. —Anda por allá.

Catherine se volvió y vio a un hombre menudo, de aspecto frágil, con un uniforme que no era de su tamaño e insignias de cabo, que le estaba gritando a otro hombre con estrellas de general.

—No me interesa lo que diga el director de reparto. Ya estoy harto de los generales. Quiero suboficiales. —Levantó las manos en gesto de impotencia. —Aquí todos quieren ser caciques, pero no indios.

—Perdón, soy Catherine Alexander.

—¡Gracias a Dios! Ahora se hace cargo usted. Sinceramente no sé lo que estoy haciendo aquí. Tenía un puesto muy bien pago en Dearborn como redactor de una revista para el gremio de los fabricantes de muebles. Apenas me reclutaron me mandaron a escribir guiones para películas de propaganda del ejército. ¿Y qué sé yo del trabajo de productor o director? Se lo entrego: es todo suyo. —Dio media vuelta y enfiló de prisa hacia la salida, dejando a Catherine allí.

Un hombre delgado y canoso, de pulóver, se le acercó con una sonrisa en los labios.

—¿Necesita ayuda?

—Necesito un milagro. Quedo a cargo de todo esto y ni siquiera sé lo que hay que hacer.

El hombre le sonrió.

—Bienvenida a Hollywood. Soy Tom O'Brien, el director auxiliar.

—¿Cree usted que podría dirigir esto?

Vio que una comisura de sus labios se movió hacia arriba.

—Podría intentarlo. He hecho seis películas con Willie Wyler. La situación no es tan deplorable como parece. Lo único que hace falta es un poco de organización. El guión está escrito, y el set está listo.

Catherine miró alrededor.

—Algunos de esos uniformes son espantosos. Veamos si podemos mejorarlos.

O'Brien asintió.

—De acuerdo.

Catherine y O'Brien se encaminaron hasta el grupo de extras. El rumor de la conversación en el inmenso escenario era ensordecedor.

—A ver si bajan el volumen, muchachos —gritó O'Brien—. Ésta es la señorita Alexander, que va a quedar al frente del proyecto.

—Pónganse en fila, así puedo verlos bien —pidió Catherine.

O'Brien hizo formar a los hombres. Catherine oyó risas y voces a un costado, y se volvió, enojada. Uno de los uniformados estaba en un rincón, no prestaba atención y conversaba con un grupo de chicas que lo escuchaban arrobadas. Los modales del sujeto la fastidiaron sobremanera.

—Disculpe. ¿Por qué no se integra al grupo?

Él se dio vuelta y dijo:

—¿A mí me habla?

—Sí. Queremos empezar a trabajar.

Era extraordinariamente apuesto, alto, delgado, de pelo negro y ojos oscuros de mirar intenso. El uniforme le quedaba a la perfección. En el hombro llevaba insignia de capitán, y en el pecho se había colocado varias cintas de colores, que Catherine observó con desconfianza.

—Esas medallas...

—Impresionan, ¿verdad, jefa? —El individuo habló con voz grave, de tono insolente.

—Quíteselas.

—¿Por qué? Pensé que querían darle a la película un poco de color.

—Usted se olvida de un pequeño detalle: que los Estados Unidos aún no entraron en guerra. Esas condeco-

68

raciones seguramente se las ganó en alguna fiesta de carnaval.

—Tiene razón —reconoció él, con humildad—. No pensé en eso. Me sacaré algunas.

—Sáquese *todas* —le espetó Catherine.

Al terminar el rodaje de la mañana, cuando Catherine estaba almorzando, él se acercó a su mesa.

—Hola. ¿Qué tal anduve esta mañana? ¿Estuve convincente?

Sus modales la pusieron furiosa.

—Se ve que le gusta andar de uniforme y pavonearse con esas medallas, ¿no? ¿No se le ocurrió que podría alistarse?

El puso cara de espanto.

—¿Y arriesgarme a que me maten en combate? Eso es para los tontos.

Catherine estaba por estallar.

—Usted es despreciable.

—¿Por qué?

—Si no sabe por qué, jamás podría explicárselo.

—¿Por qué no lo intenta? Esta noche, cenando conmigo... en su casa. ¿Sabe cocinar?

—No se moleste en volver al set. Se le enviará un cheque abonándole la mañana de trabajo. ¿Cómo se llama?

—Larry Douglas.

La experiencia con ese joven actor, tan pedante, la indignó, pero resolvió no pensar más en él. Sin embargo, por alguna razón desconocida le resultó difícil olvidarlo.

Cuando regresó a Washington, William Fraser le dijo:

—Te extrañé, Catherine. He estado pensando mucho en nosotros. ¿Me quieres?

—Mucho, Bill.

—Yo también a ti. ¿Por qué no salimos esta noche a festejar?

Supo, entonces, que esa noche le propondría matrimonio.

Fueron al exclusivo Jefferson Club. En la mitad de la cena apareció Larry Douglas vestido aún de uniforme, con todas las condecoraciones. Catherine observó, incrédula, que entraba, se dirigía a su mesa y saludaba no a ella sino a Fraser.

—Cathy —dijo Bill—, te presento al capitán Lawrence Douglas. Larry, la señorita Catherine Alexander. Larry es piloto de la RAF, uno de nuestros máximos héroes. Era el jefe del escuadrón norteamericano en Gran Bretaña. Lo convencieron para que dirija una base de cazas en Washington, con el fin de que adiestre a algunos de nuestros muchachos para el combate.

Catherine tuvo la sensación de estar viendo la reposición de una película vieja, en la que aparecía ella ordenándole sacarse las condecoraciones, y él obedeciéndole de buen grado. Había estado presumida, altanera... ¡e incluso lo tildó de cobarde! Sintió ganas de que la tragara la tierra.

Al día siguiente Larry Douglas la llamó a la oficina, pero ella se negó a atender. Cuando terminó el horario de trabajo, se lo encontró en la calle, esperándola. Se había quitado medallas y condecoraciones, y lucía sólo las insignias de teniente segundo.

Sonriente, se le acercó.

—¿Así está mejor? —dijo.

Catherine se quedó mirándolo.

—¿Acaso... acaso no está prohibido usar las insignias que no corresponden al grado de uno?

—No sé. Pensé que esos temas los dominabas tú.

Lo miró a los ojos y comprendió que estaba perdida. Ese hombre poseía un magnetismo irresistible.

—¿Qué quieres de mí?

—Todo. Te quiero entera.

Fueron al departamento de él e hicieron el amor. Y fue una felicidad muy grande, que Catherine jamás había soñado, una forma deliciosa de unirse que conmovió la habitación, el universo, hasta que se produjo una explosión, el delirio del éxtasis, un viaje conmovedor, una llegada y una partida, un final y un comienzo. Después quedó allí, atontada, apretándose fuertemente contra él, sin ganas de soltarlo, sin deseos de que alguna vez terminara esa sensación.

Sentada ahora en el avión, rumbo a Londres para iniciar una nueva vida, pensó: *Eramos tan felices. ¿Cuándo fue que empezaron a ir mal las cosas? Las películas románticas y las canciones de amor nos hicieron creer en los finales felices, en caballeros de reluciente armadura, en un amor que nunca muere. Creíamos sinceramente que James Stewart y Donna Reed tenían una vida maravillosa; sabíamos que Clark Gable y Claudette Colbert vivirían eternamente juntos; lloramos cuando Frederick March regresó con Myrna Loy después de* Los mejores años de nuestra vida *y estábamos seguros de que Joan Fontaine había hallado la felicidad en los brazos de Lawrence Olivier, en* Rebecca, *una mujer inolvidable. Sin embargo eran mentiras, todas mentiras. Y las canciones...* Siempre te Amaré. *¿Cómo miden los hombres el "siempre"? ¿Con un relojito para hervir huevos? ¿Qué profundidad tiene el océano? ¿Qué tenía en mente Irving Berlin? ¿Treinta centímetros? ¿Sesenta?* Una Noche Encantada. Vamos a escalar el Monte Tzoumerka... Tú, la noche y la música. *El gerente del hotel me contó que aquí cerca hay unas cavernas...* Por razones sentimentales. Nadie se enterará...ahora *que está dormida. Escuchábamos las canciones, mirábamos las películas y realmente pensábamos que la vida iba a ser así. Yo creí tanto en mi marido. ¿Puedo volver a creer en otra persona? ¿Qué hice como para que él tuviera deseos de matarme?*

—Señorita Alexander...

Levantó la vista, sorprendida, y vio al piloto que se hallaba a su lado.

—Ya hemos aterrizado. Bienvenida a Londres.

Había una limusina esperándola en el aeropuerto.

—En seguida me ocupo del equipaje, señorita —le dijo el chofer—. Mi nombre es Alfred. ¿Quiere ir directamente a su apartamento?

Mi apartamento.

—Sí, perfecto.

Se recostó contra el respaldo del asiento. Increíble. Constantin Demiris la había enviado en un avión privado y le había conseguido un lugar donde vivir. Era el hombre más generoso del mundo, o bien...No se atrevió a pensar en otra alternativa. No. *Es el hombre más generoso del mundo. Tendré que buscar la forma de demostrarle mi agradecimiento.*

El apartamento, que quedaba en la calle Elizabeth, cerca de Eaton Square, era decididamente lujoso. Contaba con un amplio hall de entrada, una sala preciosamente amueblada, con una araña de cristal, una biblioteca con paredes revestidas en madera, la cocina (bien abastecida de alimentos), tres dormitorios de precioso mobiliario y dependencias de servicio.

En la puerta la recibió una mujer de cuarenta y tantos años, vestida de negro.

—Buenas tardes, señorita Alexander. Soy Anna, el ama de llaves.

Claro, el ama de llaves. Estaba empezando a tomar las cosas con naturalidad.

—¿Cómo está?

El chofer subió las maletas y las llevó hasta el dormitorio de Catherine.

—La limusina queda a su disposición, señorita —le informó—. Avísele a Anna cuando esté lista para ir a la oficina, y yo pasaré a buscarla.

La limusina queda a mi disposición. Por supuesto.

—Gracias.

—Yo voy a desempacar las maletas —anunció Anna—. Cualquier cosa que necesite, avíseme, no más.

—No se me ocurre nada por el momento —repuso Catherine, sincera.

Mientras Anna vaciaba las maletas, se puso a recorrer el apartamento. Fue hasta el dormitorio, miró los preciosos vestidos que Demiris le había comprado y pensó: *Esto es como un bello sueño*. Todo trasmite cierta sensación de irrealidad. Cuarenta y ocho horas antes estaba regando las rosas en el convento, y ahora llevaba la vida de una duquesa. Se preguntó cómo sería su empleo. *Pienso trabajar con ahínco. No lo quiero defraudar, porque ha sido tan maravilloso conmigo*. De pronto se sintió agotada, por lo que se tendió en la cama blanda, cómoda. *Voy a descansar un minutito*, pensó, y cerró los ojos.

Estaba ahogándose y pidiendo ayuda a los gritos. Larry nadaba hacia ella, y cuando llegó a su lado, la hundió. Después estaba en una caverna oscura, y unos murciélagos la atacaban, le arrancaban el pelo, golpeteaban las alas contra su rostro. Se despertó temblando, y se incorporó en la cama.

Trató de respirar hondo para serenarse. *Suficiente*, se dijo. *Eso se acabó. Lo del pasado ya terminó. Nadie va a hacerte daño; nadie. Ya no más.*

Del otro lado de la puerta del dormitorio, Anna, el ama de llaves, había estado escuchando los alaridos. Aguardó un momento, y cuando volvió a reinar el silencio, fue hasta el teléfono para informar a Constantin Demiris.

La Compañía Helénica estaba ubicada en la calle Bond 217, cerca de Picadilly, en un viejo edificio del gobierno que años atrás se había transformado en un edificio de oficinas. La fachada era una obra maestra de la arquitectura por sus líneas bellas y elegantes.

Cuando Catherine llegó, el personal la estaba esperando. La recibieron unas seis personas en la puerta.

—Bienvenida, señorita Alexander. Soy Evelyn Kaye. Éste es Carl...Tucker...Matthew...Jennie...

Se hizo cierta confusión con las caras y los nombres.

—¿Cómo están?

—Ya está listo su despacho. Venga, que se lo enseño.

—Gracias.

El hall de recepción contaba con un precioso sofá Chesterfield, flanqueado a ambos lados por sillones Gainesborough. Recorrieron un largo pasillo alfombrado y pasaron frente a una sala de conferencias con paredes revestidas en madera y sillones de cuero alrededor de una mesa muy lustrada.

La llevaron hasta un bello despacho donde había un sofá de cuero y otros muebles cómodos.

—Todo suyo.

—Es lindísimo —murmuró.

Había flores sobre el escritorio.

—Las envió el señor Demiris.

Qué atento.

Evelyn Kaye, que fue quien la acompañó hasta allí, era una mujer de mediana edad, robusta, de rostro agradable y muy simpática.

—Va a demorar unos días en acostumbrarse al lugar, pero el trabajo en realidad es sencillo. Esta oficina es uno de los centros neurálgicos del imperio Demiris. Aquí se coordinan los informes que llegan de las sucursales extranjeras y se los envía a la sede central de Atenas. Yo soy la gerenta y tú serás mi secretaria.

—Ah. —*Así que voy a ser secretaria de la gerenta.* No sabía en qué consistiría su trabajo. La habían introducido en un mundo de fantasía, un mundo de aviones privados, limusinas, un departamento hermosísimo con sirvientes...

—Wim Vandeen es el genio matemático que tenemos aquí. El recibe todos los balances y con ellos confecciona un cuadro maestro de análisis financiero. Su mente es más veloz que la mayoría de las máquinas de calcular. Ven, vamos a su oficina que te lo presento.

Se encaminaron a un despacho que había al final del pasillo, y Evelyn abrió la puerta sin golpear.

—Wim, te presento a mi nueva asistente.

Catherine entró en la habitación y ahí se quedó, plantificada. Wim Vandeen parecía tener algo más de treinta años y una expresión insulsa, ausente, en los ojos, que tenía clavados en el piso.

—Wim. ¡Wim! Ésta es Catherine Alexander.

Levantó la mirada.

—El nombre verdadero de Catherine, Catalina Primera, era Martha Skavron Skaya. Era una sierva nacida en 1683, capturada por los rusos. Se casó con el emperador Pedro I y fue emperatriz de Rusia desde 1725 hasta 1727. Catalina la Grande era hija de un mariscal de campo prusiano. Nació en 1729 y se casó con Pedro, que se convirtió en el emperador Pedro III en 1745. Lo sucedió en el trono en 1762, luego de haberlo mandado matar. Bajo su reinado hubo tres divisiones de Polonia, dos guerras contra los turcos y una contra Suecia... —La información brotaba como desde una fuente, en tono monocorde.

Catherine lo escuchaba fascinada.

—Muy...interesante —atinó a decir.

Wim Vandeen desvió la mirada.

—Wim se pone tímido cuando conoce a la gente —explicó Evelyn.

¿Tímido?, pensó Catherine. *Este tipo es un loco. ¿Y lo consideran un genio? ¿Qué clase de trabajo será éste?*

En Atenas, Constantin Demiris recibía en sus oficinas de la calle Aghiou Geronda un informe que Alfred le enviaba por teléfono desde Londres.

—Llevé a la señorita Alexander directamente del aeropuerto al apartamento, señor Demiris. Le pregunté si quería que la llevara a alguna otra parte, como usted me indicó, y me contestó que no.

—¿No tuvo contacto con ninguna otra persona?

—No, señor, a menos que haya llamado a alguien desde el apartamento.

A Demiris eso no le preocupaba, pues sobre esa cuestión le informaría Anna, el ama de llaves. Entonces, cortó satisfecho. Catherine no representaba problema alguno por el momento, y además él la tendría vigilada. Estaba sola en el mundo. No tenía a nadie a quien acudir, salvo a su benefactor, Constantin Demiris. *Tengo que viajar pronto a Londres*, pensó Demiris, feliz. *Muy pronto*.

A Catherine le resultó interesante su nuevo trabajo. Diariamente llegaban informes sobre el extendido imperio de Constantin Demiris. Había conocimientos de embarque provenientes de una fábrica de acero, de Indiana; auditorías de una fábrica de automóviles, de Italia; facturas de una cadena de diarios, de Australia; de una mina de oro y una compañía de seguros. Catherine cotejaba los informes y enviaba los datos directamente a Win Vandeen. Wim los miraba una sola vez y los pasaba por esa increíble computadora que era su cerebro, y casi al instante había calculado ya los porcentajes de ganancia o de pérdida para la empresa.

Para Catherine fue un placer llegar a conocer a sus compañeros de trabajo. Además, le impresionaba la belleza del edificio donde se hallaban las oficinas.

Un día le mencionó eso a Evelyn Kaye delante de Wim, y éste dijo:

—Esto era un antiguo edificio de aduanas, diseñado por Sir Christopher Wren en 1721. Con posterioridad al gran incendio de Londres, Christopher Wren volvió a diseñar cincuenta iglesias. Sus iglesias más famosas son la de San Pablo y San Miguel. También es autor del edificio de la Bolsa y el Palacio de Buckingham. Murió en 1723 y está enterrado en San Pablo. Este edificio se transformó en edificio de oficinas en 1907, y en la Segunda Guerra Mundial, durante los bombardeos, el gobierno lo declaró refugio antiaéreo oficial.

El refugio era una habitación amplia, a prueba de bombas, contigua al sótano, a la que se accedía pasando por una pesada puerta de hierro. Catherine observó el recinto fortificado y pensó en los valientes hombres, mujeres y niños de Inglaterra que se habían guarecido allí durante el terrible bombardeo que perpetró la aviación de Hitler.

El subsuelo era inmenso, pues ocupaba todo el largo del edificio. Había allí una enorme caldera para la calefacción, así como también instrumental electrónico y de teléfonos. La caldera era un problema. En varias oportunidades Catherine acompañó al sótano a técnicos de reparaciones para que echaran un vistazo a la caldera. Cada uno de ellos le hacía alguna cosa, la declaraba curada de cualquier mal que la hubiese aquejado y se iba.

—Parece tan peligrosa —se atemorizó Catherine—. ¿No hay posibilidades de que estalle?

—No, señorita. Dios libre y guarde. ¿Ve esta válvula de seguridad? Bueno, si la caldera se recalienta por demás, la válvula deja escapar el vapor sobrante; entonces no hay ningún problema.

Cuando terminaba el día de trabajo, estaba Londres... una cornucopia de teatro, ballet y conciertos maravillosos. Había interesantes librerías antiguas como Hatchards y Foyles, y decenas de museos, casas de antigüedades y restaurantes. Catherine visitó las casas de litografías de Cecil Court e hizo compras en Harrods, en Fortnum y Mason y en Marks y Spencer, y tomó el té de los domingos en el Savoy.

De tanto en tanto la asaltaban ciertos pensamientos...Tantas cosas le hacían acordar a Larry. Una voz...una frase...una colonia...una canción. *No. El pasado ya no existe. Lo que importa es el futuro*. Y con cada día que pasaba se sentía más fuerte.

Catherine se hizo amiga de Evelyn Kaye y a veces salían juntas. Un día fueron a una exposición artística al aire libre, a orillas del Támesis. Había decenas de pintores viejos y jóvenes que exhibían sus telas, y todos tenían una cosa en común: eran fracasados que nunca habían podido exponer sus obras en galería alguna. Los cuadros eran espantosos, pero Catherine compró uno de lástima.

—¿Dónde vas a ponerlo? —quiso saber Evelyn.

—En la sala de la caldera.

En su recorrida por las calles londinenses pasaron por la zona de los artistas de la acera, hombres que pintaban sobre la piedra de la acera con tizas de colores. Algunas de las obras eran sorprendentes. Los peatones se detenían a admirar el trabajo y arrojaban monedas a los artistas. Una tarde, cuando volvía de almorzar, Catherine se detuvo a mirar a un señor mayor que pintaba un precioso paisaje en tiza. Cuando estaba terminándolo, comenzó a llover, y el hombre se quedó ahí, mirando cómo desaparecía su obra. *Eso se parece mucho a mi vida pasada*, se dijo Catherine.

Evelyn la llevó a Shepherd's Market.

—Es una zona interesante —le anticipó.

Por cierto era colorida. Había un restaurante de tres siglos de antigüedad llamado Tiddy Dols, un puesto de revistas, un mercado, un salón de belleza, una panadería y varias residencias de dos y tres plantas.

Las placas con los nombres que lucían los buzones particulares eran extrañas. En una decía "Helen", y debajo, "Clases de francés". Otra anunciaba a "Rosie", para luego indicar: "Se enseña griego".

—¿Es una zona dedicada a la educación? —preguntó Catherine.

Evelyn prorrumpió en carcajadas.

—En cierto modo lo es, sólo que la clase de educación que dan estas chicas no es la que se imparte en las escuelas.

Evelyn se rió con más ganas al ver que su amiga se sonrojaba.

La mayor parte del tiempo Catherine estaba sola, pero se mantenía ocupada de modo de no sentir la soledad. Se lanzaba a conquistar cada día como si quisiera resarcirse por los preciosos momentos de su vida que le habían sido robados. Se negaba a preocuparse por el pasado o el futuro. Visitó el castillo de Windsor y Canterbury con su hermosa catedral, como también Hampton Court. Los fines de semana viajaba al interior y se alojaba en simpáticas posadas. Daba largas caminatas por el campo y almorzaba en tabernas salidas de otro siglo.

Estoy con vida, pensaba. *Nadie nace feliz. Cada uno tiene que construir su propia felicidad. Soy una persona que ha sobrevivido. Soy joven, estoy sana y me van a suceder cosas hermosas.*

El lunes regresaba al trabajo, a ver a Evelyn, las chicas y Wim Vandeen.

Wim seguía siendo un enigma.

Nunca había conocido a una persona como él. La oficina tenía veinte empleados y, sin usar siquiera una calculadora, Wim recordaba el sueldo, el número de seguro nacional y los descuentos que se le practicaban a cada uno. Si bien todo esto figuraba en los legajos, llevaba en la mente los archivos de la empresa. Sabía cuál era el flujo de caja de cada división, el punto de comparación entre el monto total de un mes en relación con los meses anteriores, y así sucesivamente hacia atrás, remontándose hasta cinco años antes, es decir, hasta la fecha de su ingreso en la compañía.

Wim Vandeen recordaba todo lo que alguna vez había visto u oído. La magnitud de sus conocimientos era increíble. La pregunta más simple desencadenaba en él una catarata de información; sin embargo, era un ser poco sociable.

Catherine habló sobre él un día con Evelyn.

—No entiendo a Wim —confesó.

—Es un excéntrico —repuso Evelyn—. Tienes que aceptarlo como es. Su única pasión son los números. No creo que las personas le interesen demasiado.

—¿Tiene amigos?

—No.

—¿Nunca sale con chicas?

—No.

Catherine pensó que Wim era un hombre solo y triste, y por eso mismo se sintió compenetrada con él.

El caudal de sus conocimientos la asombraba. Una mañana, ella amaneció con dolor de oídos.

—El tiempo no te va a ayudar demasiado —fue el comentario de Wim—. Te convendría consultar a un médico.

—Gracias, Wim. Yo...

—El oído está compuesto por: la aurícula, el meato auditivo, la membrana del tímpano, la cadena de huesecillos (el martillo, el yunque), la cavidad timpánica, el conducto semicircular, la ventana oval, la trompa de Eustaquio, el nervio auditivo y el caracol. —Dicho lo cual, se marchó.

Otro día, Catherine y Evelyn lo invitaron a almorzar a Ram's Head, una taberna de la zona. En el salón del fondo, los parroquianos jugaban a los dardos.

—¿Te gusta algún deporte, Wim? —quiso saber Catherine—. ¿Alguna vez presenciaste un partido de béisbol?

—El béisbol...La pelota de béisbol mide veintitrés con ochenta y siete centímetros de circunferencia. Está hecha de hilo enrollado alrededor de un cono de goma dura y recubierta de cuero blanco. El bate suele ser de fresno, y no mide más de seis con ochenta y cinco centímetros de diámetro en su parte más ancha y ciento seis centímetros de largo.

Conoce todos los datos estadísticos, pensó Catherine,

pero ¿experimentó alguna vez el placer de llegar personalmente a esos números?

—¿No *practicas* algún deporte? El básquetbol, por ejemplo.

—El básquetbol se juega sobre piso de madera o de cemento. La pelota es esférica, de cuero, de setenta y ocho centímetros de circunferencia. Se la infla con una con treinta y siete libras de presión. Este deporte fue inventado por James Naismith en 1891.

Catherine comprendió cuál era la respuesta.

A veces, Wim les hacía pasar vergüenza en público. Un domingo, Catherine y Evelyn lo llevaron a Maidenhead, sobre el Támesis, y pararon en Compleat Angler a almorzar. El camarero se acercó a la mesa y anunció:

—Tenemos almejas frescas hoy.

—¿Te gustan las almejas? —preguntó Catherine a Wim.

—Existen las almejas largas, las tipo "quahog" o redondas, las "navajas", las de marea y las de una sola valva.

El hombre se quedó mirándolo.

—¿Entonces le sirvo eso, señor? —preguntó.

—No me gustan las almejas —le contestó Wim.

A Catherine le caían bien sus compañeros de trabajo, pero Wim se convirtió en alguien muy especial. En cierto sentido era brillante, pero también era introvertido, triste.

—¿No hay posibilidades de que pueda llevar una vida normal? —preguntó un día Catherine a Evelyn—. Me refiero a que se enamore y se case.

Evelyn lanzó un suspiro.

—Ya te dije que no siente emociones. Jamás se enamorará de nadie.

Pero Catherine no lo creyó. En una o dos oportunidades había advertido un destello de interés —o de cariño—, de risa, en los ojos de Wim, y sintió deseos de ayudarlo. ¿O acaso había sido su imaginación?

Un día, el personal de la oficina recibió una invitación para un baile de beneficencia que se realizaría en el Savoy. Catherine se dirigió entonces al despacho de Vandeen.

—Wim, ¿sabes bailar? —le preguntó a boca de jarro.

El la miró sin pestañear.

—Un compás y medio de cuatro por cuatro completa la unidad rítmica del foxtrot. El hombre comienza el paso básico con el pie izquierdo y da dos pasos adelante. La mujer empieza con el pie derecho y da dos pasos hacia atrás. Los dos pasos lentos son seguidos por un paso rápido, en ángulo recto con respecto a los pasos lentos. Para inclinarse, el hombre avanza sobre el pie izquierdo y se inclina lentamente; luego se adelanta con el derecho, lentamente también. Después se mueve hacia la izquierda con el pie izquierdo, rápidamente. Y por último pone el pie derecho a la altura del izquierdo, rápidamente también.

Catherine no supo cómo reaccionar. *Sabe todas las palabras*, pensó, *pero no entiende el significado*.

Constantin Demiris llamó por teléfono una noche. Era tarde, y Catherine ya se estaba aprontando para acostarse.

—Espero no haberte molestado. Habla Costa.

—No, por supuesto que no. —Se alegró de oír su voz. Echaba de menos hablar con él, poder pedirle consejo. Al fin y al cabo, era la única persona del mundo que conocía su pasado, por lo cual lo consideraba como un viejo amigo.

—Estuve pensando en ti, Catherine. Me preocupaba que pudieras sentirte muy sola en Londres. Después de todo, allí no conoces a nadie.

—Sí, a veces me siento sola, pero me las arreglo. Siempre me acuerdo de lo que me dijo: eso de que olvidara el pasado y viviera para el futuro.

—Así es. Hablando del futuro, mañana viajo a Londres

y me gustaría invitarte a cenar.

—Será un placer. —Se puso contenta porque iba a tener la oportunidad de demostrarle lo agradecida que se sentía.

Cuando Constantin Demiris cortó, sonrió para sus adentros. *La cacería ya se ha iniciado.*

Cenaron en el Ritz. El comedor era muy distinguido, y la comida, exquisita. Pero Catherine estaba demasiado emocionada como para prestar atención a nada, como no fuera al hombre que tenía ante sus ojos. Tantas cosas tenía para contarle.

—El personal de la oficina es maravilloso —comentó—. Wim me tiene azorada. Nunca pensé que una persona pudiera...

Pero Demiris no la escuchaba sino que se limitaba a estudiarla, mientras pensaba en lo bonita y vulnerable que era. *Pero no tengo que apresurarla*, se dijo. *No. Voy a jugar mis cartas lentamente, y saborear la victoria. Esto va para ti, Noelle, y para tu amante.*

—¿Se va a quedar mucho tiempo en Londres?

—Uno o dos días, nada más. Tuve que venir por unos negocios. —Era verdad, pero también era cierto que podría haber solucionado el problema por teléfono. No; había viajado a Londres para iniciar la campaña tendiente a que Catherine se encariñara con él. Se inclinó hacia adelante.

—Catherine, ¿te conté sobre la época en que trabajaba en los pozos petrolíferos de Arabia Saudita?

Demiris la invitó a cenar la noche siguiente.

—Evelyn me informó lo bien que trabajas, por lo cual he decidido darte un aumento.

—Ya ha sido suficientemente generoso —protestó ella.

Demiris la miró a los ojos.

—No te imaginas lo generoso que puedo llegar a ser.

Se quedó cohibida. *Lo dice simplemente de amable que es*, pensó. *Debo de estar viendo visiones*.

Al día siguiente, Demiris ya estaba listo para marcharse.

—¿Quieres acompañarme al aeropuerto, Catherine?

—Sí.

Le parecía un hombre cautivante, encantador. Era, también, divertido, inteligente, y la impresionaba mucho con la atención que le dispensaba.

Ya en el aeropuerto, Demiris le dio un beso suave en la mejilla.

—Me alegro de que hayamos podido pasar unos momentos juntos, Catherine.

—Yo también. Gracias, Costa.

Se quedó mirando decolar el avión. *Es un hombre muy especial*, se dijo. *Voy a extrañarlo*.

Capítulo 6

Todo el mundo se asombraba de la amistad aparentemente estrecha que unía a Constantin Demiris y Spyros Lambrou, su cuñado.

Spyros era casi tan rico y poderoso como Demiris. Éste último era dueño de la mayor flota de buques cargueros del mundo, y Spyros poseía la siguiente en orden de importancia. Demiris tenía una cadena de diarios, líneas aéreas, pozos petrolíferos, fábricas de acero y minas de oro. Spyros Lambrou, compañías de seguros, Bancos, un sinnúmero de bienes inmuebles y una planta química. Parecían amables competidores; más aún, amigos.

"¿No es maravilloso", comentaba la gente, "que dos de los hombres más ricos del mundo sean tan amigos?"

En realidad, eran implacables rivales que se despreciaban el uno al otro. Cuando Spyros Lambrou adquirió un yate de treinta metros de eslora, de inmediato Constantin Demiris encargó uno de cuarenta y cinco metros con cuatro motores GM diésel, una tripulación de trece personas, dos lanchas de carreras y una piscina de agua dulce.

Cuando la flota de Spyros Lambrou alcanzó un total de doce buques cisterna, y doscientas mil toneladas, Demiris aumentó la propia a veintitrés petroleros, o sea un total de seiscientas cincuenta mil toneladas. Lambrou adquirió una caballeriza de animales de carrera, y Demiris compró un haras de mayores dimensiones para correr contra él, y constantemente le ganaba.

Ambos se veían a menudo ya que integraban la comisión de sociedades de beneficencia y el directorio de diversas empresas, y de tanto en tanto concurrían a reuniones de familia.

De temperamento, eran exactamente lo contrario uno del otro. Así como Demiris era de extracción pobre y tuvo que luchar para ascender, Lambrou nació aristócrata. Era un hombre delgado y elegante, siempre impecablemente vestido, de modales distinguidos. Su árbol genealógico se remontaba hasta Otto de Baviera, que en una época fue rey de Grecia. Durante las primeras sublevaciones políticas de Grecia, una pequeña minoría —la oligarquía— amasó fortunas en el mundo de los negocios, la industria naviera y la posesión de tierras. El padre de Spyros Lambrou fue uno de ellos, y Spyros heredó su imperio.

Spyros era supersticioso. Valoraba la buena suerte que había tenido en la vida y no quería en absoluto hacer enojar a los dioses. De vez en cuando iba a ver a una adivina para pedirle consejo. Era lo suficientemente inteligente como para saber cuándo lo engañaban, pero había una adivina en particular que le resultaba extraordinaria. Esa mujer predijo que su hermana Melina iba a perder el embarazo y las consecuencias que ello acarrearía a su matrimonio, aparte de muchas otras cosas que luego ocurrieron. Vivía en Atenas y se llamaba madame Piris.

Con el correr de los años, Spyros Lambrou y Constantin Demiris continuaron con la farsa de su amistad, pero cada uno tenía la firme decisión de destruir al otro; Demiris, debido a su instinto de supervivencia, y Lambrou por la forma en que su cuñado trataba a Melina.

Constantin Demiris tenía por costumbre llegar todos los días a su oficina de la calle Aghiou Geronda a las seis de la mañana en punto. Cuando sus rivales empezaban a trabajar, él ya llevaba varias horas realizando transacciones con los representantes que tenía en decenas de países.

La oficina privada de Demiris era espectacular. Tenía

una vista magnífica desde los ventanales, con la ciudad de Atenas a sus pies. El piso era de granito negro, y el mobiliario, de acero y cuero. En las paredes había una colección de cuadros cubistas, entre los que se destacaban obras de Léger, Braque y media docena de Picassos. Había un inmenso escritorio de acero y cristal y un imponente sillón de cuero. Sobre el escritorio, una mascarilla de Alejandro Magno, con la inscripción: Alexandros, el defensor del hombre.

Esa mañana en particular, cuando llegó a la oficina, estaba sonando su teléfono privado. Solamente seis personas conocían ese número.

Atendió.

—*Kalimehra.*

—*Kalimehra.* —La voz pertenecía a Nikos Veritos, el secretario privado de Spyros Lambrou, y parecía nervioso.

—Perdone que lo moleste, señor Demiris, pero como usted me dijo que lo llamara cuando tuviera alguna información que pudiese...

—Sí. ¿De qué se trata?

—El señor Lambrou piensa adquirir una empresa llamada Aurora International, que cotiza en la Bolsa de Nueva York. Un amigo del señor Lambrou, que está en el directorio, le avisó que el gobierno le va a asignar un importante contrato a la compañía para la construcción de bombarderos. Desde luego, este dato es confidencial. Las acciones registrarán una fuerte alza cuando se haga el anuncio...

—No me interesa el mercado accionario —le interrumpió Demiris—. No vuelva a molestarme a menos que tenga algo importante que comunicarme.

—Lo siento, señor. Pensé...

Pero Demiris ya había cortado.

A las ocho de la mañana, cuando llegó Giannis Tcharos, su secretario, Demiris le dijo:

—Hay una empresa que cotiza en la Bolsa de Nueva York y se llama Aurora International. Notifique a todos los diarios que se está investigando a esa compañía por prácticas fraudulentas. Utilice una fuente anónima, pero haga correr la voz. Quiero que sigan machacando sobre el tema para que caiga el valor de las acciones. Después, empiece a comprar hasta que yo tenga la mayoría.

—Sí, señor. ¿Algo más?

—No. Cuando yo tenga la mayoría, dé a publicidad que los rumores eran infundados. Ah, sí, y busque la forma de que la Bolsa de Nueva York sepa que Spyros Lambrou compró sus acciones porque contaba con información confidencial que alguien le vendió.

Giannis Tcharos habló entonces en tono cauto.

—Señor Demiris, en los Estados Unidos eso constituye un delito penal.

Constantin Demiris sonrió.

—Ya lo sé —dijo.

A menos de dos kilómetros de allí, en la plaza Syntagma, Spyros Lambrou se hallaba en su oficina. El lugar donde trabajaba reflejaba su gusto ecléctico. Los muebles eran piezas de anticuario, de estilo francés e italiano. Tres de las paredes ostentaban cuadros de los impresionistas franceses. La cuarta estaba dedicada a varios pintores belgas, desde Van Rysselberghe a De Smet. El cartel de la entrada rezaba: LAMBROU Y ASOCIADOS, pero nunca había habido socio alguno. Spyros Lambrou heredó un negocio próspero de su padre, y con el correr de los años lo convirtió en un conglomerado de empresas que abarcaban todo el orbe.

Spyros Lambrou debía ser un hombre feliz puesto que era rico y gozaba de excelente salud; sin embargo le resultaba imposible serlo verdaderamente en tanto y en cuanto Constantin Demiris siguiera vivo. Su cuñado era anatema para él, y además, lo despreciaba. Consideraba a Demiris un *polymichanos*, es decir, un hombre de muchos recursos, un sinvergüenza sin moral. Siempre lo había odiado por la forma en que trataba a Melina, pero la salvaje rivalidad entre ambos tenía otras causas también.

Todo había empezado diez años antes, un día en que Spyros invitó a almorzar a su hermana, quien nunca lo había visto tan entusiasmado.

—Melina, ¿sabías que cada día el mundo consume el combustible fósil que demoró mil años en producirse?

—No.

—Va a haber una tremenda demanda de petróleo en el futuro, y no habrá suficientes buques-tanque como para transportarlo.

—¿Piensas construir algunos, Spyros?

El asintió.

—Pero no petroleros comunes. Voy a construir la primera flota de buques cisterna de enormes dimensiones, el doble del tamaño de los actuales. —Hablaba con una gran pasión. —Hace meses que vengo estudiando las cifras. Escucha: un galón de crudo transportado desde el Golfo Pérsico hasta un puerto de la costa Este norteamericana cuesta siete centavos por galón, pero en uno de esos enormes buques costará apenas tres centavos el galón. ¿Te das una idea de lo que podría significar?

—Spyros, ¿de dónde vas a sacar el dinero para construir semejante flota?

—Esa es la parte más linda del plan: no me costará un centavo.

—¿Qué?

El hermano se inclinó hacia adelante.

—El mes que viene viajo a los Estados Unidos para conversar con los directivos de las grandes empresas petroleras. Con esos buques podré transportarles el petróleo a la mitad de precio de lo que están pagando en la actualidad.

—Pero... tú no tienes ninguno de esos buques.

Spyros sonrió, feliz.

—No, pero si esas compañías firman contratos de largo plazo conmigo, los Bancos me van a adelantar el dinero necesario para construirlos. ¿Qué te parece?

—Creo que eres un genio. El plan es brillante.

Tanto le impresionó el plan de su hermano, que esa noche se lo contó al marido en la cena.

Cuando terminó de explicarlo, le preguntó:

—¿No te parece espléndido?

Constantin Demiris permaneció un instante en silencio.

—Tu hermano es un soñador. Jamás podría dar buenos resultados.

Lo miró, asombrada.

—¿Por qué no, Costa?

—Porque es una idea descabellada. En primer lugar, no va a haber tanta demanda de petróleo, de modo que esos buques que imagina seguramente navegarán vacíos. Segundo, las compañías petroleras no van a entregar el petróleo a una flota fantasma que ni siquiera existe. Y tercero, cuando tu hermano vaya a ver a los banqueros, se le van a reír en la cara.

Melina puso cara de desencanto.

—Spyros estaba tan entusiasmado. ¿Por qué no conversas con él?

Demiris meneó la cabeza.

—No, Melina; que se quede con su sueño. Lo mejor es que ni siquiera se entere de esta conversación.

—Está bien, Costa. Lo que tú digas.

A primera hora del día siguiente, Demiris viajaba a los Estados Unidos para iniciar las tratativas por los buques tanque de gran tonelaje. Sabía que las reservas petrolíferas fuera de los Estados Unidos y el bloque de territorios soviéticos estaban manejadas por las "siete hermanas": la

Standard Oil de Nueva Jersey; la Standard Oil de California; la Gulf Oil, la Texas Company, la Socony-Vacuum, la Shell holandesa y la Anglo-Iraní. Sabía también que, si conseguía aunque más no fuera a una de ellas, atrás vendrían las demás.

Su primera visita fue a las oficinas de la Standard Oil de Nueva Jersey, para ver al cuarto vicepresidente, Owen Curtiss.

—¿En qué puedo servirlo, señor Demiris?

—Tengo una idea que seguramente será muy beneficiosa en el plano económico para su empresa.

—Sí; ya me lo anticipó por teléfono. —Miró rápidamente la hora. —Dentro de unos minutos tengo una reunión, de modo que le pido sea breve...

—Seré muy breve. Traer el crudo desde el Golfo Pérsico a ustedes les está costando siete centavos el galón.

—Correcto.

—¿Qué diría si yo le asegurase que puedo traérselo por tres centavos el galón?

Curtiss sonrió con aire condescendiente.

—¿Y cómo conseguiría semejante milagro?

—Construyendo una flota de superpetroleros. Cada buque tendrá el doble de la capacidad de los que hay en la actualidad. Yo podría acarrear el petróleo en el mismo tiempo que ustedes demoran en extraerlo de la tierra.

Curtiss lo observaba con expresión meditativa.

—¿De dónde va a sacar tales barcos?

—Los pienso construir.

—Lo siento, pero no nos interesa invertir...

Demiris lo interrumpió.

—A ustedes no les costará un centavo. Lo único que les pido es un contrato a largo plazo para transportarles el petróleo a la mitad de precio de lo que están pagando ahora. La financiación me la darán los Bancos.

Se produjo un silencio largo, significativo. Luego Owen Curtiss carraspeó.

—Venga conmigo arriba, a conocer a nuestro presidente.

Ese fue el comienzo. Las demás compañías petroleras se manifestaron igualmente deseosas de celebrar contratos con Constantin Demiris. Cuando Spyros Lambrou se enteró de lo que pasaba, ya era tarde. Viajó a los Estados Unidos y pudo cerrar trato con algunas de las empresas independientes, pero Demiris se había llevado ya la mejor parte del mercado.

—Es tu marido —se indignó Spyros—, pero te juro, Melina, que algún día me las pagará por lo que ha hecho.

Melina sintió un profundo remordimiento pues tenía la sensación de haber traicionado a su hermano. Pero cuando encaró a Demiris, éste se encogió de hombros.

—Yo no fui a buscarlos, Melina, sino que ellos vinieron a mí. ¿Cómo podía negarme?

Y ahí terminó la conversación.

Pero las cuestiones de negocios no eran nada en comparación con lo que Lambrou sentía por la forma en que Demiris trataba a su hermana.

Podía pasar por alto que fuera un afamado tenorio (al fin y al cabo, el varón tenía derecho a darse los gustos), pero el hecho de que lo hiciera tan abiertamente constituía una afrenta no sólo para Melina sino también para toda la familia Lambrou. El romance de Demiris con la actriz Noelle Page había sido el ejemplo más atroz. Ocupó los titulares del mundo entero. *Algún día*, pensó Spyros Lambrou. *Algún día...*

Nikos Veritos, su secretario, entró en el despacho. Veritos trabajaba con Lambrou desde hacía quince años. Era competente aunque poco imaginativo, un hombre sin futuro, gris, anónimo. La rivalidad que existía entre los cuñados le presentó una oportunidad que él consideró de oro. Como creía que a la larga iba a ganar Demiris, de tanto en tanto le pasaba información confidencial, esperando que éste lo recompensara debidamente.

Veritos se acercó a Lambrou.

—Perdone, pero está aquí un tal Anthony Rizzoli, que quiere verlo.

Lambrou dejó escapar un suspiro.

—Mejor terminar cuanto antes con el asunto. Hágalo pasar.

Anthony Rizzoli tenía algo más de cuarenta años, pelo negro, nariz aguileña y ojos castaños. Caminaba con el típico andar de los boxeadores profesionales. Llevaba puesto un costoso traje claro, camisa amarilla de seda y zapatos de cuero de buena calidad. Hablaba con voz suave y cortés, y sin embargo trasmitía cierto aire amenazante.

—Un gusto conocerlo, señor Lambrou.

—Tome asiento, señor Rizzoli. ¿En qué puedo servirlo?

—Bueno, tal como le expliqué al señor Veritos, yo querría contratar uno de sus buques de carga. Tengo una fábrica en Marsella y desearía enviar por barco ciertas maquinarias a los Estados Unidos. Si llegamos a un acuerdo, estoy en condiciones de conseguirle mucho más trabajo en el futuro.

Spyros Lambrou se recostó sobre el respaldo de su sillón y estudió el semblante del hombre que tenía ante sí. *Desagradable.*

—¿Eso es lo único que piensa remitir, señor Rizzoli? —preguntó.

—¿Qué? No entiendo lo que me pregunta.

—Yo creo que sí entiende. Mis barcos no están disponibles para usted.

—¿Por qué? ¿Qué me quiere decir?

—Señor Rizzoli, usted trafica con drogas.

El visitante entrecerró los ojos.

—¡Usted está loco! Además, cree cualquier rumor que oye.

Sin embargo, eran algo más que rumores. Lambrou había hecho investigar a Rizzoli, y así se enteró de que era uno de los principales traficantes de Europa. Pertenecía a la mafia, y se comentaba que se había quedado sin medio de transporte para sus productos. Por eso estaba tan ansioso por llegar a un acuerdo.

—Lamentablemente tendrá que buscarse a algún otro.

Tony Rizzoli lo midió con la mirada, hasta que por fin hizo un gesto de asentimiento.

—De acuerdo. —Sacó una tarjeta del bolsillo y la arrojó sobre el escritorio. —Si cambia de parecer, puede localizarme aquí. —Se levantó, y un instante después se había marchado.

Spyros Lambrou tomó la tarjeta, que decía: *Anthony Rizzoli. Importación-Exportación.* Figuraba la dirección de un hotel de Atenas, y un número de teléfono.

Nikos Veritos había escuchado, muy sorprendido, la conversación. Cuando vio que Rizzoli se marchaba, preguntó:

—¿De veras es...?

—Sí. Trafica con heroína. Si alguna vez le permitimos usar un barco nuestro, el gobierno podría prohibirnos el uso de toda la flota.

Tony Rizzoli salió de la oficina hecho una furia. *¡Ese griego hijo de puta lo había tratado como a un ser inferior! ¿Y cómo se había enterado de lo de las drogas? El cargamento iba a ser desusadamente grande, con un valor de venta en la calle de por lo menos diez millones de dólares. Pero el problema era transportarlo hasta Nueva York. Atenas estaba inundada de esos malditos policías especializados en estupefacientes. Voy a tener que llamar por teléfono a Sicilia para ganar algo de tiempo.* Tony Rizzoli nunca había perdido un cargamento, y no pensaba perder ése. Se consideraba un triunfador nato.

Se había criado en el barrio Hell's Kitchen (la Cocina del Diablo), de Nueva York. Geográficamente, la zona estaba ubicada en el sector oeste de Manhattan, entre la Octava avenida y el río Hudson, y en el sentido norte-sur, entre las calles Veintitrés y Cincuenta y nueve. Pero psicológica y emocionalmente, Hell's Kitchen era una ciudad dentro de la ciudad, un enclave armado. En las calles dominaban las bandas. Estaban las Tortugas, la Pandilla del Salón, los Gorilas y la banda de Rhodes. Los contratos para matar a alguien se cotizaban en cien dólares; con descuartizamiento, un poco más.

Los habitantes de Hell's Kitchen vivían en sucios inquilinatos infestados de piojos, ratas y cucarachas. No había bañeras, carencia que los jóvenes suplían a su manera: se arrojaban desnudos a cierta distancia de los muelles del río Hudson, donde desagotaban las cloacas. La zona de los muelles apestaba con el hedor de perros y gatos muertos, ya hinchados.

En la escena callejera siempre había acción. Un camión de bomberos que respondía a un aviso de incendio... una pelea entre bandas en el techo de algún conventillo... una procesión de bodas... un partido de béisbol en la acera... alguien que corría tras un caballo desbocado... un intercambio de disparos... Los únicos lugares para jugar que tenían los niños eran la calle, los techos, los baldíos convertidos en basurales y, en el verano, las ruidosas aguas del río North. Y como telón de fondo en todas partes, el olor acre de la pobreza. En ese ambiente se había criado Tony Rizzoli.

El recuerdo más antiguo que tenía Tony Rizzoli era de haber sido derribado de un golpe, y que le robaron el dinero que llevaba para comprar leche. Tenía en ese entonces siete años. Los chicos de más edad y más corpulentos constituían una eterna amenaza. El camino a la escuela era tierra de nadie, y la propia escuela era un campo de batalla. A los quince años, Tony tenía ya un cuerpo fuerte y una gran capacidad para el boxeo. Le gustaba pelear, y como lo hacía bien, eso le daba una sensación de superioridad. Junto con sus amigos organizaba peleas de box en el gimnasio de Stillman.

De tanto en tanto, alguno de los pandilleros se daba una vuelta para controlar a los boxeadores que le pertenecían. Frank Costello aparecía una o dos veces por mes, junto con Joe Adonis y Lucky Luciano. Les gustaban las peleas boxísticas que organizaban los más jóvenes, y como diversión empezaron a apostar. Tony Rizzoli ganaba siempre, y muy pronto se convirtió en el favorito de los mafiosos.

Un día en que Rizzoli se estaba cambiando en el vestuario, oyó por casualidad una conversación entre Frank Costello y Lucky Luciano.

—Ese chico es una mina de oro —decía Luciano—. La semana pasada le jugué cinco mil.

—¿Vas a apostar por él en la pelea con Lou Domenic?

—Por supuesto. Diez mil.

—¿Con qué margen?

—Diez a uno. Pero qué diablos, Rizzoli seguro que gana.

Tony no estaba seguro de haber entendido toda la conversación; por eso fue y se la contó a Gino, su hermano mayor.

—¡Caramba! —exclamó Gino—. Esos tipos están apostando fuerte a tus peleas.

—Pero, ¿por qué, si no soy profesional?

Gino pensó un instante.

—Nunca perdiste un match, ¿verdad, Tony?

—No.

—Lo que probablemente pasó es que hicieron algunas apuestas chicas para divertirse, y cuando vieron cómo te desenvolvías, empezaron a apostar en serio.

Tony se encogió de hombros.

—No significa nada para mí.

Gino lo tomó del brazo y habló con convicción:

—Podría significar mucho para ti, para nosotros dos. Escucha, muchacho...

La pelea con Lou Domenic tuvo lugar en el gimnasio de Stillman un viernes por la tarde, y asistieron todos los personajes importantes: Frank Costello, Joe Adonis, Albert Anastasia, Lucky Luciano y Meyer Lansky. Les gustaba ver pelear a los chicos, pero lo que más les atraía era el hecho de haber encontrado la forma de ganar dinero con ellos.

Lou Domenic tenía diecisiete años, uno más que Tony, y pesaba dos kilos y medio más. Sin embargo, no era digno rival para Tony, que tenía grandes méritos boxísticos y el instinto del triunfador.

La pelea era a cinco rounds. Tony ganó sin dificultad el primero, así como también el segundo... y el tercero. Los mafiosos ya estaban contando su dinero.

—Este muchacho va a llegar a campeón mundial —vaticinó Lucky Luciano—. ¿Cuánto le apostaste?

—Diez mil —respondió Costello—. Lo mejor que pude conseguir fue quince a uno, porque el chico ya tiene fama.

Hasta que de pronto ocurrió lo inesperado. En la mitad del quinto round, Lou Dominic asestó un gancho a Tony y lo noqueó. El árbitro empezó a contar muy lentamente, al tiempo que lanzaba miraditas temerosas al público.

—¡Levántate, hijo de puta! —gritó Adonis—. ¡Levántate y pelea!

La cuenta prosiguió hasta que, incluso a ese ritmo tan lento, llegó a diez. Tony Rizzoli continuaba tendido en la lona, inconsciente.

—¡Hijo de puta! ¡Con *un solo* puñetazo!

Los hombres comenzaron a calcular lo que habían perdido. La cifra era cuantiosa. Gino transportó a Tony hasta el vestuario. El muchacho no abrió los ojos por miedo a que los demás se dieran cuenta de que estaba consciente y le hicieran alguna maldad.

Sólo cuando llegó a su casa pudo tranquilizarse.

—¡Lo hicimos! —exclamó el hermano—. ¿Sabes cuánto dinero nos ganamos? Casi mil dólares.

—No entiendo...

—Pedí prestado dinero a los propios usureros de ellos para apostar por Domenic, y conseguí un quince a uno. Somos ricos.

—¿No se enojarán?

Gino sonrió.

—Jamás se van a enterar.

Al día siguiente, cuando Tony salía de la escuela, había una limusina negra esperándolo. Lucky Luciano iba sentado en el asiento de atrás y le hizo señas para que se acercara.

—Sube.

Tony sintió que el corazón le latía con fuerza.

—No puedo, señor Luciano. Se me hace tarde para...

—Sube.

No tuvo más remedio que obedecerle. Luciano le habló entonces al chofer.

—Da la vuelta manzana —dijo.

¡Gracias a Dios no lo llevaban a dar un paseo!

—Te dejaste ganar —afirmó Luciano.

—No, señor...

—A mí no me mientas. ¿Cuánto embolsaste con esa pelea?

—Nada, señor...

—Te lo pregunto una vez más. ¿Cuánto ganaste con esa pelea?

El chico vaciló.

—Mil dólares.

Lucky Luciano reaccionó riéndose.

—Eso son moneditas, aunque, claro, para un chico de... ¿qué edad tienes?

—Casi dieciséis.

—Supongo que para un chico de dieciséis no está mal. Sabes que mis amigos y yo perdimos mucho dinero.

—Lo siento. Yo...

—No tiene importancia. Eres un muchacho inteligente, tienes futuro.

—Gracias.

—No voy a contarle a nadie este episodio, Tony, porque si no, mis amigos te cortan las pelotas y luego te obligan a comértelas. Pero quiero que el lunes vengas a verme. Tú y yo vamos a trabajar juntos.

Una semana más tarde, Tony Rizzoli trabajaba para Lucky Luciano. Comenzó como vendedor de una lotería ilegal, pero como era un muchacho inteligente llegó a convertirse en el segundo de Luciano. Cuando su jefe fue detenido y enviado a prisión, Tony Rizzoli continuó con la organización de Luciano.

Las Familias explotaban el juego, la prostitución, la usura y cualquier otro rubro que produjera ganancias ilegales. Por lo general no era bien visto el negocio de las drogas, pero cuando algunos de sus miembros quisieron iniciarse en ese campo, las Familias, con cierta renuencia les concedieron autorización para comenzar a traficar.

Para Tony Rizzoli la idea se convirtió en obsesión. Por lo que había visto, las personas que se dedicaban al tráfico de estupefacientes estaban totalmente desorganizadas. *Cada cual hace lo suyo. Con un poco de inteligencia y de empuje...*

Entonces tomó la decisión.

Tony no era hombre de emprender nada al azar. Por eso, comenzó a leer todo lo posible sobre la heroína.

La heroína se estaba convirtiendo rápidamente en la reina de las drogas. La marihuana y la cocaína daban a la persona la sensación de volar, pero la heroína creaba un estado de euforia total en el que no se sentía dolor, problema ni preocupación. Los que se esclavizaban con su consumo estaban dispuestos a vender todos sus bienes, robar cualquier cosa que se les pusiera al alcance de la mano, cometer cualquier crimen. La heroína se transformaba en su religión, su razón de ser.

Turquía era uno de los principales productores de la amapola de la cual se extraía la heroína.

Como la Familia tenía contactos en Turquía, Tony

Rizzoli tuvo una charla con Pete Lucca, uno de los capos.

—Voy a introducirme en esto —anunció Rizzoli—. Pero quiero que sepas que todo lo que haga será para la Familia.

—Eres un buen muchacho, Tony.

—Quiero ir a Turquía para estudiar el panorama. ¿Puedes encargarte de mi viaje?

Lucca vaciló.

—Bueno, mandaré avisar. Pero ellos no son como nosotros, Tony. No tienen moral; son como animales. Si no confían en ti, te matarán.

—Tendré cuidado.

—Sí; te conviene.

Dos semanas más tarde, Tony Rizzoli emprendía rumbo a Turquía.

Viajó a Esmirna, Afyon y Eskisehir, las regiones donde se cultivaba la amapola, y al principio lo trataron con sumo recelo. Era un extranjero, y los extranjeros no eran bien recibidos.

—Vamos a hacer juntos muchos negocios —aseguraba—. Querría echar un vistazo a las plantaciones de amapolas.

La persona se encogía de hombros.

—Yo no sé nada de plantaciones de amapolas. Vuélvase; está perdiendo el tiempo.

Pero Rizzoli estaba decidido. Se hicieron varios llamados y se enviaron cables en código. Por último, en Kilis —localidad de la frontera turco-siria—, se le permitió observar la cosecha del opio en la hacienda de Carella, uno de los grandes terratenientes.

—No entiendo —comentó Tony—. ¿Cómo pueden obtener heroína de una flor de porquería?

Un científico de guardapolvo blanco se lo explicó.

—Hay varias etapas, señor Rizzoli. La heroína se sintetiza del opio, que se hace tratanto la morfina con ácido acético. La heroína proviene de una variedad particular de amapola llamada *papaver somniferum*, la flor del sueño. El opio obtiene su nombre de la palabra griega *opos*, que significa jugo.

—Comprendo.

Tony fue invitado a visitar la hacienda de los Carella para la cosecha. Cada integrante de la familia contaba con un *çizgi biçak*, un cuchillo con forma de escalpelo con el cual se practicaba una incisión en la planta. Carella explicó:

—Las amapolas deben ser recolectadas en el término de veinticuatro horas; de lo contrario, la cosecha se echa a perder.

Había nueve miembros de la familia, y todos trabajaban sin pausa para levantar la cosecha dentro del plazo. El aire estaba impregnado de aromas que inducían al sopor.

Rizzoli se sentía mareado.

—Tenga cuidado —le advirtió Carella—. Trate de no dormirse porque, si se acuesta en el campo, jamás volverá a levantarse.

Las puertas y ventanas de la casa se mantuvieron herméticamente cerradas durante esas veinticuatro horas.

Una vez que se recogieron las amapolas, Rizzoli observó cómo la sustancia blanca, gomosa, se transformaba en heroína en un "laboratorio" instalado en las montañas.

—De modo que esto es todo, ¿eh?

Carella negó con la cabeza.

—No, mi amigo. Esto es sólo el comienzo. Hacer la heroína es lo más fácil; lo difícil es transportarla sin ser capturado.

Tony Rizzoli sintió una profunda emoción interior. Ahí entraría a jugar toda su experiencia. Hasta ese momento, el negocio había sido dirigido por chapuceros. Él iba a enseñarles cómo opera un profesional.

—¿Cómo mueven la droga?

—Hay muchas formas. En camión, ómnibus, tren, auto, mula, camello...

—¿En camello?

—Antes contrabandeábamos heroína en latas en el vientre de un camello, hasta que los guardias comenzaron a utilizar detectores de metales. Entonces optamos por las bolsas de goma. Al terminar el viaje matamos a los camellos. El problema es que a veces las bolsas estallan dentro del camello, y el animal camina a los tumbos, como borracho. Así fue como los guardias se percataron del método.

—¿Qué ruta emplean?

—A veces la enviamos desde Alepo, Beirut y Estambul a Marsella. Otras veces la heroína viaja desde Estambul a Grecia, y de allí a Sicilia atravesando Córcega y Marruecos. Después cruza el Atlántico.

—Agradezco su colaboración —dijo Rizzoli—. Todo esto lo informaré a mi gente. Pero antes quiero pedirle otro favor.

—¿Sí?

—Me gustaría viajar con el próximo cargamento.

Se produjo una larga pausa.

—Podría ser peligroso.

—Estoy dispuesto a correr el riesgo.

Al día siguiente, le presentaron a un hombre robusto, un delincuente de enorme bigote y cuerpo que parecía un tanque.

—Este es Mustafá, de Afyon. En turco, *afyon* significa opio. Mustafá es uno de nuestros contrabandistas más diestros.

—Hoy en día es preciso ser un experto —sentenció Mustafá, modestamente— porque hay muchísimos peligros.

Tony Rizzoli sonrió.

—Pero vale la pena correr el riesgo, ¿no?

—Usted habla de dinero, pero para nosotros el opio es algo más que una fuente de ingresos. Hay toda una mística que lo rodea. Es el único cultivo que significa más que la comida misma. La savia blanca de la planta es un elixir que viene del cielo y que, bebido en pequeñas cantidades, constituye una medicina natural. Puede ser ingerido o aplicado directamente sobre la piel, y cura la mayoría de las enfermedades comunes: descomposturas de estómago, resfríos, fiebre, dolores, torceduras. Pero hay que tener cuidado. Si se ingiere en grandes cantidades, no sólo obnubila los sentidos sino que también inhibe la destreza sexual, y en Turquía no hay nada que destruya más la dignidad del hombre que la impotencia.

—Claro.

El viaje desde Afyon se inició a medianoche. Un grupo de campesinos que caminaba en fila india en la noche negra se reunió con Mustafá. Había siete mulas fornidas, y a cada una se le cargaron trescientos cincuenta kilos de opio, que despedía un olor dulzón semejante al del heno húmedo. Los campesinos que habían ido a custodiar el opio que se comerciaba con Mustafá eran doce. Cada granjero iba armado con un rifle.

—En esta época hay que andar con cuidado —explicó Mustafá a Rizzoli—. Muchos policías y agentes de Interpol nos buscan. Antes era más divertido. Solíamos atravesar una aldea o una ciudad con el opio escondido dentro de un ataúd, recubierto con un paño negro. Era emocionante ver a la gente y los policías por las calles, que se levantaban el sombrero en señal de respeto cuando veían pasar el cajón lleno de droga.

La provincia de Afyon se halla en la zona más occidental de Turquía, al pie de las montañas Sultán, en una meseta elevada, virtualmente aislada de las principales ciudades del país.

—Este terreno es muy bueno para nuestro trabajo —sostuvo Mustafá—. Aquí no es fácil encontrarnos.

Las mulas avanzaron lentamente por los montes desolados, y a medianoche llegaron a la frontera turco-siria. Allí fueron recibidos por una mujer vestida de negro, que arrastraba un caballo, el que a su vez transportaba una inocente bolsa de harina sobre el lomo. El animal llevaba una soga de cáñamo de unos sesenta metros de largo atada en la montura. El otro extremo no rozaba el suelo sino que de él se aferraba Mustafá y detrás, los quince contrabandistas contratados. Caminaban agachados casi hasta el suelo, sujetándose con una mano de la soga y sosteniendo en la otra una bolsa de arpillera llena de opio. Cada bolsa pesaba diecisiete kilos. La mujer y el caballo cruzaron por una zona minada, pero había un sendero que había dejado antes un rebaño de ovejas arriadas por ese mismo lugar. Si la mujer dejaba caer la soga al suelo, Mustafá y los demás notarían que se aflojaba la tensión, lo cual era la señal de que había gendarmes más adelante. Si detenían a la mujer para interrogarla, los contrabandistas podían avanzar solos sin problemas, y atravesar la frontera.

Cruzaron en Kilis, el último punto fronterizo, que también se hallaba profusamente minado. Una vez que dejaron atrás la zona controlada por las patrullas de gendarmes, los contrabandistas recorrieron una zona neutra de cinco kilómetros de ancho hasta llegar al sitio de encuentro, donde fueron recibidos por sus colegas sirios. Colocaron las bolsas de opio en el suelo y se los agasajó con una botella de *raki*, que los hombres fueron pasándose uno a otro. Rizzoli observó cómo el opio era pesado y atado luego al lomo de una docena de sucios burros sirios. El trabajo estaba concluido.

Bueno, se dijo. *Ahora veamos cómo se hace esto mismo en Tailandia.*

La siguiente parada fue en Bangkok. Una vez que acreditó su identidad, se le permitió navegar en un pesquero que llevaba droga envuelta en polietileno, acomodada en el interior de tambores vacíos de querosén que tenían unos anillos en su parte superior. Cuando los buques se acercaban a Hong Kong, soltaban los tambores en una zona de aguas poco profundas cerca de las islas Lima y Ladrone, donde una embarcación más pequeña los recogía enganchándolos por el anillo.

—No está mal —comentó Rizzoli. *Pero tiene que haber una forma mejor.*

Los narcotraficantes hablaban de la heroína como "H", pero Tony Rizzoli la definía como oro. Las ganancias eran asombrosas. Los campesinos que cultivaban el opio no elaborado recibían trescientos cincuenta dólares por cada diez kilos, pero ese mismo opio, una vez procesado y vendido en las calles de Nueva York, había aumentado su valor a doscientos cincuenta mil dólares.

Es tan fácil, pensó. *Carella tenía razón. Lo importante es no dejarse pescar.*

Eso había sido al comienzo, diez años atrás, pero ahora era más difícil. Interpol acababa de asignar la máxima importancia al tráfico de estupefacientes, por lo que todos los barcos que zarpaban de los principales puertos de contrabando y que parecían levemente sospechosos, eran minuciosamente revisados. Por eso Rizzoli fue a ver a Spyros Lambrou: porque su flota no despertaba sospecha alguna. Era muy difícil que la policía registrara alguno de sus cargueros. Pero el muy hijo de puta no había querido comerciar con él. *Voy a encontrar otra manera*, pensó. *Pero más vale que la encuentre pronto.*

—Catherine, ¿te molesto?

Era medianoche.

—No, Costa. Me encanta oír tu voz.

—¿Todo anda bien?

—Sí... gracias a ti. El trabajo me gusta realmente.

—Bien. Dentro de unas semanas me daré una vuelta por Londres. Tengo ganas de verte. —*Con cuidado; no te apresures.* —Quiero que hablemos sobre algunos miembros del personal de la empresa.

—Bueno.

—Entonces, hasta luego.

—Buenas noches.

Esta vez fue ella quien lo llamó.

—Costa, no sé qué decir. El medallón es precioso. No tendrías que...

—Es un regalo pequeño, Catherine. Evelyn me contó

cuánto la ayudas, y me dieron ganas de demostrarte mi agradecimiento.

Es tan fácil, pensó Demiris. Pequeños obsequios, halagos. Después: voy a separarme de mi mujer.

Luego, la etapa de "me siento tan solo".

Cierta referencia imprecisa al matrimonio y una invitación para ir en yate a su isla. El método nunca fallaba. *Esto va a ser particularmente emocionante porque tendrá un final distinto: ella va a morir.*

Demiris llamó a Napoleon Chotas. El abogado se manifestó encantado de oírlo.

—¡Cuánto tiempo, Costa! ¿Todo bien?

—Sí, gracias. Necesito un favor.

—Por supuesto.

—Noelle Page tenía una pequeña residencia en Rafina. Quiero que la compres para mí, usando el nombre de algún testaferro.

—Desde luego. Le encargaré a uno de los abogados del estudio...

—Quiero que esto lo manejes personalmente.

Se produjo una pausa.

—Muy bien; lo haré yo mismo.

—Gracias.

Napoleon Chotas se quedó sentado, con la mirada clavada en el teléfono. Esa residencia era el nidito donde Noelle Page había tenido su romance con Larry Douglas. *¿Para qué la querría Constantin Demiris?*

Capítulo 7

Los Tribunales de Atenas funcionan en un amplio edificio de piedra gris que ocupa toda una manzana en la calle University. De los treinta juzgados que hay allí, sólo tres están reservados para casos penales: los números 21, 30 y 33.

Dado el enorme interés provocado por la causa criminal de Anastasia Savalas, el juicio se desarrollaba en el juzgado 33. La sala medía doce metros por dieciocho. Había varias filas de bancos de madera, y al frente, detrás de una baranda de caoba de dos metros de largo, una plataforma elevada y tres sillones de respaldo alto para los jueces.

Delante del estrado se hallaba el banquillo de los testigos, una pequeña tarima con un atril, y contra la pared del fondo, la tribuna del jurado, ocupada en ese momento por sus diez integrantes. Frente a la mesa del fiscal se encontraba la de los abogados, y a la izquierda, el banquillo del acusado.

El juicio era espectacular en sí mismo, pero el plato principal era el hecho de que la defensa la llevaba el doctor Napoleon Chotas, uno de los más afamados penalistas del mundo. Chotas se dedicaba exclusivamente a casos de homicidio, y tenía un extraordinario récord de causas ganadas. Se comentaba que sus honorarios eran siempre millones de dólares. Napoleon Chotas era un hombre flaco, demacrado, con los ojos tristes de un sabueso y un rostro lleno de arrugas. No vestía con elegancia, y no podía decirse que su apariencia física inspirara confianza. Pero detrás de ese aspecto anodino se escondía una mente lúcida y mordaz.

El periodismo especulaba acerca de por qué Chotas había aceptado defender a esa mujer ya que no había ni la menor posibilidad de que ganara el caso. Por el contrario, todos apostaban a que sería el primero que perdía.

Los hechos eran simples: Anastasia Savalas era una mujer joven, bella, casada con un hombre acaudalado de nombre George Savalas, que le llevaba treinta años de edad. Anastasia tenía una aventura amorosa con el joven Josef Pappas, el chofer de la familia y, según afirmaban los testigos, el marido había amenazado con divorciarse de ella y borrarla de su testamento. La noche del homicidio, Anastasia dio franco a todo el personal de servicio y preparó la cena para su esposo. George Savalas padecía un fuerte resfrío. Durante la comida, tuvo un ataque de tos. La mujer le alcanzó el frasco de jarabe. Savalas bebió un sorbo y cayó muerto.

Un caso sumamente sencillo.

La sala 33 estaba colmada de público esa mañana. Anastasia Savalas se hallaba sentada en la mesa de la defensa vestida con falda y blusa negras, ningún adorno y muy poco maquillaje. Era asombrosamente hermosa.

El fiscal, doctor Peter Demonides, se dirigía en ese momento al jurado.

—Damas y caballeros: Hay veces que un juicio criminal demora entre tres y cuatro meses, pero creo que no deberán preocuparse por la posibilidad de estar aquí tanto tiempo en este caso. Cuando escuchen los pormenores de esta causa seguramente convendrán en que hay un solo veredicto posible: homicidio calificado. Esta fiscalía demostrará que la acusada asesinó con premeditación a su marido porque éste la amenazó con divorciarse al enterarse de que ella vivía un romance con el chofer de la familia. Vamos a demostrar que la acusada tuvo la motivación, la oportunidad y los medios para realizar a sangre fría su plan. Gracias. —Tomó asiento.

El presidente del tribunal se dirigió a Chotas.

—¿La defensa está preparada para brindar su exposición inicial?

Napoleon Chotas se puso lentamente de pie.

—Sí, Su Señoría. —Se adelantó hasta la tribuna del jurado con paso incierto. Se plantó delante de ellos, parpadeó y luego habló casi como reflexionando en voz alta.
—Tengo muchos años de vida, y he aprendido que una persona no puede disimular su carácter perverso. Siempre se le nota en algo. El poeta dijo una vez que los ojos son el espejo del alma, y yo creo que es cierto. Señoras y señores, quiero que miren a los ojos a la acusada, y se darán cuenta de que esa mujer no pudo haber matado a nadie. —Chotas permaneció un momento allí como tratando de decidir si agregaba algo más, y luego regresó a su asiento.

Peter Demonides se sintió invadido por una repentina sensación de triunfo. *Caramba, ¡es la exposición más débil que he oído en la vida! Este hombre ya perdió.*

—¿Está listo el fiscal para llamar a su primer testigo?

—Sí, Su Señoría. Llamo a Rosa Lykourgos.

Una mujer de mediana edad, robusta, se levantó de los bancos del público y avanzó al frente con paso decidido.

—¿Puede decirnos su ocupación, señora de Lykourgos?

—Soy el ama de llaves... —Se le ahogó la voz. — *Era* el ama de llaves del señor Savalas.

—¿De George Savalas?

—Sí, señor.

—¿Cuánto tiempo trabajó para él?

—Veinticinco años.

—Es mucho tiempo. ¿Apreciaba usted a su patrón?

—Era un santo.

—¿Trabajó bajo sus órdenes durante el primer matrimonio de Savalas?

—Sí, señor. Estuve junto a él cuando enterró a su mujer.

—¿Sería razonable afirmar que ambos tenían una buena relación?

—Estaban muy enamorados.

Peter Demonides echó un vistazo a Napoleon Chotas pues suponía que éste iba a plantear una objeción al tipo de interrogatorio, pero Chotas permaneció en su asiento, al parecer reconcentrado. Entonces, el fiscal prosiguió.

—¿Y trabajó también para el señor Savalas durante el segundo matrimonio, con la acusada?

—Sí, señor, por cierto —repuso, con desagrado.

—¿Diría usted que era un matrimonio feliz? —Nuevamente miró a Chotas, pero no hubo reacción.

—¿Feliz? No, señor. Se peleaban como perro y gato.

—¿Presenció usted alguna de esas peleas?

—No podía evitarlo. Se los oía por toda la casa, y eso que es una casa grande.

—Doy por sobreentendido que las peleas eran verbales, sin agresiones físicas... ¿El señor Savalas nunca pegó a su mujer?

—Claro que eran físicas, pero al revés: la señora era la que lo golpeaba *a él*. El señor Savalas ya era mayor y no tenía demasiada fuerza.

—¿Vio usted realmente cómo la señora golpeaba a su marido?

—Más de una vez. —La testigo posó sus ojos en la acusada y contestó con un tono de satisfacción.

—Señora de Lykourgos, la noche en que murió el señor Savalas, ¿qué miembros del personal se hallaban en la casa?

—Ninguno.

Demonides transmitió una impresión de sorpresa en la voz.

—¿Dice usted que en una casa tan grande no quedó ni un miembro del personal? ¿Acaso el señor Savalas no tenía cocinera, mayordomo...?

—Sí, claro, tenía, pero la señora nos dio la noche libre porque dijo que quería cocinar ella para el marido. Iba a ser una especie de segunda luna de miel. —La última frase fue pronunciada con ironía.

—¿De modo que la señora de Savalas se libró de todos?

En esta oportunidad fue el presidente del tribunal quien lanzó una miradita a Napoleon Chotas esperando que éste planteara un reparo, pero el abogado continuó en su lugar, con cara de preocupado. El juez se dirigió entonces al fiscal.

—Tenga a bien no guiar a la testigo, señor fiscal.

—Disculpe, Su Señoría. Voy a plantear la pregunta de otra manera. —Se acercó al ama de llaves. —¿Lo que usted dice es que una noche en la que, de ordinario, el personal se encontraría en la casa, la señora de Savalas ordenó a todos que se fueran para poder quedarse sola con el marido?

—Sí, señor. Y el pobre hombre tenía un resfrío espantoso.

—La señora de Savalas, ¿solía cocinar a menudo para su marido?

La mujer resopló con desprecio.

—¿Ella? No, señor. Jamás. Nunca movía un dedo en la casa.

Y Napoleon Chotas seguía sentado, escuchando como si fuera un espectador cualquiera.

—Gracias, señora. Ha sido usted muy amable.

Peter Demonides se volvió hacia Chotas tratando de disimular su satisfacción. La declaración de la señora de Lykourgos había producido cierto efecto perceptible en los miembros del jurado, que lanzaban miraditas de desaprobación a la acusada. *Vamos a ver cómo se las arregla el viejo con esto.*

—Su testigo.

Chotas levantó la mirada.

—¿Qué? Ah, no. No tengo preguntas.

El presidente del tribunal lo miró asombrado.

—Doctor Chotas...¿no desea repreguntar a la testigo?

El defensor se puso de pie.

—No, Su Señoría. Me parece una mujer sumamente sincera. —Volvió a tomar asiento.

Peter Demonides no podía creer su buena suerte. *Dios mío*, pensó, *ni siquiera lucha. Este viejo está liquidado*. Ya saboreaba la victoria.

El juez se volvió entonces al fiscal.

—Puede llamar al siguiente testigo —dijo.

—Llamo a Josef Pappas.

Un muchacho apuesto, de pelo oscuro, se levantó entre

el público y se dirigió al banquillo de los testigos, donde se le tomó juramento.

—Señor Pappas, informe por favor a este tribunal cuál es su ocupación.

—Soy chofer.

—¿Tiene empleo en este momento?

—No.

—Pero lo tuvo hasta hace poco; es decir, hasta la muerte de George Savalas.

—Así es.

—¿Cuánto tiempo trabajó para la familia Savalas?

—Poco más de un año.

—¿Fue un empleo agradable?

El hombre observaba de reojo a Chotas con la esperanza de que el abogado fuera en su rescate, pero sólo hubo silencio.

—¿Fue un empleo agradable, señor Chotas?

—Normal, supongo.

—¿Le pagaban un buen sueldo?

—Sí.

—Entonces, ¿no diría que era algo más que normal? Es decir, ¿no obtenía algunos beneficios adicionales? ¿No se acostaba regularmente con la señora de Savalas?

Josef Pappas miró a Chotas como buscando ayuda, pero nada obtuvo.

—Sí, señor. Supongo que sí.

Demonides lo fulminó con una mirada de desprecio.

—¿*Supone* que sí? Recuerde que está bajo juramento. O tuvieron una aventura o no la tuvieron. Defínase.

Pappas se revolvió inquieto en su asiento.

—Tuvimos una aventura.

—¿Pese a que trabajaba para el marido de ella, que recibía un sueldo generoso, que vivía bajo el mismo techo que él?

—Sí, señor.

—¿No le molestaba recibir el dinero del señor Savalas mientras vivía un romance con la esposa de él?

—No era un simple romance.

Demonides tendió el señuelo con cuidado.

—¿No fue un simple romance? ¿Qué quiere decir con eso? Creo que no le entiendo.

—Quiero decir...que Anastasia y yo pensábamos casarnos.

Se produjeron murmullos de sorpresa en la sala. Los miembros del jurado miraban a la acusada.

—La idea de casarse, ¿fue suya o de la señora de Savalas?

—Bueno, lo queríamos los dos.

—¿Quién lo propuso?

—Supongo que ella. —Miró hacia donde estaba sentada y ella le devolvió la mirada sin pestañear.

—Sinceramente, señor Pappas, me deja intrigado. ¿Cómo iba a hacer para casarse si la señora ya tenía marido? ¿Acaso pensaba en esperar a que él se muriera de viejo o tuviera algún accidente fatal? ¿Qué era lo que tenía en mente?

Las preguntas eran tan insidiosas que el fiscal y los tres jueces miraron en dirección al abogado defensor esperando que protestara indignado, pero éste estaba muy ocupado haciendo garabatos, sin prestar atención. Anastasia Savalas también estaba empezando a poner cara de preocupada.

Demonides insistió.

—No ha respondido mi pregunta, señor Pappas.

El chofer estaba visiblemente inquieto.

—No sé exactamente.

La voz del fiscal fue como un latigazo.

—Entonces déjemelo decírselo *exactamente*. La señora de Savalas planeó asesinar al marido para sacarlo de en medio. Sabía que él iba a eliminarla del testamento, que quedaría sin un centavo, y.

—¡Protesto! —La objeción no provino de la defensa sino del presidente del tribunal. —Está pidiendo al testigo una conjetura. —Se volvió hacia Chotas. —Su testigo —dijo.

Napoleon Chotas se levantó.

—Gracias, doctor Demonides. No tengo preguntas.

113

Los tres jueces se miraron unos a otros, sorprendidos, y uno de ellos dijo:

—Doctor Chotas, ¿comprende que ésta es la única oportunidad que tendrá de repreguntar al testigo?

—Sí, Su Señoría.

—Y teniendo en cuenta lo que él ha declarado, ¿no desea formularle pregunta alguna?

Chotas hizo un movimiento con la mano y respondió:

—No, Su Señoría.

—Bien —dijo el juez con un suspiro—, el fiscal puede hacer pasar a su próximo testigo.

El siguiente fue Mihalis Haritonides, un hombre corpulento, de sesenta y tantos años.

Cuando se le hubo tomado juramento, el fiscal le pidió:

—Informe por favor cuál es su ocupación.

—Soy gerente de un hotel.

—¿Puede decirnos el nombre del hotel?

—El Argos.

—¿Y dónde está ubicado?

—En Corfú.

—Voy a preguntarle, señor Haritonides, si alguna de las personas presentes en esta sala se alojó alguna vez en su establecimiento.

El hombre paseó la mirada a su alrededor.

—Sí, señor —contestó—. Él y ella.

—Que quede constancia que el testigo está señalando a Josef Pappas y Anastasia Savalas. —Volvió a dirigirse al testigo. —¿Estuvieron en el hotel más de una vez?

—Sí, por supuesto. Unas cinco o seis veces, por lo menos.

—¿Y pasaron la noche juntos, en la misma habitación?

—Sí, señor. Solían venir los fines de semana.

—Gracias, señor Haritonides. —Miró al abogado defensor. —Es su testigo —dijo.

—No hay preguntas.

El presidente del tribunal conversó unas palabras con sus dos colegas. Luego miró a Chotas.

—¿No tiene preguntas para este testigo, doctor?

—No, Su Señoría. Creo en su testimonio. Es un lindo hotel. Yo mismo me he alojado allí.

El juez miró un largo instante al defensor. Luego se dirigió al fiscal.

—La fiscalía puede convocar a su próximo testigo.

—Quiero llamar al doctor Vassilis Frangescos.

Un hombre alto, distinguido, se aproximó al banquillo de los testigos y prestó juramento.

—Doctor Frangescos, ¿tendría la amabilidad de informarnos cuál es su especialidad?

—Soy clínico.

—¿Eso equivale a ser como el médico de la familia?

—Es otra manera de llamarnos, sí.

—¿Cuánto hace que ejerce, doctor?

—Casi treinta años.

—Y tiene habilitación del Estado, desde luego.

—Por supuesto.

—Doctor, ¿George Savalas era paciente suyo?

—Sí, lo fue.

—¿Durante cuánto tiempo?

—Algo más de diez años.

—¿Lo estaba tratanto por alguna afección en particular?

—Bueno, la primera vez que fue a verme fue por un problema de presión sanguínea alta.

—Y usted lo trató concretamente por eso.

—Sí.

—¿Y después volvió a atenderlo?

—Sí, sí. De vez en cuando me consultaba... cuando tenía bronquitis o algún problema hepático... nada grave.

—¿Cuándo fue la última vez que lo vio?

—En diciembre del año pasado.

—Es decir, poco antes de que él muriera.

—En efecto.

—¿Fue él a su consultorio?

—No. Fui yo a verlo a la casa.

—¿Acostumbra usted hacer visitas domiciliarias?

—No; por lo general, no.

—Pero en ese caso hizo una excepción.

—Sí.

—¿Por qué?

El médico vaciló.

—Bueno, porque no estaba en condiciones de movilizarse.

—¿Cómo estaba?

—Tenía heridas, algunas costillas magulladas y concusiones.

—¿Había tenido un accidente?

El doctor Frangescos dudó antes de responder.

—No. Me dijo que lo había aporreado su mujer.

El público contuvo el aliento.

El presidente del tribunal habló en tono de fastidio.

—Doctor Chotas, ¿no va a protestar porque se está haciendo constar en actas como testimonio algo que sólo se sabe de oídas?

Napoleon Chotas levantó la mirada.

—Ah, sí, gracias, Su Señoría. Sí, protesto.

Pero desde luego, el daño ya estaba hecho: los miembros del jurado miraban a la acusada con manifiesta hostilidad.

—Gracias, doctor Frangescos. No hay más preguntas.

— Demonides se volvió hacia el defensor y dijo, complacido:

—Su testigo.

—No tengo preguntas.

A continuación hubo una sucesión de testigos: una criada que aseguraba haber visto cómo la señora de Savalas se dirigía varias veces al cuarto del chofer... un mayordomo que decía haber oído que George Savalas amenazaba con divorciarse de su mujer y borrarla del testamento... vecinos que habían oído las discusiones del matrimonio...

Y Napoleon Chotas que seguía sin formular pregunta alguna a los testigos.

La trama se iba cerrando rápidamente en torno de Anastasia Savalas.

116

Demonides vivía por anticipado el placer de la victoria. Imaginaba los titulares de los diarios. Ese juicio penal iba a ser el más breve de la historia. *Podría terminar hoy mismo, inclusive*, pensó. *El gran Napoleon Chotas es hombre derrotado.*

—Quiero llamar al estado al señor Niko Mentakis.

Se trataba de un muchacho delgado, que hablaba lentamente, con cuidado.

—Señor Mentakis, ¿puede decirle a este tribunal cuál es su ocupación?

—Trabajo en un vivero.

—Ah, entonces es un experto en plantas, árboles y flores, es decir, en cosas que crecen.

—Desde luego. Hace muchos años que me dedico a lo mismo.

—Supongo que una parte de su trabajo consiste en asegurarse de que las plantas que tiene para la venta se mantengan sanas.

—Sí, claro. Las cuidamos mucho. No seríamos capaces de vender plantas enfermas a nuestros clientes, la mayoría de los cuales son habituales.

—¿Eso quiere decir que vuelven siempre a comprarles a ustedes?

—Sí, señor —repuso con orgullo—. Les brindamos un buen servicio.

—Dígame, señor Mentakis, ¿la señora de Savalas era una clienta habitual?

—Sí, sí, señor. A ella le encantan las plantas y las flores.

El presidente del tribunal tomó la palabra, impaciente:

—Doctor Demonides, este tribunal considera que el estilo de interrogatorio no viene al caso. Por favor, pase a otro tema o...

—Si Su Señoría me permite terminar, creo que este testigo es fundamental para la causa.

El juez miró en dirección al defensor.

—Doctor Chotas, ¿no pone usted reparos a este estilo interrogatorio?

Chotas levantó la mirada y parpadeó.

117

—¿Qué? No, Su Señoría.

El juez parecía desilusionado; luego se volvió hacia el fiscal.

—Bien, puede continuar —dijo.

—Señor Mentakis, ¿la señora de Savalas fue un día a verlo en el mes de diciembre y le contó que tenía problemas con algunas plantas?

—Sí, señor.

—Más aún, ¿le dijo que una plaga de insectos le estaba destruyendo las plantas?

—Sí, señor.

—¿Entonces le pidió algún producto para eliminarlos?

—Sí, señor.

—¿Puede informar a este tribunal cuál era?

—Le vendí antimonio.

—¿Puede explicar qué es eso?

—Es un veneno, como el arsénico.

Se produjo un fuerte murmullo en la sala.

El juez golpeó con el martillo.

—Si se produce otra reacción semejante, ordenaré que desalojen la sala. —Le habló al fiscal. —Puede continuar con el interrogatorio.

—Entonces usted le vendió cierta cantidad de antimonio.

—Sí, señor.

—¿Diría usted que se trata de un veneno letal? Antes lo comparó con el arsénico.

—Ah, sí, señor. Es mortal.

—¿Y asentó la venta en sus libros como le exige la ley para vender sustancias venenosas?

—Sí, señor.

—¿Trajo aquí dicho libro?

—Sí, señor. —Se lo entregó.

El fiscal se acercó a los jueces.

—Desearía que este libro se rotulara como Prueba A. —Se volvió hacia el testigo. —No tengo más preguntas. —Miró al defensor.

Pero Napoleon Chotas sacudió la cabeza.

—No tengo preguntas —dijo, también.

Peter Demonides respiró hondo. Había llegado el momento de dejar caer la bomba.

—Quisiera presentar la Prueba B. —Giró y pidió a un oficial: —¿Puede alcanzarla, por favor?

El oficial salió de prisa y volvió segundos más tarde con un jarabe para la tos en una bandeja. Se notaba que faltaba cierta cantidad de jarabe del frasco. El público observó con interés que el oficial entregaba la botellita al fiscal, y éste la colocaba delante de los miembros del jurado.

—Damas y caballeros, ustedes están buscando el arma homicida: ésta es el arma que mató a George Savalas, el remedio para la tos que la señora de Savalas le dio al marido la noche en que éste murió. El frasco está lleno de antimonio. Como verán, la víctima ingirió cierta cantidad... y veinte minutos más tarde moría.

Napoleon Chotas se puso de pie y dijo, con sencillez:

—El fiscal no puede saber a ciencia cierta que el occiso haya bebido de ese frasco en particular.

Peter Demonides cayó en la trampa.

—Con el debido respeto hacia mi colega, la señora de Savalas ha reconocido que le dio al marido este jarabe durante un acceso de tos, la noche en que él murió. La policía lo ha mantenido bajo llave hasta que se lo trajo a esta sala, hace unos minutos. El forense declaró que George Savalas murió de envenenamiento con antimonio, y este jarabe tiene un alto contenido de antimonio. —Miró desafiante al defensor.

Chotas meneó la cabeza con aire de vencido.

—Entonces supongo que no hay dudas.

—Ni la más mínima —aseguró Demonides, victorioso—. Gracias, doctor Chotas. Esta fiscalía concluye su presentación.

Napoleon Chotas se levantó y permaneció un largo instante sin moverse. Luego se acercó lentamente hasta la tribuna del jurado rascándose la cabeza como si estuviera pensando qué iba a decir. Cuando por fin habló, lo hizo midiendo las palabras.

—Algunos se preguntarán por qué no repregunté a ninguno de los testigos. Bueno, a decir verdad creo que el doctor Demonides ha hecho un trabajo tan bueno que no me pareció necesario formular yo pregunta alguna.

Este idiota me está favoreciendo, pensó el fiscal lleno de regocijo.

Napoleon Chotas se dio vuelta para mirar un momento el frasco de jarabe; luego volvió a encarar al jurado.

"Los testigos me parecieron muy sinceros, pero en realidad no probaron nada, ¿verdad? Quiero decir... bueno, si se analiza todo lo que declararon, se saca una conclusión: que una muchacha joven, muy bonita, se casó con un viejo que probablemente no podía satisfacerla sexualmente. —Señaló con la cabeza a Josef Pappas. —Entonces encontró a un hombre joven que sí la satisfizo. Pero todo eso lo sabíamos por los diarios, ¿no? Su relación amorosa no tiene nada de secreto. El mundo entero lo sabía; salió publicado en todas las revistas del mundo. Ahora bien, damas y caballeros, ustedes podrán no estar de acuerdo con su comportamiento, pero aquí no se está juzgando a Anastasia Savalas por adulterio. No comparece ante este tribunal porque tenga instintos sexuales normales, como los que tiene cualquier mujer. No; se la está juzgando por homicidio.

Se volvió para mirar de nuevo el frasco, como fascinado.

Que siga divagando, pensó el fiscal Demonides. Miró la hora en el reloj de la pared. Las doce menos cinco. Los jueces solían levantar la sesión al mediodía. *Este viejo tonto no va a terminar de presentar su alegato*. No era lo suficientemente inteligente ni siquiera para esperar hasta que el tribunal volviera a reunirse. *¿Cómo puede ser que alguna vez le haya tenido miedo?*, se preguntó Peter Demonides.

El defensor seguía hablando.

—¿Por qué no analizamos juntos las pruebas? Unas plantas de la señora de Savalas se enfermaron, y ella se preocupó. Acudió al señor Mentakis, un experto en plantas, quien le aconsejó utilizar antimonio. Ella entonces siguió su consejo. ¿Eso es homicidio? Por cierto que no. Después está

120

la declaración del ama de llaves, quien dijo que la señora de Savalas dio franco a todo el personal para poder tener una cena íntima con su marido, cena que iba a cocinar ella misma. Bueno, yo creo que la verdad es que el ama de llaves estaba medio enamorada del señor Savalas. No se trabajan veinticinco años para un hombre a menos que se tengan sentimientos profundos por él. Sentía celos de Anastasia Savalas. ¿No se dieron cuenta por el tono de voz que empleó? —Carraspeó. —Supongamos que la acusada amaba realmente a su esposo y estaba tratando por todos los medios de que se solucionaran los problemas matrimoniales. ¿De qué forma demuestra amor una mujer a un hombre? Bueno, uno de los sistemas más comunes es cocinar para él. ¿Acaso no es una forma de amor? Yo creo que sí. —Se dio vuelta para mirar una vez más el frasco. —¿Y otra forma no sería cuidarlo cuando se enferma... en la salud y en la enfermedad?

Faltaba un minuto para las doce.

"Damas y caballeros, cuando comenzó este juicio les pedí que miraran a los ojos a esta mujer. Esa cara no es la de una asesina. Esos ojos no son los ojos de una homicida.

Demonides vio que los miembros del jurado observaban a la acusada. Jamás había notado una hostilidad tan evidente, o sea que él personalmente se había metido al jurado en el bolsillo.

"La ley es muy clara, damas y caballeros. Como les informarán nuestros honorables jueces, para decidirse por el veredicto de culpable no deberán tener ustedes ni la más mínima duda sobre la culpabilidad de la acusada.

Mientras hablaba volvió a toser; sacó un pañuelo del bolsillo y se tapó la boca. Luego se adelantó hacia donde estaba el frasco de jarabe.

"Si se lo piensa bien, el fiscal no ha demostrado nada, ¿no es cierto? Salvo que ésta es la botella que la señora de Savalas entregó a su marido. La verdad es que la fiscalía no probó nada. —Al concluir la frase, tuvo un acceso de tos. Inconscientemente estiró el brazo, tomó el frasco de remedio, se lo llevó a los labios y bebió un largo sorbo. Todos los presentes lo miraron hipnotizados, y soltaron una exclamación de horror. De pronto se produjo un gran bullicio.

El presidente del tribunal habló, alarmado:

—Doctor Chotas...

El defensor bebió otro sorbo.

—Su Señoría, la presentación del fiscal es una burla a la justicia. George Savalas no murió a manos de esta mujer. La defensa ha concluido su alegato.

El reloj dio las doce. Un oficial se acercó de prisa al presidente del tribunal y le susurró algo al oído.

El juez golpeó con su martillo.

—¡Orden en la sala! Tendremos un receso. El jurado se retirará a deliberar y tratar de arribar a un veredicto. Este tribunal volverá a reunirse a las dos.

Peter Demonides estaba petrificado. ¡Alguien había cambiado los frascos! Pero no, eso era imposible. La prueba había estado custodiada en todo momento. ¿Podía haberse equivocado tanto el patólogo? Se volvió para intercambiar unas palabras con su asistente, y cuando quiso hablar con Chotas, éste había desaparecido.

A las dos, cuando volvió a reunirse el tribunal, lentamente los miembros del jurado fueron ocupando de nuevo sus asientos. Napoleon Chotas faltaba.

El hijo de puta se murió, pensó el fiscal.

Pero en el mismo instante en que lo pensaba, Chotas entró en la sala, rebosante de salud. Todos se volvieron para mirarlo dirigirse a su asiento.

—Damas y caballeros del jurado —dijo el juez—, ¿han llegado a un veredicto?

El presidente del jurado se puso de pie.

—Sí, Su Señoría. La acusada es inocente.

Espontáneamente el público prorrumpió en aplausos.

Peter Demonides se puso pálido. *El muy hijo de puta me ganó otra vez*, se dijo. Levantó la mirada y vio que Napoleon Chotas lo observaba, sonriente.

Capítulo 8

El estudio jurídico Tritsis y Tritsis era sin lugar a dudas el más prestigioso de Grecia. Los fundadores se habían jubilado mucho tiempo atrás, y la firma en la actualidad pertenecía a Napoleon Chotas. Había otros seis socios más, pero el más importante era Chotas.

Cuando alguna persona acaudalada era acusada de homicidio, inmediatamente pensaba en Napoleon Chotas, un abogado que tenía un récord fenomenal de causas ganadas. A través de los años que llevaba defendiendo a personas acusadas de delitos capitales, había acumulado un éxito tras otro. El reciente juicio a Anastasia Savalas había ocupado los titulares del mundo entero pues le tocó defender a una persona a la que todos consideraban culpable de homicidio y obtuvo una victoria espectacular. Corrió un riesgo enorme para defender a esa mujer, pero lo hizo sabiendo que era la única forma de salvarle la vida.

Sonrió para sus adentros al recordar la cara que pusieron los miembros del jurado al ver que bebía un trago del jarabe envenenado. Había planeado perfectamente su recapitulación para que lo interrumpieran exactamente a las doce: ese detalle era de máxima importancia. *Si los jueces hubiesen modificado su costumbre rutinaria de suspender la sesión a las doce...* Temblaba de sólo pensar lo que podría haber ocurrido.

Sin embargo, surgió un hecho inesperado que casi le cuesta la vida. Una vez llamado el cuarto intermedio, Chotas corría por el pasillo cuando un grupo de periodistas se le puso en el camino.

—Doctor, ¿cómo supo que el jarabe no estaba envenenado?

—¿Puede explicar...?

—¿Cree que alguien cambió el frasco...?

—¿Tenía Anastasia Savalas...?

—Caballeros, por favor, tengo que responder un llamado de la naturaleza. Con todo gusto responderé después sus preguntas. —Caminó de prisa hasta el baño de hombres que había al fondo del pasillo. En la puerta encontró un cartelito que decía: CLAUSURADO.

—Va a tener que buscar otro —sostuvo un reportero.

—Lamentablemente no puedo esperar. —Empujó la puerta, entró y cerró con llave.

El equipo lo aguardaba en el interior. El médico protestó.

—Ya estaba empezando a preocuparme. El antimonio hace efecto muy rápido. —Se dirigió a su asistente. —Apronte en seguida la bomba estomacal.

—Sí, doctor.

El facultativo le habló entonces a Chotas.

—Acuéstese en el piso. Esto va a ser bastante desagradable.

—Cuando pienso en la otra alternativa —expresó el abogado, sonriente—, estoy seguro de que no me va a importar.

Los honorarios que percibió Napoleon Chotas por salvar la vida de Anastasia Savalas ascendieron a un millón de dólares, depositados en una cuenta de un Banco suizo. Chotas poseía una mansión palaciega en Kolonarai —hermosa zona residencial de Atenas—, una villa de descanso en la isla de Corfú y un departamento en la parisina avenida Foch.

Tenía sobrados motivos para estar satisfecho con la vida. Había una sola nube en su horizonte.

Esa persona se llamaba Frederick Stavros y era el abogado más nuevo del estudio. Los demás colegas vivían quejándose de él.

—Es un profesional de segunda, Napoleon. No debería estar en un estudio como éste...

—Stavros casi arruina la causa. Ese tipo es un idiota...

—¿Te enteraste de lo que hizo ayer en tribunales? El juez casi lo expulsa...

—Maldita sea, ¿por qué no echas a Stavros? No tiene nada que hacer aquí. No lo necesitamos, y desprestigia el nombre que nos hemos hecho.

Napoleon Chotas tenía plena conciencia de todo, y estuvo tentado de contar la verdad. *No puedo echarlo*. Pero lo único que dijo fue:

—Démosle una oportunidad y ya van a ver que mejora.

Sus socios no pudieron sacarle ni una palabra más.

Cierta vez dijo un filósofo: "Ten cuidado con lo que deseas, porque quizá lo consigas".

Frederick Stavros, el abogado más nuevo de Tritsis & Tritsis, había obtenido su deseo, lo cual lo volvió el hombre más desdichado de la tierra. No podía dormir ni comer, y perdió peso en forma alarmante.

—Tendrías que ir a ver al médico —le sugería la mujer—. Te noto muy mal.

—No... no me serviría de nada.

Sabía que lo que le pasaba era algo que ningún médico podía curar. Lo estaban matando los remordimientos de conciencia.

Frederick Stavros era un muchacho ambicioso, idealista. Durante años había trabajado en una ruinosa oficina del barrio pobre Monastiraki, defendiendo a clientes menesterosos, a menudo sin cobrar honorarios. Cuando conoció a Napoleon Chotas, su vida cambió de la noche a la mañana.

Un año antes Stavros había defendido a Larry Douglas, juzgado junto con Noelle Page por el homicidio de Catherine, la mujer de Douglas. Chotas había sido contratado por el poderoso Constantin Demiris para defender a su amante. Desde el primer momento Stavros accedió gustoso a que Chotas se hiciera cargo de las dos defensas pues admiraba profundamente al brillante penalista.

—Tendrías que ver a Chotas en acción —solía comentarle a la mujer —. Ese hombre es increíble. ¡Ojalá algún día pudiera entrar yo en su estudio!

Cuando el juicio estaba por concluir, se produjo un giro inesperado. Chotas, muy sonriente, convocó a Noelle Page, Larry Douglas y Frederick Stavros a su despacho privado.

—Tengo una buena noticia —anunció—. Acabo de mantener una conversación con los jueces, quienes convinieron que, si los acusados se declaran culpables, el señor Douglas será deportado, con la prohibición de regresar jamás a Grecia. A Noelle se la condenará a cinco años de prisión en suspenso, por lo cual sólo tendrá que cumplir seis meses.

Noelle Page y Larry Douglas aceptaron gustosos declararse culpables. Minutos más tarde, cuando los acusados y sus defensores se presentaban delante del estrado, el presidente del tribunal dijo:

—Los tribunales griegos jamás han emitido una condena a muerte si no se ha probado fehacientemente la autoría de un crimen. Por lo tanto, nos sorprende sobremanera que los acusados hayan decidido declararse culpables. Eso no nos deja otra alternativa que decretar la condena a muerte de Noelle Page y Lawrence Douglas, la que se llevará a cabo por fusilamiento dentro de los próximos treinta días.

En ese momento Stavros comprendió que Chotas les había tendido una trampa a todos. Nunca había habido un acuerdo con los jueces. Chotas había sido contratado por Demiris no para defender a Noelle Page sino para asegurarse de que la condenaran. De esa forma Demiris se vengó de la mujer que lo había traicionado. O sea que, sin saberlo, Stavros había participado de un complot para asesinar a sangre fría.

No puedo permitir que esto ocurra, se dijo. *Voy a presentarme al presidente del tribunal, le cuento lo que hizo Chotas y revocarán la sentencia.*

Pero luego Chotas fue a ver a Stavros.

—Si no tienes nada que hacer mañana, ¿por qué no vamos juntos a almorzar, Frederick? Quiero presentarte a mis socios...

Un mes más tarde, Frederick Stavros había pasado a integrar formalmente el plantel de Tritsis & Tritsis; se le asignó un amplio despacho y un sueldo generoso. Había vendido su alma al diablo, pero también estaba dándose cuenta de que no podía vivir con semejante secreto. *No puedo seguir así.*

No podía desprenderse de los remordimientos. *Soy un asesino*, se recriminaba.

Meditó largamente sobre su dilema hasta que llegó a una conclusión.

Una mañana se dirigió bien temprano al despacho de Chotas.

—Leon...

—Dios santo, qué aspecto tienes —exclamó Chotas—. ¿Por qué no te tomas unas vacaciones, Frederick? ¿No te parece que te vendrían bien?

Stavros sabía que eso no era la solución de su problema.

—Leon, yo te estoy muy agradecido por todo lo que has hecho por mí, pero...no puedo quedarme aquí.

Chotas lo miró asombrado.

—No sé de qué me hablas. Tengo la impresión de que te va bien.

—No. Me siento desgarrado.

—¿Desgarrado? No sé qué es lo que te inquieta.

Stavros lo miró con ojos de incredulidad.

—Me refiero a...lo que tú y yo hicimos a Noelle Page y Larry Douglas. ¿Acaso no tienes sentimientos de culpa?

Chotas entrecerró los ojos. *Con cuidado.*

—Frederick, a veces se hace justicia de la manera más tortuosa. —Sonrió. —Créeme: no tenemos nada que reprocharnos; ellos eran culpables.

—Pero *nosotros* los condenamos, los hicimos caer en una celada. No puedo vivir más con ese cargo de conciencia. Lo siento. Te aviso que me quedo en el estudio sólo hasta fin de mes.

—No voy a aceptar tu renuncia —se opuso Chotas, firmemente—. ¿Por qué no haces lo que te sugiero, te tomas unas vacaciones y...?

—No. Nunca podría ser feliz aquí, sabiendo lo que sé. Perdóname.

Napoleon Chotas lo estudió con mirada reconcentrada.

—¿Te das cuenta de lo que haces? Estás tirando por la borda una carrera brillante...estás arruinando tu vida.

—No; estoy salvando mi vida.

—¿O sea que tu decisión es inamovible?

—Sí. Lo siento muchísimo, Leon, pero no tienes por qué preocuparte. Jamás voy a comentar con nadie... lo ocurrido. —Dio media vuelta y se marchó.

Napoleón Chotas permaneció largo rato sentado a su escritorio sumido en sus pensamientos. Por último tomó una decisión. Fue hasta el teléfono y marcó un número.

—¿Podría avisarle al señor Demiris que debo verlo esta tarde? Dígale que es urgente.

Esa misma tarde, a las cuatro, el abogado se hallaba en el despacho de Demiris.

—¿Cuál es el problema, Leon?

—Quizá ni siquiera sea un problema —replicó Chotas, cauteloso—, pero me pareció que debía informarte que Frederick Stavros vino a verme esta mañana porque resolvió irse del estudio.

—¿Stavros? ¿El abogado de Larry Douglas? ¿Y eso qué importa?

—Parece ser que tiene remordimientos de conciencia.

Hubo un silencio denso.

—Entiendo.

—Me prometió no comentar lo... ocurrido aquel día en los tribunales.

—¿Le crees?

—Sí. Sinceramente le creo, Costa.

Demiris sonrió.

—Bueno, entonces no tenemos nada de qué

preocuparnos, ¿verdad?

Chotas se puso de pie con una sensación de alivio.

—No, supongo que no. Sólo pensé que debías saberlo.

—Hiciste bien en decírmelo. ¿Podemos salir juntos a comer la semana que viene?

—Desde luego.

—Te llamo y combinamos un día.

—Gracias, Costa.

El viernes, a última hora de la tarde, en la inmensa iglesia de Kapnikarea, ubicada en el centro de Atenas, reinaba un silencio de paz. En un rincón, cerca del altar, Frederick Stavros se arrodilló frente al padre Konstantinou. El sacerdote le colocó un paño sobre la cabeza.

—Padre, he pecado y no puedo redimirme.

—El gran problema del hombre, hijo mío, es que supone que es sólo humano. ¿Qué pecados has cometido?

—Soy un asesino.

—¿Has quitado vidas?

—Sí, padre. Y no sé qué hacer para obtener perdón.

—Dios sabe lo que hay que hacer. Se lo preguntaremos a Él.

—Me dejé llevar por el mal camino por vanidad y codicia. Esto sucedió hace un año. Yo en esa época defendía a un hombre acusado de homicidio. El juicio iba bien, pero Napoleon Chotas...

Cuando se marchó de la iglesia media hora más tarde, se sentía un hombre distinto. Tenía la sensación de haberse quitado un enorme peso de los hombros. El ancestral rito de la confesión lo había purificado. Le contó todo al sacerdote, y por primera vez desde aquel día terrible, volvió a sentirse puro.

Voy a empezar una vida nueva. Me mudaré a otra ciudad para arrancar desde cero. De alguna manera voy a tratar de pagar por el acto tan tremendo que cometí. Gracias, padre, por darme otra oportunidad.

Ya había oscurecido, y el centro de la plaza Ermos estaba casi desierto. Frederick Stavros llegó a la esquina en el momento en que el semáforo se ponía en verde; entonces se lanzó a cruzar. Sin embargo, cuando llegó a la mitad de la bocacalle, una limusina negra que venía con las luces apagadas avanzó cuesta abajo en dirección a él, como un monstruo rugiente. Stavros la observó, paralizado. Ya era tarde para saltar a un costado. Se oyó un estruendo ensordecedor, y el abogado sintió en su cuerpo un golpe atroz que lo despedazaba. Luego de un momento de dolor insoportable, la oscuridad.

Napoleon Chotas tenía por costumbre levantarse temprano. Disfrutaba de esos momentos de soledad antes de que las tensiones del día comenzaran a atraparlo. Siempre desayunaba solo y leía el diario mientras comía. Ese día en particular había varias noticias de interés. El premier Themistocles Sophoulis había formado su gabinete de coalición con cinco partidos. *Tengo que enviarle una nota de felicitación.* Las fuerzas comunistas chinas habían llegado a la margen norte del río Yang-Tsé-Kiang. Harry Truman y Alben Barkley acababan de jurar como Presidente y Vicepresidente respectivamente de los Estados Unidos. Chotas llegó a la página dos, y se le heló la sangre. La noticia que tanto lo impresionó decía:

"Cuando se retiraba de la iglesia Kapnikarea, el doctor Frederick Stavros, integrante del prestigioso estudio jurídico Tritsis y Tritsis, perdió la vida al ser atropellado anoche por un vehículo que se dio a la fuga. Testigos del hecho aseguran que el vehículo era una limusina negra, sin chapa de identificación. El doctor Stavros tuvo una destacada actuación en el sensacional juicio por homicidio que se siguió a Noelle Page y Larry Douglas, en el que patrocinó a éste último"...

Chotas dejó de leer y permaneció sentado, rígido, sin acordarse del desayuno. Un accidente. *¿Realmente había sido un accidente?* Demiris le había dicho que no había nada de qué preocuparse, pero demasiadas personas habían cometido el error de creer en sus palabras.

Tomó entonces el teléfono y llamó a Demiris. La secretaria lo comunicó en seguida.

—¿Ya leíste el diario de hoy?

—No. ¿Por qué?

—Murió Frederick Stavros.

—*¿Qué?* —exclamó Demiris, sorprendido—. ¿Qué estás diciendo?

—Que murió anoche, atropellado por un automovilista que huyó.

—Dios mío. Cuánto lo siento, Leon. ¿Apresaron ya al conductor?

—No, todavía no.

—A lo mejor yo puedo presionar un poco a la policía. Ya no se puede ni andar por la calle. A propósito, ¿te viene bien el jueves para que salgamos a cenar?

—Perfecto.

—Quedamos, entonces, en el jueves.

Napoleon Chotas era un experto en leer entre líneas. *Demiris estaba sorprendido de verdad. No tuvo nada que ver con la muerte de Stavros*, se dijo.

A la mañana siguiente, Chotas entró en el garaje privado del edificio donde tenía su estudio y estacionó el auto. Cuando se dirigía al ascensor, apareció un hombre joven entre las sombras.

—¿Tiene fuego?

Una luz de alarma se encendió en la mente del abogado. Ese sujeto era un extraño y no tenía nada que hacer en ese garaje.

—Sí. —Sin pensarlo, golpeó fuertemente al desconocido en la cara con el portafolio.

El individuo lanzó un grito de dolor.

—¡Hijo de puta! —dijo. Metió la mano en el bolsillo y sacó un revólver con silenciador.

—¡Eh! ¿Qué pasa ahí? —gritó alguien. Un guardia uniformado corría hacia ellos.

El desconocido vaciló un instante; luego huyó de prisa hacia la puerta.

El custodio llegó adonde se hallaba el abogado.

—¿Está bien, doctor?

—Sí... —Tenía dificultad para respirar. —Estoy bien...

—¿Qué quería hacer ese tipo?

Chotas respondió lentamente:

—No estoy seguro.

Pudo haber sido una coincidencia, se dijo Chotas al tiempo que se sentaba a su escritorio. *Es posible que sólo quisiera robarme, pero no se usa un revólver con silenciador para robar. No; tenía planeado matarme.* Y seguramente Constantin Demiris se habría mostrado tan sorprendido al enterarse de la noticia como lo estuvo conmigo cuando le mencioné la muerte de Fredecick Stavros.

Tendría que haberme dado cuenta, pensó Chotas. *Demiris no es hombre de correr riesgos. No puede darse el lujo de dejar ningún cabo suelto. Bueno, ahora se va a llevar una sorpresa.*

La voz de la secretaria le llegó por el intercomunicador.

—Doctor, tiene que estar en el tribunal dentro de media hora.

Ese día debía exponer el alegato final en un caso de homicidio múltiple, pero estaba demasiado conmovido como para presentarse en un juzgado.

—Llame al juez y explíquele que estoy enfermo. Que uno de los demás doctores tome mi lugar. No me pase más llamados.

Sacó un grabador que tenía en un cajón del escritorio y pensó unos momentos. Luego empezó a hablar.

A primera hora de la tarde se dirigió a la oficina del fiscal, el doctor Peter Demonides, portando un sobre marrón. La recepcionista lo reconoció en el acto.

—Buenas tardes, doctor Chotas. ¿Qué desea?

—Quiero ver al doctor Demonides.

—Está en una reunión. ¿Sabía él que venía?

—No. Avísele, por favor, que estoy aquí, y que es urgente.

—Por supuesto.

Quince minutos más tarde, Chotas ingresaba en el despacho del fiscal.

—Bueno —saludó Demonides—, Mahoma viene a la montaña. ¿En qué puedo servirte? ¿Vamos a negociar la condena en el juicio de hoy?

—No. Vine a verte por una cuestión personal, Peter.

—Siéntate, Leon.

Cuando ambos hubieron tomado asiento, dijo Chotas:

—Quiero dejarte un sobre. Está cerrado y lacrado, y sólo ha de abrirse en caso de que yo padezca una muerte fortuita.

Peter Demonides lo observaba con expresión de curiosidad.

—¿Supones que está por ocurrirte algo?

—Es una posibilidad.

—Entiendo. ¿Un cliente desagradecido?

—No importa quién. Tú eres la única persona en quien puedo confiar. ¿Puedes guardar esto en una caja fuerte, a la que nadie tenga acceso?

—Desde luego. —Se inclinó hacia adelante. —Te noto asustado.

—Sí, tengo miedo.

—¿Quieres que te brinde protección? Podría enviarte un policía de custodia.

Chotas tocó el sobre marrón.

—Ésta es la única protección que necesito.

—De acuerdo. Si estás seguro...

—Sí, estoy seguro. —Se puso de pie y le tendió la mano. —*Efharisto*. No sabes cuánto te lo agradezco.

Peter Demonides sonrió.

—*Parakalo*. Me debes una —dijo.

Una hora más tarde, un mensajero se presentó en las oficinas de la Corporación Helénica y se acercó a una de las secretarias.

—Traigo un paquete para el señor Demiris.

—Yo se lo recibo.

—Tengo órdenes de entregárselo personalmente.

—Lo siento, pero no puedo interrumpirlo. ¿Quién lo envía?

—Napoleon Chotas.

—¿Está seguro de que no puede dejarlo, no más?

—Seguro.

—Espere un segundito; voy a ver si el señor Demiris lo acepta. —Apretó un botón del intercomunicador. —Perdone, señor, pero han traído un paquete para usted de parte del doctor Chotas.

—Tráigamelo, Irene.

—El mensajero dice que tiene órdenes de entregárselo en propias manos.

Se produjo una pausa.

—Entre usted con él.

Irene y el muchacho ingresaron en el despacho.

—¿Es usted Constantin Demiris?

—Sí.

—¿Firma aquí, por favor?

Demiris así lo hizo, y el mensajero dejó el paquete sobre el escritorio

—Gracias.

Constantin Demiris observó retirarse a su secretaria y el mensajero. Estudió el grueso sobre un instante con rostro pensativo; luego lo abrió. Adentro venía un grabador con una cinta. Curioso, apretó un botón y la cinta empezó a andar.

La voz de Napoleon Chotas invadió la habitación.

"Mi estimado Costa: Todo habría sido mucho más sencillo si hubieses creído que Frederick Stavros no tenía intenciones de revelar nuestro secreto. Lamento aún más que no hayas creído que yo tampoco tenía intenciones de comentar ese lamentable episodio. Tengo motivos sobrados para suponer que tú provocaste la muerte del pobre Stavros, y que ahora planeas matarme a mí. Como mi vida es para mí tan preciada como la tuya para ti, respetuosamente me niego a ser tu próxima víctima...He tomado la precaución de poner por escrito los pormenores de la actuación que nos cupo a ambos en el juicio de Noelle Page y Larry Douglas. El papel lo guardé en un sobre lacrado y se lo entregué al fiscal general, con orden de abrirlo sólo en caso de que yo tuviera una muerte accidental. Por eso ahora tendrás sumo interés, mi amigo, en que yo siga con vida y gozando de buena salud." La cinta concluyó.

Constantin Demiris permaneció allí, con la mirada perdida en el espacio.

Cuando Chotas regresó esa tarde a su oficina, ya no sentía miedo. Demiris era un hombre peligroso, pero no era nada tonto. No se iba a ensañar con alguien si con ese acto corría peligro él. *Ya hizo su jugada*, pensó, *y yo le di jaque mate*. Sonrió para sus adentros. *Supongo que me conviene hacer otros planes para la cena del jueves*.

Durante los días siguientes, estuvo muy ocupado con la defensa de una mujer que había asesinado a las dos amantes de su marido. Se levantaba temprano por la mañana y trabajaba hasta entrada la noche preparando las repreguntas. Tenía la impresión de que, pese a ser un caso difícil, iba a ganarlo.

El miércoles se quedó trabajando en su despacho hasta medianoche; luego volvió en auto a su casa, adonde llegó a eso de la una.

El mayordomo lo recibió en la puerta.

—¿Se le ofrece algo, señor? Puedo prepararle unos *mezedes* si tiene hambre, o...

—No, gracias. No quiero nada. Váyase a dormir, no más.

Chotas se encaminó a su dormitorio. Durante otra hora

más repasó mentalmente los detalles del juicio, hasta que finalmente a las dos se durmió y tuvo pesadillas.

Soñó que estaba en el juzgado repreguntando a un testigo, cuando de pronto éste comenzó a quitarse la ropa.

—¿Por qué hace eso? —le preguntó Chotas.

—Estoy ardiendo.

Chotas paseó la vista por la sala y vio que todos los espectadores estaban haciendo lo mismo. Entonces, se volvió para hablar al juez.

—Su Señoría, protesto...

El juez también se estaba sacando la túnica.

—Hace mucho calor aquí —dijo.

Hace calor aquí. Y hay mucho ruido.

Napoleón Chotas abrió los ojos y vio llamaradas en su dormitorio y un humo denso.

Se incorporó, y en el acto se despabiló.

Se está incendiando la casa. ¿Cómo no sonó la alarma contra incendio?

La puerta del cuarto comenzaba a combarse por acción del calor. Corrió a la ventana, ahogándose con el humo. Trató de abrirla, pero estaba trancada. El humo se volvía más denso, y cada vez era más difícil respirar. No había forma de escapar.

Cenizas ardientes comenzaron a caer del techo. Una pared se desplomó y gruesas llamaradas lo envolvieron. Lanzó alaridos. Tenía el pelo y el pijama en llamas. Enceguecido, se arrojó contra la ventana cerrada, la rompió, y su cuerpo encendido cayó al suelo desde una altura de cinco metros.

A primera hora del día siguiente, el fiscal Demonides entró en el despacho de Demiris.

—*Kalimehra*, Peter —lo saludó Demiris—. Gracias por venir. ¿Trajo lo que le pedí?

—Sí, señor. —Le entregó el sobre lacrado que le había dado Napoleon Chotas. —Pensé que le gustaría guardarlo aquí.

—Le agradezco el gesto, Peter. ¿Quiere desayunar?

—*Efharisto*. Muy amable, señor.

—Costa. Dígame Costa. Hace tiempo que a usted le tengo echado el ojo, Peter. Creo que tiene un importante futuro. Me gustaría encontrarle un puesto adecuado dentro de mis empresas. ¿Le interesaría?

Demonides sonrió.

—Sí, Costa. Me interesaría mucho.

—Bien. Vamos a conversar sobre el tema mientras desayunamos.

Capítulo 9

Londres.

Catherine hablaba con Constantin por lo menos una vez por semana. Él le enviaba regalos continuamente, y cuando ella protestaba, le aseguraba que era apenas una pequeña muestra de su agradecimiento. "Evelyn me contó lo bien que manejaste la situación con Baxter."

O: "Me comentó Evelyn que tu idea nos va a hacer ahorrar mucho dinero en fletes."

De hecho, Catherine se sentía orgullosa de su desempeño. Había encontrado en la oficina varias cosas que podían mejorarse. Recobró el talento que tenía antes para el trabajo, y sabía que, gracias a ella, la eficiencia de la oficina había mejorado de manera notable.

"Estoy muy orgulloso de ti", le dijo Demiris.

Y Catherine se emocionó toda. Era un hombre tan encantador...

Casi ha llegado el momento de dar el paso, resolvió Demiris. Ahora que ya había sacado del medio a Stavros y Chotas, la única persona que podía asociarlo con lo ocurrido era Catherine. El riesgo era ínfimo pero, tal como había averiguado Napoleon Chotas, Demiris no era hombre de correr riesgo alguno. *Qué pena que tenga que morir. Es tan bonita. Pero primero, la villa de Rafina.*

Demiris había comprado la villa. Llevaría allí a Catherine y le haría el amor igual que lo había hecho Larry Douglas con Noelle. Después...

De tanto en tanto, algo traía a Catherine algún recuerdo del pasado. Leyó en el *Times* la noticia de la muerte de Stavros y de Chotas, y los nombres no le habrían dicho nada de no ser por la mención de que ambos habían sido abogados de Larry Douglas y Noelle Page.

Esa noche volvió a tener la pesadilla.

Una mañana leyó en el diario una noticia que la conmovió:

"William Fraser, asesor del presidente norteamericano Harry Truman, arribó a Londres para gestionar un nuevo acuerdo comercial con el primer ministro británico."

Dejó el diario, sumamente impresionada. *William Fraser*. Había sido una parte tan importante de su vida. *¿Qué habría pasado si no lo hubiese abandonado?*

Una sonrisa trémula se pintaba en sus labios mientras contemplaba la noticia del diario. William Fraser era uno de los hombres más adorables que había conocido. El solo recuerdo de él le hacía experimentar una sensación de calidez, de cariño. Y estaba ahí, en Londres. *Tengo que verlo*, se dijo. Según consignaba el diario, se alojaba en el Claridge.

Marcó el número del hotel con dedos temblorosos. Tenía la sensación de que el pasado estaba a punto de convertirse en presente. De pronto tomó conciencia de que la entusiasmaba profundamente la idea de ver a Fraser. *¿Qué dirá cuando oiga mi voz, cuando me vea de nuevo?*

—Hotel Claridge, buenas noches —saludó la operadora.

Catherine respiró hondo.

—Con el señor William Fraser, por favor.

—Perdón, señora. ¿Dijo con el señor o *señora* Fraser?

Le dio la impresión de haber recibido un golpe. *Qué tonta que fui. ¿Cómo no pensé en esa posibilidad? Por supues-*

to que a esta altura debía estar casado.

—Señora...

—No importa...gracias. —Lentamente colgó el auricular.

Llegué demasiado tarde. Esto se terminó. Costa tenía razón. Hay que enterrar el pasado.

La soledad puede producir una corrosión lenta del espíritu. Todos necesitan compartir la alegría y el dolor. Catherine estaba viviendo en un mundo lleno de extraños, presenciando la felicidad de otras parejas, oyendo el eco de las risas de los enamorados, pero se negaba a sentir pena por sí misma.

No soy la única mujer sola que hay en el mundo. Lo importante es que estoy viva. ¡Estoy viva!

En Londres, siempre había cosas que hacer. En los cines daban infinidad de películas norteamericanas, que le gustaba ir a ver.

Asistía también a conciertos en Albert Hall, y a funciones de ballet en Sadler's Wells. Fue a Stratford-on-Avon a ver a Anthony Quayle en *Macbeth*, y al Old Vic a ver a Sir Lawrence Olivier en *Ricardo III*.

Concurría a los *pubs* que tenían nombres más simpáticos, como por ejemplo Ye Old Cheshire Cheese (El Viejo Queso de Cheshire) y The Goat In Boots (La Cabra con Botas). Pero no era divertido ir sola.

Fue entonces cuando apareció Kirk Reynolds.

En la oficina, un hombre alto y apuesto se le acercó un día y le dijo:

—Soy Kirk Reynolds. ¿Dónde estabas?

—¿Perdón?

—Te estaba esperando.

Así fue como sucedió.

Kirk Reynolds era un abogado norteamericano que trabajaba para Constantin Demiris en el tema de fusión de empresas internacionales. Tenía cuarenta y tantos años, era inteligente, serio y atento.

Un día, hablando de él con Evelyn, dijo Catherine:

—¿Sabes qué es lo que más me gusta de Kirk? Que me hace sentir mujer, y hacía mucho que no me sentía así.

—No sé...—dudó Evelyn—, yo en tu lugar tendría cuidado. No te apresures.

—Te prometo que no.

Kirk la llevó a hacer una recorrida "jurídica" por Londres. Fueron a los tribunales de Old Bailey, donde durante siglos se juzgó a los criminales; recorrieron el hall principal y vieron a abogados de rostro serio, con togas y pelucas. Visitaron la prisión de Newgate, construida en el siglo XIII. Justo frente a donde se había levantado la cárcel, el camino se hacía más ancho, pero después, inesperadamente, volvía a estrecharse.

—Qué raro —comentó Catherine—. ¿Por qué habrán hecho el camino así?

—Para que entraran las multitudes. Ahí es donde realizaban las ejecuciones públicas.

Catherine se estremeció. *Esas palabras tenían un significado muy especial para ella.*

Una noche fueron camino a los muelles de East India Road.

—No hace mucho, en este sector los policías tenían que andar siempre de a dos —comentó Kirk— porque era el aguantadero de todos los delincuentes.

Se trataba de una zona oscura y siniestra, y todavía tenía aspecto de peligrosa.

Cenaron en Prospect of Whitby, uno de los *pubs* más antiguos de Londres, construido sobre el Támesis. Desde allí observaban las barcazas que pasaban junto a los grandes barcos que se dirigían al mar.

En otra ocasión fueron a una pintoresca taberna en City Road, llamada The Eagle.

—Seguramente de niña habrás cantado sobre este lugar — dijo Kirk.

Catherine se quedó mirándolo.

—¿Cantado? Nunca supe que existiera este sitio.

—Claro que sí. De aquí sale la mención de The Eagle en la antigua canción de niños.

—¿Cuál?

—Antiguamente, City Road era el corazón del negocio de la sastrería, y cuando llegaba el fin de semana y los sastres andaban sin dinero, empeñaban su plancha —o *weasel*— hasta el día en que cobraban. Después alguien escribió una canción acerca de esa costumbre. —Entonó entonces una conocida canción infantil en la que aparece la mención de *weasel* y "The Eagle".

Catherine se rió.

—¿Cómo llegaste a saber esto?

—El abogado tiene que saber todo. Sin embargo hay algo que no sé... ¿Sabes esquiar?

—Lamentablemente no. ¿Por qué?

De pronto él se puso serio.

—Estoy por viajar a St.-Moritz. Allí tienen unos profesores maravillosos de esquí. ¿Vendrás conmigo, Catherine?

La invitación la tomó desprevenida. Kirk aguardaba una respuesta.

—No sé... no lo sé, Kirk.

—¿Lo pensarás?

—Sí. —Tembló entera al recordar lo emocionante que había sido hacer el amor con Larry, y se preguntó si alguna vez volvería a sentir lo mismo. —Voy a pensarlo.

Catherine decidió presentar a Kirk a Wim.

Fueron a recoger a Wim a su departamento y lo llevaron a cenar a The Ivy. Durante toda la velada, en ningún momento Wim miró de frente a Kirk Reynolds. Parecía totalmente retraído. Kirk miró a Catherine con desconfianza, y ella le dijo en susurros: *Háblale.*

—¿Te gusta Londres, Wim? —le preguntó entonces Kirk.

—No me desagrada.

—¿Tienes alguna ciudad que te guste en particular?

—No.

—¿Te gusta tu trabajo?

—Sí.

Kirk miró a Catherine, sacudió la cabeza y se encogió de hombros.

Por favor, le imploró ella, disimuladamente.

Kirk lanzó un suspiro y volvió a dirigirse a Wim.

—El domingo voy a jugar al golf, Wim. ¿Juegas tú?

—En el golf, los palos con cabeza de hierro son: el palo de cabeza recta, el palo para tiros de distancia media, el "mashie" o palo número cinco, el "niblick" y el "putter" para golpes suaves. Los que tienen cabeza de madera son para dar elevación...

Kirk Reynolds parpadeó.

—Seguramente juegas muy bien.

—Nunca jugó —le explicó Catherine—. Wim... conoce mucho sobre las cosas. Hace maravillas con la matemática.

Kirk ya estaba harto. Había pensado en pasar una noche solo con Catherine, y ella llevaba a ese pesado.

—¿De veras? —Se volvió hacia Wim y le preguntó, con cara de inocente: —¿Por casualidad sabes cuánto es dos a la quincuagésima novena potencia?

Wim permaneció treinta segundos en silencio, con la mirada clavada en el mantel. Cuando Kirk ya estaba por decir algo, respondió:

—576.460.752.303.423.488.

—¡Santo cielo! ¿De veras es ése el resultado?

—Sí, de veras —respondió Wim.

Catherine habló a Wim.

—¿Puedes sacar la raíz sexta de... —eligió un número al azar—...veinticuatro millones ciento treinta y siete mil quinientos ochenta y cinco?

El rostro inexpresivo de Wim permaneció inmutble. Veinticinco segundos más tarde, contestó:

—Diecisiete. El resto es dieciséis.

—Imposible de creer —se maravilló Kirk.

—Pues, créelo —dijo Catherine.

—¿Cómo lo hiciste? —preguntó Kirk a Wim, y éste se encogió de hombros.

—Puede multiplicar dos números de cuatro dígitos cada uno en treinta segundos, y memoriza cincuenta números de teléfono en cinco minutos. Una vez que los aprendió, nunca más se los olvida.

Kirk miró azorado a ese prodigio.

—En mi oficina vendría muy bien tener una persona de tus condiciones —manifestó.

—Yo ya tengo trabajo —fue la pronta respuesta de Wim.

Cuando Kirk la dejó en su casa, dijo:

—No te vas a olvidar de lo de St.-Moritz, ¿verdad?

—No. No lo olvidaré. —¿Por qué no puedo simplemente aceptar su invitación?

Esa noche, a última hora, Demiris la llamó por teléfono. Estuvo tentada de contarle lo de Kirk Reynolds, pero a último momento resolvió no decir nada.

Capítulo 10

Atenas.

El padre Konstantinou estaba intranquilo. Desde que leyó en el diario la noticia de que Frederick Stavros había muerto atropellado por un automovilista que luego huyó, se sentía atormentado. El sacerdote había oído millares de confesiones desde su ordenación, pero la dramática confesión de Stavros, seguida de su muerte, le causaba una profunda impresión.

—Eh, ¿qué es lo que te preocupa?

Konstantinou se volvió para mirar al bello jovencito que estaba tendido, desnudo, a su lado.

—Nada, querido.

—¿Acaso no eres feliz conmigo?

—Sabes que sí, Georgios.

—Entonces, ¿cuál es el problema? ¡Actúas como si yo no estuviera aquí, por Dios!

—No uses el nombre de Dios en vano.

—No me gusta que me dejen de lado.

—Perdón, querido, pero es que...un fiel de mi parroquia murió en un accidente de auto.

—A todos nos va a llegar la hora, ¿no?

—Sí, claro, pero ese hombre estaba muy alterado.

—¿Quieres decir que estaba loco?

—No. Tenía un secreto terrible, que le resultaba demasiado pesado para cargar sobre sus espaldas.

—¿Qué clase de secreto?

El sacerdote acarició el muslo de su amigo.

—Sabes que no puedo hablar de eso porque lo supe en el confesionario.

—Pensé que no había secretos entre nosotros.

—No los hay, pero...

—*Gamoto!* De todas maneras el tipo se murió. Enton-ces, ¿qué importa?

—Supongo que nada...

Giorgios Lato estrechó en sus brazos al sacerdote y le susurró al oído:

—Tengo curiosidad.

—Me haces cosquillas en la oreja.

Lato comenzó a acariciar el cuerpo de Konstantinou.

—Ah... qué delicia...

—Cuéntame.

—Bueno. Supongo que a esta altura ya no puede provocar perjuicio alguno...

Giorgios Lato había ascendido en la vida. Provenía de los barrios bajos de Atenas, y a los doce años se prostituyó con hombres. Al principio recorría las calles y se alzaba con unos pocos dólares por servir a borrachos en los callejones, y a turistas en sus hoteles. Era moreno, apuesto, y tenía un cuerpo fuerte.

A los dieciséis, un proxeneta le dijo: "Giorgios, eres un *poulaki*. Estás desperdiciando tu talento. Si trabajas para mí, te llenarás de dinero".

Y cumplió con su promesa. A partir de ese momento, Giorgios Lato sirvió sólo a hombres ricos e importantes, y por ello fue generosamente recompensado.

Cuando conoció a Nikos Veritos, el secretario privado del magnate Spyros Lambrou, su vida cambió radicalmente.

—Estoy enamorado de ti —le confesó Nikos Veritos—. Quiero que dejes de andar levantando a cualquiera por ahí. Desde ahora eres mío.

—Claro, Niki. Yo también te quiero.

Veritos lo mimaba constantemente con regalos. Le compraba la ropa, pagaba el alquiler de su pequeño apartamento y le daba dinero para movilizarse, pero se preocupaba por lo que Giorgios hacía cuando no estaba con él. Para solucionar ese problema, un día le anunció:

—Te conseguí un empleo en la empresa de Spyros Lambrou, donde trabajo yo.

—¿Así puedes controlarme de cerca? No permitiré...

—Por supuesto que no es para eso, querido... sólo que me gusta tenerte cerca.

Giorgios protestó al principio, pero luego cedió. Sorprendido, comprobó que le gustaba trabajar en la compañía. Se desempeñaba como cadete, lo cual le daba cierta libertad para juntar algo más de dinero afuera, con clientes agradecidos como el padre Konstantinou.

Esa tarde, cuando Giorgios dejó la cama del sacerdote, su mente era un torbellino. El secreto que su amigo le había contado era una noticia asombrosa, por lo que rápidamente se puso a pensar en cómo podía convertirla en dinero. Podía contársela a Nikos Veritos, pero sus planes eran más ambiciosos. *Con esta noticia puedo ir directamente al patrón*, se dijo; *él sí me recompensará como corresponde*.

A la mañana siguiente, Lato ingresó en la oficina de recepción de Spyros Lambrou.

La secretaria levantó la mirada del escritorio.

—Ah. El correo llegó temprano hoy, Giorgios.

Lato hizo un gesto de negación con la cabeza.

—No, señorita. He venido para ver al señor Lambrou.

La mujer sonrió.

—¿De veras? ¿Por qué asunto es? ¿Tiene alguna propuesta comercial que hacerle? —bromeó.

Lato le respondió con seriedad.

—No, nada por el estilo. Acaban de avisarme que mi madre se está muriendo, y yo... tengo que viajar a casa. Quería agradecer al señor Lambrou por haberme dado un puesto aquí, nada más. Lo molestaría apenas un minuto, pero si está tan ocupado... —Giró sobre sus talones como dispuesto a marcharse.

—Espere. Estoy segura de que lo atenderá.

Diez minutos más tarde, Giorgios Lato se hallaba en el despacho de Spyros Lambrou. Nunca había estado allí, y la opulencia lo deslumbró.

—Bueno, muchacho, lamento enterarme de que su madre está por morir. Quizá una suma de dinero...

—Gracias, señor, pero en realidad no es por eso que he venido.

Lambrou lo miró, ceñudo.

—No entiendo.

—Señor Lambrou, tengo cierta información muy importante, que quizá sea de valor para usted.

Advirtió la expresión de escepticismo en el rostro de Lambrou.

—¿Ah, sí? Mire, estoy muy ocupado, así que...

—Es acerca de Constantin Demiris. —Las palabras le salieron a borbotones. —Un íntimo amigo mío es sacerdote. Un hombre se confesó con él y a los pocos minutos murió en un accidente automovilístico. Lo que ese hombre le contó a mi amigo tiene que ver con Demiris. El señor Demiris cometió un acto abominable, realmente abominable, por lo cual podrían terminar preso. Pero si a usted no le interesa...

Spyros Lambrou de repente sintió un profundo interés.

—Siéntese... ¿Cuál es su nombre?

—Giorgios Lato.

—Muy bien, Lato. ¿Qué le parece si empieza por el principio?

El matrimonio de Constantin Demiris y Melina venía desintegrándose desde hacía varios años, pero no había habido entre ellos violencia física hasta muy poco tiempo atrás.

Todo comenzó en medio de una encendida pelea que se originó por la relación amorosa que Demiris mantenía con la amiga íntima de Melina.

—A todas las mujeres las conviertes en putas —gritó ella—. ¡Todo lo que tocas se envilece!

—*Skaseh!* Cállate la boca, imbécil.

—No me puedes obligar —lo desafió—. Voy a contar a los cuatro vientos cómo eres. Mi hermano tenía razón. Eres un monstruo.

Demiris levantó el brazo y le dio un fuerte sopapo, tras lo cual ella salió corriendo de la habitación.

A la semana siguiente tuvieron otra discusión, y Constantin volvió a pegarle. Melina hizo su equipaje y tomó un avión rumbo a Atticos, la isla de propiedad de su hermano. Allí permaneció una semana, sola y triste. Extrañaba a su marido, y comenzó a justificarlo por su proceder.

Fue culpa mía, pensó. *No debí haberlo provocado. Perdió los estribos y no se dio cuenta de lo que hacía. Además, si no me quisiera tanto, no se habría tomado el trabajo de golpearme, ¿no?*

Pero a la larga se dio cuenta que ésas no eran más que excusas porque no se atrevía a disolver su matrimonio. El domingo siguiente regresó a su casa y encontró a Demiris en la biblioteca.

—Así que decidiste volver.

—Ésta es mi casa, Costa. Tú eres mi marido y yo te quiero. Pero te advierto algo: si vuelves a tocarme, te mato.

Demiris la miró a los ojos y comprendió que hablaba en serio.

En cierta extraña manera, la relación entre ambos mejoró después de ese episodio. Durante mucho tiempo, Demiris se cuidó muy bien de perder los estribos con su mujer. Seguía teniendo sus amantes, y Melina era demasiado orgullosa como para pedirle que las dejara. *Algún día se va a cansar de todas esas rameras y comprenderá que únicamente me necesita a mí.*

Un sábado por la noche, Demiris se estaba poniendo el traje de etiqueta para salir cuando Melina entró en el cuarto.

149

—¿Adónde vas?

—Tengo un compromiso.

—¿Te olvidaste de que teníamos que ir a cenar esta noche a lo de Spyros?

—No, no me olvidé, pero me surgió algo más importante.

Furiosa, Melina lo taladró con la mirada.

—¡Seguro que te vas con alguna de esas putas!

—Modera tu lenguaje. Te estás convirtiendo en una mujer vulgar, Melina. —Demiris se miró en el espejo.

—¡No te lo voy a permitir! —Lo que le estaba haciendo a ella ya demasiado horrible era, como para permitir que encima ofendiera a su hermano. Tenía que encontrar la forma de herirlo, pero sólo conocía una. —En realidad, los dos tendríamos que quedarnos que casa esta noche.

—¿Ah, sí? —preguntó él, indiferente—. ¿Y por qué?

—¿No sabes qué día es hoy?

—No.

—Es el aniversario del día en que maté a tu hijo, Costa. Me hice un aborto.

Él se quedó paralizado.

"Les pedí a los médicos que me operaran para no poder tener nunca más un hijo tuyo —mintió.

Demiris perdió totalmente el control.

—*Skaseh!* —gritó. Luego le dio un puñetazo en la cara, y otro, y otro más.

Melina lanzó un alarido, dio media vuelta y salió corriendo, seguida por el marido, que la alcanzó junto al comienzo de la escalera.

—Te voy a matar por eso. —Cuando volvió a pegarle, Melina perdió el equilibrio y rodó por la escalera.

Quedó tendida al pie, dolorida, quejumbrosa.

—Dios santo. Ayúdame. Me quebré algo.

Demiris la miró con ojos despiadados.

—Voy a decirle a una de las empleadas que llame al médico. Yo no quiero llegar tarde a mi compromiso.

El llamado telefónico se produjo poco antes de la hora
de cenar.

—¿Con el señor Lambrou? Habla el doctor Metaxis.
Lo llamo por pedido de su hermana, que está internada en
mi clínica. Tuvo un accidente...

Cuando Spyros entró en la habitación, se acercó a la
cama y comprobó con espanto que su hermana tenía un
brazo quebrado, contusiones diversas y el rostro tremendamente hinchado.

Spyros musitó una sola palabra: —Constantin. —Temblaba de la indignación.

A Melina se le llenaron los ojos de lágrimas.

—No lo hizo a propósito —murmuró.

—Te juro por mi vida que voy a destruirlo. —Jamás
había experimentado tal furia.

No soportaba la idea de lo que Demiris le había hecho
a su hermana. Tenía que haber una forma de detenerlo.
Pero, ¿cómo? Debía haber una manera. Necesitaba algún
consejo porque no sabía qué hacer. Como tan a menudo
había hecho en el pasado, resolvió consultar a madame Piris.
A lo mejor ella podía ayudarlo de algún modo.

Cuando iba a verla, pensó en cómo se reirían sus
amigos si supieran que iba a consultar a una adivina, pero
lo cierto era que, en el pasado, esa mujer le había predicho
cosas extraordinarias que llegaron a suceder. *Tiene que
ayudarme ahora*.

Se sentaron a una mesa en un rincón oscuro de un bar
poco iluminado. Ella le pareció más vieja que la vez anter—

—Necesito ayuda, madame Piris.

La mujer hizo un gesto de asentimiento.

¿Por dónde empezar?

—Hace alrededor de un año y medio hubo un

crimen...Una mujer de nombre Catherine Douglas fue...

A la adivina se le transformó el rostro.

—No —pidió con una suerte de gemido.

Lambrou la miró intrigado.

—La asesinaron...

La mujer se puso de pie.

—¡No! ¡Las estrellas me dijeron que ella iba a morir!

Lambrou estaba muy confundido.

—Efectivamente murió. La mataron..

—¡Está viva!

Quedó azorado.

—Imposible —dijo.

—Estuvo aquí. Vino a verme hace tres meses. La mantuvieron en el convento.

De pronto todas las piezas del rompecabezas se acomodaban en su lugar. Una de las obras de beneficencia que solía hacer Demiris era donar dinero al convento de Jannina, la población donde supuestamente habían asesinado a Catherine Douglas. *La mantuvieron en el convento*. La información que le había suministrado Giorgios Lato coincidía a la perfección. Demiris había matado a dos personas inocentes del asesinato de Catherine, mientras ella estaba viva, escondida por las monjas.

Entonces supo cómo iba a hacer para destruir a Demiris.

Tony Rizzoli.

Capítulo 11

Los problemas de Tony Rizzoli iban multiplicándose. Todo lo que podía salirle mal le estaba saliendo mal. Lo ocurrido ciertamente no era culpa suya, pero sabía que la Familia lo haría responsable, pues no toleraba las excusas.

Lo que resultaba particularmente frustrante era el hecho de que la primera parte del operativo de la droga se hubiese desarrollado tan a la perfección. Pudo ingresar el cargamento proveniente de Colombia en Atenas sin problemas, y lo mantuvo provisionalmente escondido en un galpón. Sobornó a un camarero de avión para que lo sacara en un vuelo de Atenas a Nueva York, pero apenas veinticuatro horas antes de partir, el idiota fue detenido por conducir ebrio, y la empresa aérea lo despidió.

Tony Rizzoli recurrió entonces a un plan de alternativa. Consiguió que una "mula" —en este caso, una turista de setenta años, de nombre Sara Murchison, que había viajado a Atenas para visitar a su hija— accediera a llevar una maleta suya a Nueva York. Ella por supuesto no tendría idea de lo que transportaba.

—Son unos recuerdos que le prometí a mi madre —explicó Rizzoli—, y como usted tiene la amabilidad de hacerme el favor, yo quiero pagarle el pasaje.

—No, no es necesario —protestó la mujer—. Lo hago con todo gusto. Además, no vivo lejos del apartamento de su mamá. Tengo muchas ganas de conocerla.

—Estoy seguro de que a ella también le gustará conocerla a usted —se apresuró a decir él—. Lo que pasa es que está bastante enferma, pero en el aeropuerto habrá alguien que le recogerá la maleta.

Esa abuelita simpática, típicamente norteamericana, era perfecta para la labor. En la aduana, lo único que les preocuparía que ella pudiera contrabandear serían sus agujas de tejer. Sara Murchison debía partir al día siguiente para Nueva York.

—Mañana paso a buscarla y la llevo al aeropuerto en mi coche.

—Bueno, gracias. Qué muchacho atento. Su madre debe de estar muy orgullosa de usted.

—Sí, sí, nos queremos mucho. —La madre había muerto hacía diez años.

A la mañana siguiente, cuando Rizzoli estaba por salir del hotel para dirigirse al galpón a recoger la droga, lo llamaron por teléfono.

—¿Con el señor Rizzoli? —Era una voz desconocida.

—Sí.

—Habla el doctor Patsaka, de la sala de guardia del hospital municipal. Tenemos aquí internada a la señora Sara Murchison. La señora se cayó anoche, se quebró la cadera y estaba ansiosa por avisarle cuánto siente no poder...

Tony Rizzoli colgó con fuerza el auricular.

Merda! Ya iban dos seguidas. ¿Dónde iba a encontar otra "mula"?

Sabía que debía andar con cuidado. Se corría el rumor de que un famoso agente norteamericano de la brigada antiestupefacientes se hallaba en Atenas, trabajando con las autoridades griegas. Estaban controlando todas las salidas de Atenas, y en forma rutinaria se revisaban todos los barcos y aviones.

Como si eso fuera poco, había otro problema. Uno de sus *gowsters* —ladrones que eran drogadictos— le había informado que la policía estaba empezando a registrar galpones en busca de drogas y demás artículos de contrabando. La presión era cada vez mayor, por lo que había llegado el momento de explicar la situación a la Familia.

Tony Rizzoli salió del hotel y caminó por la calle

Patission hacia la central telefónica. Como no sabía si el teléfono del hotel estaba intervenido, no quería correr riesgos.

El enorme edificio tenía una hilera de columnas al frente, y una placa que decía: OTE. Rizzoli entró, miró alrededor y vio dos docenas de cabinas alineadas contra las paredes, cada una de ellas con un número. Sobre unos estantes, las guías telefónicas de todo el mundo. En el centro de la habitación había un mostrador donde cuatro empleados anotaban los pedidos de llamados. La gente hacía cola para hablar.

Rizzoli se acercó a una de las mujeres.

—Buenos días.

—¿Qué desea?

—Quiero hacer un llamado al exterior.

—Hay treinta minutos de demora.

—Ningún problema.

—Dígame, por favor, el país y el número.

Rizzoli vaciló.

—Sí, cómo no. —Le entregó un papelito. —Que sea con cobro revertido.

—¿Su nombre?

—Tom Brown.

—Muy bien, señor Brown. Le aviso cuando entre su llamado.

—Gracias.

Se encaminó a un banco largo y se sentó.

Podría intentar esconder el paquete en un auto y pagarle a alguien para que lo cruce al otro lado de la frontera. Pero es peligroso porque a los coches los revisan. A lo mejor, si encuentro otra...

—Señor Tom Brown...señor Tom Brown. —El nombre fue repetido antes de que Rizzoli cayera en la cuenta de que era a él a quien llamaban. Se levantó y fue hasta el mostrador.

"El abonado acepta la llamada. Cabina siete, por favor.

—Gracias. A propósito, ¿podría devolverme el papelito que le di? Necesito consultar el número.

155

—Por supuesto. —La joven se lo entregó.

Tony Rizzoli entró en la cabina y cerró la puerta.

—Hola.

—¿Tony? ¿Eres tú?

—Sí. ¿Cómo estás, Pete?

—A decir verdad, estamos un poco preocupados. Los muchachos esperaban que el paquete ya estuviera en camino.

—Tuve algunos problemas.

—¿Ya salió la encomienda?

—No. Todavía está aquí.

Se produjo un silencio.

—No querríamos que le sucediera nada, Tony.

—Nada le va a pasar, pero tengo que buscar otra forma de mandarla. Este lugar está lleno de policías antiestupefacientes.

—Hablamos de una cifra de diez millones de dólares, Tony.

—Sí, ya sé. No te preocupes; ya se me ocurrirá algo.

—Espero que sí. Trata de pensar en algo.

La comunicación se cortó.

Un hombre de traje gris observó a Rizzoli encaminarse a la puerta. Entonces se dirigió a hablar con la telefonista.

—*Signomi*. ¿Ve al hombre que acaba de marcharse?

La mujer levantó la mirada.

—*Ochi?*

—Quiero saber a qué número llamó.

—Perdone, pero no tenemos permitido revelar esa información.

El hombre metió la mano en un bolsillo y sacó la billetera, que traía prendida una placa dorada.

—Teniente Tinou, de la policía.

La expresión de la muchacha cambió.

—Ah. Me dio un papelito con el número, y después me lo pidió de vuelta.

—Pero seguramente usted lo anotó en sus registros.

—Sí, siempre lo hacemos.

—¿Quiere dármelo, por favor?

—Desde luego.

Escribió el número en una hojita y se la entregó. El teniente miró el papel un instante. El código de país era 39, y la central, 91. *Italia. Palermo.*

—Gracias. ¿Por casualidad no recuerda qué nombre le dio el señor?

—Sí. Tom Brown.

La llamada telefónica había puesto muy nervioso a Rizzoli. Tenía que ir al baño. *¡Maldito Pete Lucca!* Adelante, en la esquina de la plaza Kolonaki, vio un cartel: "Apohoritirion, W.C.". Hombres y mujeres por igual entraban a usar ese baño. *Y los griegos se consideran civilizados*, pensó. *Qué desagradable.*

Había cuatro hombres sentados a la mesa de reuniones en la villa, ubicada en las montañas de Palermo.

—La droga ya debería haber sido enviada, Pete —se quejó uno de los asistentes—. ¿Cuál es el problema?

—No lo sé muy bien. Quizás el problema sea Tony Rizzoli.

—Jamás tuvimos inconvenientes con él.

—Ya sé, pero a veces las personas se vuelven codiciosas. Creo que nos conviene mandar a alguien a Atenas para controlar todo.

—Qué lástima. Siempre me gustó Tony.

En la calle Stadium 10, sede del cuartel de policía del centro de Atenas, se estaba llevando a cabo una reunión. Se hallaban presentes el jefe de policía Livreri Dmitri, el inspector Tinou y un norteamericano, el teniente Walt Kelly, que trabajaba en el Departamento de Aduanas del Tesoro norteamericano.

—Se nos ha informado —sostuvo Kelly— que va a realizarse un envío importante de drogas. Saldrá de Atenas, y en el operativo está involucrado Tony Rizzoli.

El inspector Tinou permaneció callado. A la policía griega no le hacía nada de gracia la intromisión de países extranjeros en sus asuntos. Particularmente de norteamericanos. *Siempre parecen tan seguros de sí mismos*.

El jefe de policía tomó la palabra.

—Ya estamos trabajando en el tema, teniente. Tony Rizzoli llamó por teléfono a Palermo hace muy poco, por lo que estamos rastreando el número. Cuando lo averigüemos, sabremos cuál es su contacto.

En ese momento sonó el teléfono de su escritorio.

—¿Lo averiguaron? —Escuchó un momento con rostro inexpresivo; luego cortó.

—¿Y bien?

—Rastrearon el número.

—¿Y?

—El llamado se hizo a una cabina pública ubicada en la plaza del pueblo.

—*Gamoto!*

—El señor Rizzoli es muy *eskipnos*.

—Yo no hablo griego —exclamó, impaciente, Walt Kelly.

—Perdón, teniente. Eso significa astuto.

—Quiero que se lo vigile más estrechamente —afirmó Kelly.

Qué pedante. Dmitri se volvió hacia el inspector Tinou.

—Realmente no tenemos pruebas suficientes como para hacer algo más, ¿verdad?

—No, señor. Sólo fundadas sospechas.

Dmitri le habló entonces a Walt Kelly.

—Lamentablemente no contamos con personal como para seguir a todas las personas que sospechamos intervienen en el tráfico de drogas.

—Pero Rizzoli...

—Le aseguro que tenemos nuestras fuentes de información, señor Kelly. Si obtenemos algún otro dato,

158

sabemos dónde podemos ponernos en contacto con usted.

—No esperen demasiado tiempo —se indignó Kelly— porque el cargamento ya habrá partido.

La villa de Rafina estaba lista. El encargado de la inmobiliaria le había dicho:

—Sé que la compró amueblada, señor Demiris, pero si me permite le sugiero un nuevo mobiliario...

—No. Quiero que todo quede exactamente como está.

Exactamente como estaba cuando la infiel Noelle y Larry, su amante, lo traicionaban. Cruzó el living. *¿Habrán hecho el amor aquí, en el piso? ¿En el escritorio, en la cocina?* Fue al dormitorio. Había una cama de dos plazas contra una pared. La cama *de ellos*, donde Larry Douglas había acariciado el cuerpo desnudo de Noelle, donde había robado lo que pertenecía a Demiris. Douglas había pagado por su traición, y volvería a pagar. Demiris contempló la cama. *Voy a acostarme con Catherine aquí primero*, se dijo. *Después en las otras habitaciones. En todas.* La llamó por teléfono desde la villa.

—Hola.

—Estaba pensando en ti.

Tony Rizzoli recibió dos inesperadas visitas de Sicilia. Ambos entraron sin anunciarse en su habitación del hotel, y en el acto Rizzoli olió que se avecinaban problemas. Alfredo Mancuso era robusto, pero Gino Liveri era más corpulento aún.

Mancuso fue derecho al grano.

—Nos envía Pete Lucca.

Rizzoli trató de hablar con naturalidad.

—Qué bien. Bienvenidos a Atenas. ¿En qué puedo servirlos?

—Déjate de tonterías, Rizzoli —replicó Mancuso—. Pete quiere saber a qué estás jugando.

—¿Jugando? No sé de qué me hablas. Le expliqué que

159

había tenido un problema.

—Casualmente por eso hemos venido: para ayudarte a resolverlo.

—Un momento, muchachos. Tengo el paquete bien escondido, en un sitio seguro. Cuando...

—Pete no lo quiere escondido. Invirtió mucho dinero en eso. —Liveri apoyó un puño contra el pecho de Tony y lo empujó, obligándolo a sentarse en una silla. —Déjame explicártelo, Rizzoli. Si esta mercadería estuviera ya en las calles de Nueva York, como debería estar, Pete podría recaudar su dinero, lavarlo y ponerlo a trabajar en la calle. ¿Me entiendes?

Tal vez pueda reducir a estos dos gorilas, pensó Rizzoli, pero sabía que no se enfrentaría sólo con ellos, sino que estaría luchando contra Pete Lucca.

—Por supuesto; entiendo perfectamente lo que dices — trató de aplacarlo—. Pero no es tan fácil como antes. La policía griega está por todas partes, y ha llegado de Washington un agente de la división narcóticos. Tengo un plan...

—También lo tiene Pete —lo interrumpió Liveri—. ¿Sabes cuál es? Nos encargó que te dijéramos que si la semana que viene la mercadería no está en viaje, vas a tener que poner tú mismo el dinero.

—¡Eh! Yo no tengo semejante cantidad.

—Pete pensó que probablemente no la tenías. Por eso nos dijo que buscáramos otras formas de hacerte pagar.

Rizzoli respiró hondo.

—De acuerdo. Díganle que todo está bajo control.

—Bueno. Por si acaso nos vamos a quedar por aquí. Tienes una semana de plazo.

Por una cuestión de principios, Tony Rizzoli nunca bebía antes del mediodía, pero cuando los hombres se marcharon, abrió una botella de whisky y bebió dos grandes sorbos. Sintió el ardor que le producía el alcohol, pero de nada le sirvió. *Nada me sirve de ayuda*, pensó. *¿Cómo pudo* *el viejo volverse así contra mí? He sido como un hijo para él,* *y me da apenas una semana para encontrar una salida.* *Necesito una "mula" cuanto antes. En el casino, se dijo. Ahí* *voy a encontrar una "mula".*

Esa noche, a las diez, se dirigió a Loutraki, el famoso casino que se halla a setenta y cinco kilómetros de Atenas. Se paseó por el inmenso salón de juego observando a la concurrencia. Siempre había infinidad de gente que perdía, dispuesta a hacer cualquier cosa por dinero. Cuanto más desesperada la persona, más fácil la presa. Encontró el candidato ideal casi de inmediato, en una mesa de ruleta. Se trataba de un hombre pequeño, de cincuenta y tantos años, canoso, que constantemente se llevaba un pañuelo a la frente. A medida que iba perdiendo, más transpiraba.

Lo observó con interés. Conocía los síntomas. Era el caso clásico del jugador compulsivo, que perdía más dinero del que tenía.

Cuando le retiraron las fichas que le quedaban, el hombre miró al croupier.

—Quiero...pedir otra pila de fichas con mi firma, por favor.

El empleado se volvió y consultó con la mirada a su jefe.

—Déselas, pero son las últimas.

Tony Rizzoli se preguntó cuánto llevaría ya perdido. Se sentó al lado de él, y empezó a jugar. La ruleta era un pasatiempo para incautos, pero él sabía jugar, por lo cual su pila de fichas iba creciendo, mientras que la del hombre que tenía al lado disminuía. El pobre tipo desparramaba fichas por toda la mesa; jugaba a número, a color. *No tiene idea de* *lo que hace*, pensó Tony.

Cuando le llevaron las últimas fichas, el hombre se quedó ahí sentado, tieso. Luego miró al croupier con cara esperanzada.

—¿Puedo...?

El empleado le indicó que no con la cabeza.

—Lo siento.

El hombre entonces lanzó un suspiro y se levantó.

Rizzoli se puso de pie al mismo tiempo.

—Qué pena —se solidarizó—. Yo tuve un poco de suerte. Permítame invitarlo a tomar una copa.

El hombre parpadeó, y habló con voz temblorosa.

—Muy amable, señor.

Ya encontré la "mula", se dijo Rizzoli. Era indudable que el sujeto necesitaba dinero. Probablemente aceptaría gustoso llevar un paquete inocente a Nueva York por cien dólares, y tener un viaje gratis a los Estados Unidos.

—Mi nombre es Tony Rizzoli.

—Victor Korontzis.

Juntos fueron al bar.

—¿Qué se sirve?

—Lamentablemente... no me queda dinero.

Rizzoli hizo un ademán como restándole importancia.

—No se preocupe.

—Entonces quiero un vino tinto; gracias.

Rizzoli le habló al camarero:

—Y para mí, un Chivas Regal con hielo.

—¿Está aquí de turista? —se interesó Korontzis.

—Sí. Vine de vacaciones. Es un hermoso país.

Korontzis se encogió de hombros.

—Supongo que sí.

—¿A usted no le gusta?

—Sí; es muy lindo, ¡pero se ha puesto tan caro! Todas las cosas subieron de precio. Si no se es millonario, es difícil dar de comer a la familia, sobre todo cuando uno tiene mujer y cuatro hijos. —Su tono era amargo.

Más que mejor...

—¿A qué se dedica, Victor?

—Soy director del Museo Estatal de Atenas.

—¿Ah, sí? ¿Y en qué consiste su trabajo?

Korontzis respondió con orgullo:

—Estoy a cargo de todas las reliquias que se obtienen en Grecia, en las excavaciones. —Bebió un sorbo de vino.

—Bueno, no de *todas*, por supuesto, porque también hay

otros museos —la Acrópolis y el Museo Arqueológico Nacional—, pero el nuestro tiene las piezas más valiosas.

Rizzoli notó que iba interesándose en el tema.

—¿Muy valiosas?

Korontzis se encogió de hombros.

—Casi todas son invalorables. Naturalmente, hay una ley que prohibe sacar del país esas reliquias, pero en el museo tenemos un local donde se venden reproducciones.

La mente de Rizzoli se había puesto a trabajar a toda prisa.

—No me diga. ¿Y son buenas esas copias?

—Sí, excelentes. Sólo un experto sería capaz de distinguirlas de las verdaderas.

—Permítame invitarlo con otra copa.

—Gracias, muy gentil. Lamentablemente no puedo retribuirle la amabilidad.

Rizzoli sonrió.

—No se preocupe. De hecho, hay algo que usted *sí* puede hacer por mí. Me gustaría visitar su museo. Parece ser fascinante.

—Sí, sí —aseguró Korontzis, con entusiasmo—. Es uno de los más interesantes del mundo. Con todo gusto lo llevo a recorrerlo en cualquier momento. ¿Cuándo le gustaría ir?

—¿Puede ser mañana por la mañana?

Tony Rizzoli tenía la sensación de haber encontrado algo mucho más rentable que una "mula".

El Museo Estatal de Atenas está ubicado en las proximidades de la Platia Syntagma, en el corazón de la ciudad. Se trata de un hermoso edificio construido en el estilo de un antiguo templo, con cuatro columnas jónicas en el frente, la bandera griega en un mástil y cuatro siluetas talladas en el techo alto.

Sus amplios salones contienen antigüedades de diferentes períodos de la historia griega. En las vitrinas se exhiben copas y coronas de oro, espadas con incrustaciones y diversos recipientes para bebidas. En una de ellas había cuatro máscaras mortuorias, y en otra, fragmentos de estatuas centenarias.

Victor Korontzis iba guiando personalmente a su invitado. Se detuvo frente a la figurina de una diosa, que lucía una corona de amapolas del opio.

—Ésa es la diosa de las amapolas —explicó, sin levantar demasiado la voz—. La corona simboliza que es la diosa que trae el sueño, la revelación y la muerte.

—¿Cuánto valdría?

Korontzis se rió.

—¿Si estuviera a la venta? Muchos millones.

—¿De veras?

Era evidente el orgullo que sentía el hombrecito a medida que iba mostrando los invalorables tesoros.

—Ésa es una cabeza de *kouros*, del 530 a.C... aquélla, la de Atenea, con un yelmo corintio, aproximadamente del 1450 a.C... y aquí hay una pieza fabulosa. Una máscara de oro de un aqueo, de la sepultura real de la Acrópolis de Micenas, del siglo XVI a.C. Se cree que es de Agamenón.

—¡No me diga!

Llevó a Rizzoli hacia otra vitrina, donde había una preciosa ánfora.

—Ésta es una de mis preferidas —confesó, sonriente—. Sé que un padre no debería sentir preferencia por ninguno de sus hijos, pero no puedo evitarlo. Esta ánfora...

—Para mí es un florero.

—Bueno... sí. Este florero fue descubierto en la sala del trono, durante la excavación de Knossos. Fíjese en los fragmentos, donde se advierte la captura de un toro por medio de una red. En la antigüedad, desde luego, se capturaba a los toros con redes para evitar el prematuro derramamiento de su sangre sagrada, de modo que...

—¿Cuánto vale? —lo interrumpió Rizzoli.

—Supongo que unos diez millones de dólares.

Rizzoli puso cara de extañeza.

—¿Por *eso*?

—¡Por supuesto! Recuerde que proviene del último

período minoico, pocos años después del 3000 a.C.

Tony observó las numerosas vitrinas llenas de objetos.

—¿Todas estas cosas tienen tanto valor?

—No, no; sólo las que son realmente antiguas. Son irreemplazables, desde luego, y nos sirven de pauta para saber cómo vivían las viejas civilizaciones. Venga, que le muestro algo por aquí.

Se dirigieron a otra sala, y se pararon frente a la vitrina que había en un rincón. Victor Korontzis señaló un jarrón.

—Éste es uno de nuestros más preciados tesoros, uno de los ejemplos más antiguos del simbolismo de los signos fonéticos. El círculo con la cruz que ve usted es una representación del ka, el alma de los muertos. Este símbolo es una de las formas más antiguas con que el hombre representaba el cosmos. Hay sólo...

¡A quién le importa un carajo! —¿Cuánto vale?

Korontzis dejó escapar un suspiro.

—Una fortuna.

Cuando Rizzoli se marchó del museo, mentalmente empezó a contar cantidades impensadas de dinero. Había tenido la inmensa suerte de dar con esa mina de oro. Buscaba a una "mula", y sin querer había encontrado la llave de un tesoro. Las ganancias que se obtuvieran con la heroína habría que dividirlas en seis partes. Nadie era tan estúpido como para pensar en traicionar a la Familia; pero el asunto de los objetos antiguos era otra cosa. Si sacaba clandestinamente dichas piezas de Grecia, el negocio sería sólo de él; la mafia no esperaría que le diera una parte. Rizzoli tenía sobrados motivos para estar contento. *Ahora, lo único que tengo que hacer es pensar en la forma de que el pez muerda el anzuelo. Por la "mula" me voy a preocupar después.".*

Esa noche, Rizzoli llevó a su nuevo amigo al Mostrov Athena, un *nightclub* de diversiones lujuriosas, donde después del espectáculo había bellas señoritas a disposición del público.

—Busquemos a dos putas para divertirnos un rato.

—Yo tengo que volver a casa, con mi familia —protestó Korontzis—. Además, no podría pagarlo.

—Pero si te invité yo. Tengo una cuenta de gastos, o sea que a mí no me cuesta nada.

Rizzoli contrató a una de las muchachas para que llevara a su hotel a Korontzis.

—¿Tú no vienes? —preguntó el griego.

—Tengo un pequeño negocio que terminar. Ve tú primero. Todo está arreglado.

A la mañana siguiente, Rizzoli se dio una vuelta por el museo. Había infinidad de turistas que recorrían sus diversas salas extasiándose al contemplar los antiguos tesoros.

Korontzis llevó a Tony a su despacho. Estaba realmente sonrojado.

—No...no sé cómo agradecerte lo de anoche, Tony. Esa mujer... fue una maravilla.

Rizzoli sonrió.

—¿Para qué están los amigos, Victor?

—Pero yo no puedo retribuirte de la misma manera.

—Ni espero que lo hagas —se apresuró a decir Rizzoli—. Me caes muy bien; me gusta tu compañía. A propósito, esta noche hay una partida de póquer en uno de los hoteles. Yo voy a jugar. ¿Quieres venir?

—Gracias. Me encantaría, pero... —Se encogió de hombros. —Creo que no debo.

—Vamos. Si lo que te preocupa es el dinero, no te aflijas: yo te presto.

Korontzis le dijo que no con la cabeza.

—Demasiado amable has sido ya. Si pierdo, no podría devolvértelo.

Tony Rizzoli sonrió.

—¿Quién dijo que vas a perder? Está todo arreglado.

—¿Arreglado? No...no entiendo.

—Otto Dalton, un amigo mío, dirige la partida. Llegaron a la ciudad unos turistas norteamericanos que quieren jugar y están llenos de dinero. Otto y yo pensamos engañarlos.

Korontzis lo observaba con los ojos desmesuradamente abiertos.

—¿Quieres decir... que van a hacerles trampa? —Se pasó la lengua por los labios. —Yo nunca... nunca hice eso.

—Rizzoli hizo un gesto de comprensión.

—Claro. Pero si te molesta, no vengas. A mí me pareció que era una manera fácil para que te alzaras con dos o tres mil dólares.

—¿Dos o tres mil dólares?

—Sí, por lo menos.

El griego volvió a humedecerse los labios.

—¿Y no es... peligroso?

Rizzoli soltó una carcajada.

—Si lo fuera, yo no lo haría, ¿no te parece? Es facilísimo. Otto reparte las cartas de la parte de arriba del mazo, del medio o de abajo. Hace años que viene haciéndolo y nunca lo pescaron.

Korontzis lo miraba fijo.

—¿Cuánto... necesitaría para entrar en el juego?

—Unos quinientos dólares. Pero te digo una cosa: todo es tan fácil, que yo te presto los quinientos y, si los pierdes, no tendrás que devolvérmelos.

—Eres muy generoso, Tony. ¿Por qué haces todo esto por mí?

—Te cuento la razón —dijo Rizzoli, con voz llena de indignación—. Cuando veo a un hombre decente y trabajador como tú, que es director de uno de los museos más importantes del mundo, y el Estado no lo aprecia lo suficiente como para darle un sueldo digno —al punto que le cuesta dar de comer a su familia— , bueno, te soy honesto, Victor: me lleno de indignación. ¿Cuánto hace que no te dan un aumento?

—Acá... no se dan aumentos.

—Ahí tienes. Mira, la decisión es tuya. O permites que

yo te haga un pequeño favor esta noche, de modo que puedas empezar a vivir como la gente, o sigues subsistiendo con lo mínimo durante toda la vida.

—No... no sé, Tony. No debería...

Rizzoli se puso de pie.

—Entiendo. Bueno, quizá dentro de un año o dos regrese a Atenas; a lo mejor entonces podemos volver a vernos. Fue un gusto conocerte, Victor. —Se encaminó a la puerta.

En ese instante Korontzis tomó la decisión.

—Espera. Me... me gustaría acompañarte esta noche.

Había mordido el anzuelo.

—Fantástico. Sinceramente me gusta poder darte una mano.

Korontzis vaciló.

—Perdona, pero no sé si entendí bien. ¿Dijiste que si perdía no tenía que devolverte los quinientos dólares?

—Así es, porque no puedes perder: la partida está arreglada.

—¿Dónde es el juego?

—En el Hotel Metropole, habitación 420, a las diez. A tu mujer dile que tienes que quedarte a trabajar hasta tarde.

Capítulo 12

Había cuatro hombres en el hotel además de Tony y Victor Korontzis.

—Te presento a mi amigo, Otto Dalton —dijo Rizzoli—. Victor Korontzis.

Ambos se dieron la mano.

Rizzoli miró con curiosidad a los demás.

—Creo que no conocemos a los otros caballeros.

Dalton hizo las presentaciones.

—Perry Breslauer, de Detroit... Marvin Seymour, de Houston... Sal Prizzi, de Nueva York.

Korontzis los saludó con la cabeza por miedo a que le fallara la voz.

Otto Dalton tenía más de sesenta años, era delgado, canoso y afable. Perry Breslauer era más joven, y algo ojeroso. Marvin Seymour era un hombre de aspecto apacible. Sal Prizzi era corpulento, un roble de brazos gruesos. Tenía ojos pequeños, de mirada maligna y la cicatriz de un tajo en la cara.

Rizzoli había puesto al tanto a Korontzis sobre los antecedentes de los demás. *Estos tipos tienen muchísimo dinero, o sea que pueden darse el lujo de perder grandes cantidades. Seymour es dueño de una compañía de seguros, Breslauer tiene concesionarias de autos por todos los Estados Unidos y Sal Prizzi está al frente de un poderoso sindicato de Nueva York.*

Dalton se dirigió al grupo:

—Bien, caballeros. ¿Comenzamos? Las fichas blancas valen cinco dólares, las azules diez, las rojas veinticinco y las negras cincuenta. Veamos con cuánto se ponen.

Korontzis sacó los quinientos dólares que le había prestado Tony. *No*, pensó. *No me los prestó sino que me los regaló.* Miró a Rizzoli y sonrió. *¡Qué buen amigo es!*

Los demás sacaban gruesos fajos de billetes.

Korontzis experimentó un miedo repentino. ¿Y si algo fallaba y perdía los quinientos dólares? Descartó de plano la idea. Su amigo Tony salvaría la situación. Pero si *ganaba*... De pronto lo inundó una sensación de euforia.

El juego comenzó.

Las puestas fueron bajas al principio, y hubo partidas de póquer abierto jugado con cinco cartas, con siete y póquer cerrado.

Al comienzo, las manos ganadas y perdidas fueron parejas, pero poco a poco la cosa comenzó a cambiar.

Victor y Tony tenían una suerte espectacular. Si les tocaban cartas regulares, los demás tenían peores. Si los otros tenían buenas, ellos sacaban mejores.

Korontzis no podía creer lo que veían sus ojos. Al concluir la velada había ganado casi dos mil dólares. Para él fue como un milagro.

—Ustedes sí que tienen suerte —protestó Marvin Seymour.

—Ya lo creo —convino Breslauer—. ¿Nos van a dar la revancha?

—Mañana les contesto.

Cuando se hubieron marchado, exclamó Korontzis:

—Me cuesta creerlo. ¡Dos mil dólares!

Rizzoli se rió.

—Son apenas monedas. Ya te dije que Otto era el más diestro de su profesión. Esos tipos se mueren por que les demos el desquite. ¿Te interesa?

—Por supuesto —respondió Korontzis, con una sonrisa franca.

A la noche siguiente, Victor ganó tres mil dólares.

—¡Es fantástico! ¿No sospechan nada?

—Desde luego que no. Seguramente mañana nos pedirán que subamos las apuestas porque creen que van a recuperar su dinero. ¿Vienes?

—Claro que sí, Tony. Voy.

Cuando se disponían a jugar, dijo Sal Prizzi:

—Hasta ahora nosotros somos los que vamos perdiendo. ¿Qué les parece si subimos las apuestas?

Tony miró a Victor y le guiñó un ojo.

—Yo no tengo problema —respondió Rizzoli—. ¿Y ustedes, muchachos?

Todos asintieron.

Dalton formó pilitas de fichas.

—Las blancas valen cincuenta dólares, las azules cien, las rojas quinientos, las negras mil.

Victor miró intranquilo a su amigo. No había pensado que las apuestas fueran a ser tan altas, pero Tony le indicó con un gesto que tuviera confianza.

La partida comenzó.

Nada había cambiado. Cada mano que recibía Victor era maravillosa. Cualesquiera fuesen las cartas que le tocaban, siempre vencía a los demás. Tony Rizzoli también ganaba, pero no tanto.

—¡Qué cartas de mierda! —protestó Prizzi—. Cambiemos de mazo.

Otto Dalton trajo entonces un mazo nuevo.

Korontzis miró a Tony y sonrió. Sabía que en modo alguno su suerte iba a cambiar.

A medianoche pidieron que les enviaran sándwiches e hicieron un descanso de quince minutos.

Tony llevó a Victor a un costado.

—Le dije a Otto que les diera algo de tiento —le contó.

—No sé qué es eso.

—Que los dejara ganar algunas manos, porque si siempre pierden, no van a querer jugar más.

—¡Ah, claro! Muy inteligente.

—Cuando estén de nuevo entusiasmados, volveremos

a subir las apuestas y les ganaremos a lo grande.

Víitor Korontzis titubeó.

—Yo ya gané tanto dinero, Tony. ¿No te parece que deberíamos terminar ahora, que...?

Tony lo miró a los ojos.

—¿Acaso no te gustaría irte esta noche con cincuenta mil dólares en el bolsillo?

Cuando se reanudó la partida, Breslauer, Prizzi y Seymour comenzaron a ganar. Korontzis seguía recibiendo manos buenas, pero las de los otros eran mejores.

Otto Dalton es un genio, pensó Victor. Había estado observando cómo daba las cartas, y nunca pudo advertir un movimiento falso.

A medida que continuaba el juego, Korontzis no cesaba de perder, por lo cual empezó a preocuparse. Al cabo de unos minutos, cuando...¿cómo era la expresión?...cuando les hubieran dado algo de tiento, Rizzoli, él y Dalton ya estarían listos para salir a matar.

Sal Prizzi se regodeaba de placer.

—Bueno, parece ser que se les ha ido la suerte, muchachos.

Tony sacudió la cabeza con expresión de pesar.

—Sí, eso parece, ¿no? —Dirigió a Korontzis una miradita de confabulación.

—No podían tener suerte eternamente —aportó Marvin Seymour.

—¿Qué les parecería —intervino Perry Breslauer— si aumentáramos aún más las apuestas así podemos ganarles una buena suma?

Tony hizo como que lo pensaba.

—No sé —contestó, pensativo, y se volvió para hablar con Korontzis. —¿Qué opinas, Victor?

¿No te gustaría irte esta noche con cincuenta mil dólares en el bolsillo? Voy a poder comprarme una casa, y un auto nuevo. Podré llevar de vacaciones a mi familia... Casi temblaba de la excitación.

—¿Por qué no?

—De acuerdo —dijo Prizzi—. Jugaremos póquer abierto. —Se repartieron las cinco cartas.

—Empiezo con cinco mil dólares —dijo Breslauer.

Cada uno puso su apuesta.

A Victor le tocaron dos reinas. Sacó tres cartas, y una de ellas era otra reina.

Rizzoli miró sus cartas y dijo:

—Subo mil.

Marvin Seymor estudió las suyas.

—Veo y subo a dos mil.

Dalton tiró sus cartas.

—Demasiado para mí. Paso.

—Yo apuesto —dijo Prizzi.

El pozo se lo llevó la escalera de Marvin Seymour.

En la mano siguiente, a Victor le tocaron un ocho, un nueve, un diez y una jota de corazones. ¡Por una carta no era escalera de colores!

—Yo apuesto mil dólares —dijo Dalton.

—Yo veo y subo mil.

—Subámosla mil más —propuso Sal Prizzi.

Le tocaba el turno a Korontzis. Estaba seguro de que con una escalera le ganaría a todos, y apenas le faltaba una carta.

—Apuesto. —Sacó una carta y la colocó boca abajo, sin atreverse a mirarla.

Breslauer bajó sus cartas.

—Dos cuatros y dos diez.

Prizzi hizo lo propio.

—Tres sietes.

Todos se volvieron para mirar a Korontzis. Este respiró hondo y sacó su carta. Era negra.

—Perdí —dijo, y mostró su mano.

El pozo seguía creciendo.

Korontzis notó que su pila de fichas ya casi había desaparecido, por lo que miró preocupado a su amigo.

173

Rizzoli lo tranquilizó con una sonrisa, con la que quiso trasmitirle: *No tienes por qué afligirte*.

Rizzoli abrió el pozo siguiente.

Se dieron las cartas.

—La apuesta inicial será de mil dólares.

—Yo la subo mil más —afirmó Breslauer.

Marvin Seymour: —Y yo dos.

Sal Prizzi: —¿Saben una cosa? Creo que nos quieren asustar. Subámosla cinco más.

Victor no había mirado su mano aún. *¿Cuándo diablos iban a dejar de "darles tiento"?*

—¿Victor?

Korontzis tomó lentamente sus cartas y fue mirándolas de a una. Un as, otro as, un tercer as, más un rey y un diez. La sangre comenzó a correr de prisa por sus venas.

—¿Entras?

Sonrió para sus adentros. Sabía que le iban a dar otro rey para tener un full. Se descartó del diez y trató de hablar con naturalidad.

—Pido una carta.

—Yo quiero dos —dijo Dalton. Miró lo que le había tocado, y agregó: —Subo a dos mil.

Tony meneó la cabeza.

—Para mí es demasiado. Paso —dijo, y tiró sus cartas.

—Yo juego —sostuvo Prizzi—, y subo a cinco mil.

Marvin Seymour tiró también sus cartas.

—Paso —dijo.

El juego era entre Victor Korontzis y Sal Prizzi.

—¿Va a apostar? —preguntó Prizzi—. Le costará cinco mil más.

Korontzis miró de reojo su pilita de fichas. Cinco mil era exactamente lo que le quedaba. *Pero cuando gane este pozo...* Volvió a mirar sus cartas. Eran invencibles. Empujó la pila de fichas al medio de la mesa y sacó una carta. Un cinco. Pero todavía tenía tres ases. Los mostró.

—Tres ases —dijo.

Prizzi bajó las suyas.

—Cuatro dos.

Korontzis miró anonadado cómo Prizzi se alzaba con el pozo. Tenía la sensación de haberle fallado a su amigo Tony. *Si hubiera podido mantenerme hasta que empezáramos a ganar...*

Era el turno de Prizzi.

—Stud de siete cartas —anunció—. Pongamos mil dólares en el pozo.

Victor miró a Tony con expresión de impotencia.

—Yo no tengo...

—No te preocupes —lo tranquilizó el amigo, y luego se dirigió a los demás. —Miren, muchachos, Victor hoy no trajo más efectivo, pero les aseguro que puede responder. Dénle crédito, y al terminar la noche arreglamos las cuentas.

—Un momentito —reaccionó Prizzi—. ¿Qué es esto? ¿Una sociedad de préstamos? No conocemos a Victor Korontzis. ¿Cómo sabemos que va a pagar?

—Tienen mi palabra —le aseguró Rizzoli—. Y Otto me garantiza a mí.

Otto Dalton tomó la palabra.

—Si Tony dice que el señor Korontzis es confiable, para mí lo es.

Prizzi se encogió de hombros.

—Bueno, supongo que será así —dijo.

—Por mí no hay problema —afirmó Breslauer.

Dalton se dirigió a Korontzis.

—¿Cuánto quiere?

—Dale diez mil —contestó Rizzoli.

Korontzis lo miró sorprendido. Diez mil dólares era más de lo que ganaba en dos años, pero Tony debía de saber lo que estaba haciendo. Tragó saliva.

—Con eso...estará bien —aseguró, y le alcanzaron una pila de fichas.

Esa noche, las cartas eran enemigas de Victor. A medida que aumentaban las apuestas, sus fichas iban disminuyendo. Tony también perdía.

A las dos de la mañana hicieron un descanso. Korontzis llevó a su amigo a un rincón.

—¿Qué pasa? —le preguntó en susurros, aterrado—. ¿Sabes cuánto llevo perdido ya?

—No te preocupes, Victor. Yo estoy igual. Ya le di la señal a Otto. Ahora la partida se va a dar vuelta, para que les ganemos con todo.

Regresaron a sus asientos.

—Dale a mi amigo veinticinco mil dólares más —pidió Rizzoli.

Seymour frunció el entrecejo.

—¿Seguro que él quiere jugar?

Rizzoli se volvió y le habló al amigo:

—La decisión es tuya.

Korontzis vaciló. *Ya le di la señal a Otto. Ahora la partida se va a dar vuelta.*

—Quiero.

—De acuerdo.

Le pusieron por delante veinticinco mil dólares en fichas. Victor las miró y de pronto se sintió muy afortunado.

Dalton estaba dando las cartas.

—Bien, caballeros. Es un stud de cinco cartas. La apuesta inicial será de mil dólares.

Los jugadores colocaron las correspondientes fichas en el centro de la mesa.

Dalton repartió cinco cartas a cada uno. Korontzis no miró las suyas. *Voy a esperar*, pensó. *Eso me dará suerte.*

—Hagan sus apuestas.

Seymour, que estaba a la derecha de Dalton, estudió un momento sus cartas.

—Yo me voy —dijo, y tiró sus cartas.

El siguiente era Sal Prizzi.

—Yo juego y subo mil. —Puso las fichas en el medio de la mesa.

Tony estudió sus cartas y se encogió de hombros.

—Paso —dijo.

Perry Breslauer observaba sus cartas con una sonrisa en la boca.

—Subo cinco mil más.

A Victor Korontzis le costaría seis mil dólares mantenerse en el juego. Lentamente levantó sus cartas y las miró. No podía creer lo que veía: escalera de un cinco, un seis, un siete, un ocho y un nueve de corazones. ¡Una mano perfecta! Entonces Tony tenía razón. *¡Gracias a Dios!* Trató de disimular la emoción. Ésa era la mano que estaba esperando para hacerse rico.

Dalton tiró sus cartas.

—Yo paso —dijo.

—Quedo yo —sostuvo Prizzi—. Creo que está mintiendo, amigo. Yo juego, y subo otros cinco mil.

Korontzis sintió que lo recorría una profunda excitación. Le habían dado la mejor mano de cartas de su vida. Se alzaría con el pozo más grande de la partida.

Breslauer estudiaba sus cartas.

—Bueno, juego y subo cinco mil más, muchachos.

De nuevo la decisión recaía en Victor. Respiró hondo.

—Acepto, y subo otros cinco mil. —Casi temblaba de la ansiedad.

Perry Breslauer mostró su juego, con una expresión de triunfo en el rostro.

—Tres reyes —dijo.

¡Gané!, pensó Korontzis.

—Son malas —declaró Victor, sonriente—. Escalera. — Bajó su juego y estiró la mano para retirar el pozo.

—¡Espere! —Lentamente Prizzi fue bajando su juego—. Le gano con una escalera real. Del diez al as de *pique*.

Victor Korontzis se puso pálido. De repente se sintió mareado, y comenzó a tener palpitaciones.

—Dios santo —exclamó Rizzoli—. ¿Dos escaleras? —Se volvió hacia Korontzis. —Lo siento, Victor. No...sé qué decir.

Dalton anunció:

—Por esta noche hemos terminado, caballeros. — Consultó un papelito y le habló a Korontzis. —Debe sesenta y cinco mil dólares.

Victor miró a su amigo, azorado. Rizzoli se encogió de hombros. Korontzis sacó un pañuelo y se lo pasó por la frente.

—¿Cómo quiere pagarlo? —preguntó Dalton—. ¿En efectivo o en cheque?

—Yo no acepto cheques —manifestó Prizzi—. Quiero efectivo.

—Yo...no tengo esa...

El rostro de Prizzi se ensombreció.

—¿*Qué?* —gritó

—Un momentito —se apresuró a intervenir Rizzoli— Victor quiere decir que no tiene el dinero encima. Yo les dije que era confiable.

—Sin embargo no veo los billetes, Rizzoli.

—Ya los verá —lo tranquilizó Tony—. Lo tendrá dentro de unos días.

Prizzi reaccionó enfurecido.

—¡Ni mierda! No soy una sociedad de beneficencia. Lo quiero mañana.

—No se preocupe. Él va a cumplir.

Korontzis se sentía inmerso en una pesadilla terrible, de la cual no podía salir. Se quedó ahí sentado, incapaz de moverse, casi sin darse cuenta de que los demás se estaban yendo hasta que quedaron sólo él y Tony.

—Me es...totalmente imposible juntar semejante suma de dinero. ¡Nunca podría!

Tony le apoyó una mano en el hombro.

—No sé qué decirte, Victor. No sé qué fue lo que salió mal. Yo debo de haber perdido más o menos la misma cantidad.

—Sí, pero tú puedes darte el lujo, Tony, y yo...no. Voy a tener que explicarles que no puedo pagar.

—Yo en tu lugar lo pensaría, Victor. Prizzi dirige el sindicato de portuarios, y se comenta que esos muchachos son muy bravos.

—No me queda otro remedio. Si no tengo el dinero, no lo tengo. ¿Qué puede hacerme?

—Ya mismo te lo explico. Puede ordenarle a uno de

sus muchachos que te haga varios disparos a las rodillas, y te juro que nunca más volverás a caminar. Y después, cuando hayas sufrido todo el dolor que puedes soportar, va a decidir si te permite seguir viviendo así, o si te mata.

Victor lo contemplaba con el rostro demudado.

—Hablas en broma...

—Ojalá. La culpa fue mía. No debí haberte permitido nunca que jugaras con Prizzi, un tipo que está dispuesto a matar.

—Dios mío. Y ahora, ¿qué hago?

—¿Tienes alguna manera de reunir el dinero?

Korontzis prorrumpió en carcajadas histéricas.

—Tony...si apenas me alcanza para mantener a mi familia con lo que gano.

—Bueno, entonces lo único que se me ocurre es que te vayas de la ciudad, quizá también del país. Vete a algún lugar donde Prizzi no te encuentre.

—No puedo. Tengo mujer y cuatro hijos. —Miró a Rizzoli con ojos acusadores. —Dijiste que iba a estar todo arreglado, que no podíamos perder, que...

—Ya sé, y lo siento muchísimo. Hasta ahora, siempre dio resultado. Lo único que se me ocurre es que Prizzi pueda haber hecho trampa.

El rostro de Victor se llenó de esperanza.

—Entonces, si me estafó, no tengo por qué pagarle.

—El problema sigue existiendo, porque si lo acusas de tramposo, te va a matar, y si no le pagas, también.

—Santo cielo —gimió Korontzis—. Soy hombre muerto.

—Todo esto me hace sentir muy mal. ¿Seguro que no tienes forma de juntar el dinero?

—Ni en cien vidas, ni en mil. Todo lo que tengo está hipotecado. ¿De dónde sacaría...?

En ese instante Tony tuvo una repentina inspiración.

—¡Un momento, Victor! ¿No dijiste que esos objetos del museo eran muy valiosos?

—Sí, pero ¿eso qué tiene que ver?

—Déjame terminar. Me comentaste que las reproduc-

179

ciones eran tan buenas como los originales.

—Por supuesto que no. Un experto se daría...

—Aguarda. ¿Y si faltara uno de esos objetos y en su lugar pusieras una copia? Mira, cuando yo fui al museo, había muchísimos turistas recorriéndolo. ¿Pueden darse cuenta ellos de la diferencia?

—No, pero...Ya entiendo. No, jamás podría hacer algo así.

Rizzoli trató de aplacarlo.

—Yo te comprendo. Sólo pensé que el museo podía prescindir de un pequeño artículo ya que tiene tantos...

Korontzis indicó que no con un movimiento de la cabeza.

—Hace veinte años que soy director de ese museo. Nunca se me ocurriría hacer semejante cosa.

—Perdóname. No debí habértelo sugerido siquiera. El único motivo por el cual te lo insinué es porque eso podría salvarte la vida. —Se puso de pie y se desperezó. —Bueno, se está haciendo tarde, y tu mujer seguramente se preguntará dónde estás.

Victor lo miraba fijo.

—¿Podría salvarme la vida? ¿Cómo?

—Es sencillo. Si me das una de esas reliquias, yo podría sacarla del país, venderla y pagarle a Prizzi lo que le debes. Tal vez conseguiría convencerlo para que te espere el tiempo necesario. Y tú te salvarías. No necesito decirte que correría un riesgo enorme por ti, porque si me pescan, tendría graves problemas. Pero te lo ofrezco porque creo que estoy en deuda contigo. Por culpa mía te metiste en todo este lío.

—Eres un buen amigo. Pero no tienes nada que reprocharte. Nadie me obligó a jugar. Tu intención era hacerme un favor.

—Ya sé. Pero ojalá hubiera terminado distinto. Bueno, ahora vamos a dormir. Mañana te hablo. Buenas noches, Victor.

—Hasta mañana.

A primera hora del día siguiente lo llamaron al museo.

—¿Korontzis?

—Sí.

—Habla Sal Prizzi.

—Ah, buen día, Prizzi.

—Lo llamo por ese asuntito de sesenta y cinco mil dólares. ¿A qué hora puedo pasar a cobrarlos?

Korontzis comenzó a transpirar profusamente.

—No...no tengo el dinero en este momento...

Se produjo un silencio de malos presagios en el otro extremo de la línea.

—¿A qué está jugando conmigo?

—No estoy jugando a nada, señor Prizzi.

—Entonces quiero cobrar mi dinero. ¿Entendido?

—Sí, señor.

—¿A qué hora cierra el museo?

—A las seis...

—A esa hora estoy ahí. Téngamelo listo o le rompo la cara. Y después le voy a dar una soberana paliza.

La comunicación se cortó.

Korontzis se sintió aterrado. Quería esconderse, pero ¿dónde? Lo invadía una sensación de desesperación total, un torbellino de recriminaciones. *Si no hubiera ido esa noche al casino...si hubiera cumplido la promesa de no jugar más que le hice a mi mujer...* Sacudió la cabeza como para aclarar las ideas. *Tengo que hacer algo ya mismo.*

En ese momento entró Tony Rizzoli en su despacho.

—Buenos días, Victor.

Eran las seis y media. El personal ya se había retirado, y el museo había cerrado hacía treinta minutos. Victor y Tony vigilaban la puerta de entrada.

Korontzis se ponía cada vez más nervioso.

—¿Y si no acepta? ¿Y si exige su dinero esta noche?

—Yo me ocupo de él. Déjame hablar a mí.

—¿Y si no viene? ¿Y si... manda a alguien para que me mate? ¿Lo crees capaz de hacer una cosa así?

—No, siempre y cuando tenga la posibilidad de cobrar su dinero —lo tranquilizó Rizzoli.

A las siete finalmente apareció Prizzi.

Korontzis corrió a atenderlo.

—Buenas noches —dijo.

Prizzi miró a Rizzoli.

—¿Qué mierda hace usted aquí? —Se volvió hacia Korontzis. —Esto es entre nosotros dos.

—Calma, calma —sugirió Rizzoli—. Vine para dar una mano.

—Yo no necesito su ayuda. ¿Dónde está mi dinero?

—No...no lo tengo. Pero..

Prizzi lo aferró del cuello.

—Mire, imbécil, o me entrega el dinero esta noche o lo mato y lo tiro para que se lo coman mis perros. ¿Comprendido?

—¡Eh, tranquilícese! —intervino Rizzoli—. Va a cobrar su dinero.

Prizzi le habló entonces a él.

—Ya le dije que no se meta en esto, que no es asunto suyo.

—Yo lo tomo como asunto mío. Victor es mi amigo y no cuenta con el efectivo en este momento, pero tiene una forma de conseguírselo.

—¿Tiene o no tiene el dinero?

—Sí y no —respondió Rizzoli.

—¿Qué manera de contestar es ésa?

Tony hizo un ademán con el cual abarcó toda la sala.

—El dinero está aquí.

Prizzi miró alrededor.

—¿Dónde?

—En estas vitrinas, llenas de reliquias que valen una fortuna. Hablo de millones.

—¿Ah, sí? ¿Y de qué me sirven si están encerradas con llave en un museo? Yo quiero dinero contante y sonante.

—Y lo va a tener —lo aplacó Rizzoli—. El doble de lo

que le debe mi amigo. Pero eso sí: deberá tener un poco de paciencia. Victor no es un estafador, pero necesita un tiempito más. Le cuento cuál es su plan. Victor va a sacar uno de estos objetos antiguos... y lo va a hacer vender. En cuanto obtenga el dinero, le pagará.

Sal Prizzi meneó la cabeza.

—No me gusta. No conozco este asunto de los objetos de arte.

—No es necesario que conozca nada. Victor es uno de los mayores expertos del mundo. —Tony se acercó a una vitrina y señaló una cabeza de mármol. —¿Cuánto dirías que vale esa pieza, Victor?

Korontzis tragó saliva.

—Esa es la diosa Higia, del siglo XIV a.C. Cualquier coleccionista con gusto pagaría dos o tres millones de dólares por ella.

Rizzoli se volvió hacia Prizzi.

—Ahí tiene. ¿Ve lo que le digo?

Prizzi frunció el entrecejo.

—No sé. ¿Cuánto tiempo tendría que esperar?

—Recibirá el doble de su dinero en el término de un mes.

Prizzi lo pensó un instante; luego asintió.

—De acuerdo, pero si tengo que esperar un mes, quiero más. Digamos, doscientos mil más.

Tony consultó con la mirada a Victor, y éste asintió enérgicamente.

—Trato hecho —dijo Rizzoli.

Prizzi se acercó entonces al director del museo.

—Le doy treinta días. Si vencido ese plazo no me junto con el dinero, lo hago puré. ¿Queda claro?

—Sí, señor.

—Recuerde: treinta días. —Luego posó una larga mirada en Tony. —Usted no me cae bien —sentenció. Dio media vuelta y se fue.

Korontzis se desplomó en un sillón, enjugándose la frente.

—¡Dios mío! Pensé que iba a matarme. ¿Te parece que

podremos pagarle dentro de treinta días?

—Por supuesto —fue la respuesta de Tony—. Lo único que tienes que hacer es tomar una de esas cosas de la vitrina y poner una reproducción en su lugar.

—¿Cómo harás para sacarla del país? Si te pescan, vas preso.

—Ya sé, pero es un riesgo que debo correr porque quedé en deuda contigo, Victor.

Una hora más tarde, Rizzoli, Prizzi, Dalton, Breslauer y Seymour estaban bebiendo en la *suite* de Dalton.

—Todo salió perfecto —se ufanó Rizzoli—. El imbécil se meaba de terror.

Prizzi sonrió.

—Lo asusté bien, ¿eh?

—Me asustaste *a mí* —dijo Rizzoli—. Deberías haber sido actor.

—¿Cómo quedó la cosa? —quiso saber Seymour.

Fue Tony quien respondió:

—Él me da uno de esos objetos antiguos y yo tengo que encontrar la forma de sacarlo del país y venderlo. Después le daré a cada uno de ustedes su parte.

—Fantástico —se entusiasmó Breslauer—. Me encanta.

Esto es como tener una mina de oro, pensó Tony. *Una vez que Korontzis acepte este trato, ya queda enganchado. Nunca va a poder volverse atrás. Lo voy a hacer limpiar el museo entero.*

—¿Cómo vas a hacer para sacar la pieza del país? —preguntó Seymour.

—Ya encontraré el modo. Claro que lo encontraré.

Tenía que buscarlo, y pronto. Alfredo Mancuso y Gino Laveri estaban esperando.

Capítulo 13

En el cuartel de policía de la calle Stadium se había convocado a una reunión de emergencia. En el salón se hallaban el jefe de policía Dmitri, el inspector Tinou, el inspector Nicolino, Walt Kelly, el agente del Tesoro norteamericano y media docena de detectives. El ambiente era muy distinto del que había habido en la reunión anterior.

—Ahora tenemos motivos para creer —decía en ese momento el inspector Nicolino— que sus datos eran correctos, señor Kelly. Nuestras fuentes nos informan que Tony Rizzoli está buscando la forma de sacar de Atenas un enorme cargamento de heroína. Ya hemos comenzado a revisar los posibles galpones donde podría tenerla escondida.

—¿Puso a alguien a seguirlo?

—Aumentamos la dotación de hombres esta mañana —afirmó Dmitri.

Walt Kelly lanzó un suspiro.

—Espero que no sea demasiado tarde.

El inspector Nicolino asignó dos grupos de detectives para la vigilancia de Tony Rizzoli, pero subestimó a su presa. Esa misma tarde Rizzoli se dio cuenta de que lo seguían. Cuando salió del hotelito donde se alojaba, advirtió que tenía compañía, y cuando regresó, alguien estaba rondando por ahí. Eran verdaderos profesionales, lo cual le gustó porque era una muestra de respeto por él.

No sólo tenía que hallar la forma de sacar de Atenas la heroína sino también una valiosa pieza de museo. *Alfredo Mancuso y Gino Laveri andan detrás de mí, y la policía me persigue por todas partes. Tengo que establecer contacto en seguida.* El único nombre que le vino a la mente fue el de

Ivo Bruggi, un naviero de poca monta radicado en Roma. En algún momento había hecho negocios con él. Quizá no le sirviera de nada, pero al menos era algo.

Rizzoli estaba seguro de que tenía intervenido el teléfono de su habitación. *Tengo que ingeniármelas de alguna manera para poder recibir llamados en el hotel.* Largo rato estuvo pensando en el asunto, hasta que por fin se levantó, se dirigió a la pieza de enfrente y golpeó la puerta. Enseguida atendió un hombre mayor, de rostro amargo.

—¿Sí?

Rizzoli hizo exhibición de todo su encanto.

—Perdone que lo moleste. Yo ocupo la habitación de enfrente. ¿Puedo hablar un minuto con usted?

El hombre lo estudió con suspicacia.

—Muéstreme que puede abrir la puerta de aquel cuarto.

Tony sonrió.

—Cómo no. —Cruzó el pasillo, sacó la llave y abrió.

El hombre se convenció.

—Venga, pase.

Tony cerró la puerta de su habitación y se cruzó a la otra.

—¿Qué quiere?

—En realidad se trata de un problema personal. Lamento muchísimo molestarlo, pero... le cuento: estoy en medio del trámite de divorcio, y mi mujer ha puesto a alguien a seguirme. —Sacudió la cabeza con gesto de desagrado. —Hasta me hizo intervenir el teléfono.

—¡Las mujeres! Son unas malditas. Yo me divorcié de mi esposa el año pasado. Debí haberlo hecho hace diez años.

—¿Ah, sí? Le quería preguntar si me permite darles a un par de amigos el número de su habitación para que me llamen aquí. Le prometo que no habrá muchos llamados.

El hombre meneó la cabeza.

—No quiero que me... —comenzó a decir, pero Rizzoli sacó un billete de cien dólares del bolsillo.

—Sírvase, por su amabilidad.

El hombre se pasó la lengua por los labios.

—Bueno, supongo que no habrá problema. Me alegro de poder hacerle un favor a un compañero de desgracia.

—Le agradezco muchísimo la gentileza. Cuando me llame alguien, golpéeme la puerta, nada más. Voy a estar adentro casi todo el tiempo.

—De acuerdo.

A primera hora del día siguiente, Rizzoli se encaminó a una cabina pública para hablar a Ivo Bruggi. Marcó el código de Italia —el 39—, y el 6, que correspondía a Roma.

—Con el señor Bruggi, por favor.

—No está en casa.

—¿Cuándo vuelve?

—No lo sé.

—Dígale, por favor, que se comunique con el señor Rizzoli. —Dejó el número del conmutador del hotel, y el de la habitación vecina. Regresó a su habitación, que le resultaba odiosa. Alguien le había comentado que la palabra griega para designar a un hotel era *xenodochion*, que significaba un recinto para extraños. *Se parece más a una prisión de mierda*, pensó Rizzoli. El mobiliario era horrible: un viejo sofá marrón, dos decrépitas mesitas con lámparas a ambos lados, un escritorito y una silla, y una cama diseñada por Torquemada.

Durante los dos días siguientes, no se movió de su cuarto aguardando que le golpearan la puerta y enviando a un botones a que le comprara la comida afuera. Nadie lo llamó. *¿Dónde diablos está Ivo Bruggi?*

El equipo de vigilancia se hallaba pasando su informe al inspector Nicolino y Walter Kelly.

—Rizzoli está metido en la habitación del hotel. Hace

cuarenta y ocho horas que no sale.

—¿Seguro que está ahí?

—Sí, señor. Las empleadas de la limpieza lo ven por la mañana, y de noche, cuando van a preparar el cuarto.

—¿Hubo llamados por teléfono?

—Ni uno. ¿Qué quiere que hagamos?

—Sigan vigilándolo. Tarde o temprano tendrá que dar un paso. Y continúen interceptándole la línea telefónica.

Al día siguiente sonó el teléfono en la habitación de Rizzoli. *¡Mierda!* Bruggi no debía llamarlo a su pieza. Le había dejado el mensaje de que lo hablara a la habitación del vecino. Tendría que andar con cuidado. Atendió.

—¿Sí?

—¿Habla Tony Rizzoli?

No era la voz de Ivo Bruggi.

—¿Quién habla?

—Usted vino a verme el otro día y me propuso una transacción comercial, que yo rechacé. Creo que podríamos conversarlo de nuevo.

Tony experimentó una emoción profunda. *¡Spyros Lambrou! Así que el hijo de puta entró en razones.* No podía creer la suerte que tenía. *Todos mis problemas están resueltos. Puedo enviar la heroína y el objeto de arte al mismo tiempo.*

—Ah, sí, sí. Con gusto lo conversaré. ¿Cuándo quiere que nos reunamos?

—¿Puede ser esta tarde?

Así que está ansioso por llegar a un trato. Estos ricos son todos la misma mierda. Les parece que nunca tienen suficiente.

—Sí, cómo no. ¿Dónde?

—¿Por qué no viene por mi oficina?

—Perfecto —respondió Tony y cortó, feliz.

En el hall del hotel, un frustrado detective pasaba su informe al cuartel central.

—Rizzoli acaba de recibir un llamado. Va a encontrarse con alguien en la oficina de esa persona, pero no se mencionó el nombre del hombre y tampoco podemos rastrear la llamada.

—De acuerdo. Sígalo cuando salga del hotel y avíseme adónde se dirige.

—Sí, señor.

Diez minutos más tarde, Rizzoli se escabulló por una ventana del subsuelo que daba a un callejón, detrás del hotel. Cambió dos veces de taxi para asegurarse de que no lo siguieran y enfiló a la oficina de Spyros Lambrou.

Desde el día en que visitó a su hermana Melina, internada en un sanatorio, Lambrou juró vengarla, pero hasta ahora no había encontrado un castigo lo suficientemente terrible para Demiris. Luego, la visita de Georgios Lato y la sorprendente revelación que le había hecho Madame Piris le habían puesto en la mano un arma con la cual podía dar muerte a su cuñado.

La secretaria anunció:

—Está aquí un señor Anthony Rizzoli, que quiere verlo. Como no había pedido una entrevista, le dije que usted no...

—Hágalo pasar.

—Sí, señor.

Lambrou lo miró entrar sonriente, confiado.

—Gracias por venir, señor Rizzoli.

Tony sonrió.

—El gusto es mío. ¿Así que ha decidido que vamos a hacer negocios juntos?

—No.

La sonrisa de Rizzoli se borró.

—Perdón, ¿qué dijo?

—Dije que no, que no tengo intención de hacer negocios con usted.

Tony Rizzoli lo miró sin comprender.

—Entonces, ¿para qué diablos me llamó? Me aseguró que quería hacerme una propuesta...

—Así es. ¿Le gustaría utilizar la flota de barcos de Constantin Demiris?

Rizzoli se dejó caer en un sillón.

—¿Constantin Demiris? No entiendo. Él nunca...

—Sí, por supuesto que sí. Le aseguro que con gusto le dará lo que usted quiera.

—¿Por qué? ¿Qué beneficio obtendría él?

—Nada.

—No le veo sentido. ¿Por qué haría Demiris un trato semejante?

—Me alegro de que me lo pregunte. —Apretó un botón del intercomunicador. —Traiga café, por favor. —Miró a Rizzoli. — ¿Cómo le gusta el suyo?

—Estee...solo, sin azúcar.

—Solo, sin azúcar, para el señor Rizzoli.

Cuando la secretaria se retiró luego de servirles el café, dijo Lambrou:

—Voy a contarle una pequeña historia, señor Rizzoli.

Tony lo observaba con expresión cautelosa.

—Adelante.

—Constantin Demiris está casado con mi hermana. Hace unos años tuvo una amante, de nombre Noelle Page.

—La actriz, ¿verdad?

—Sí. Ella lo engañó con un tal Larry Douglas. Noelle y Douglas fueron juzgados por haber dado a muerte a la esposa de Douglas, que no quería otorgar el divorcio a su marido. Demiris contrató los servicios de un abogado, Napoleon Chotas, para defender a Noelle.

—Recuerdo haber leído algo sobre ese juicio.

—Hubo cosas que no salieron en los diarios, como por ejemplo, que mi querido cuñado no tenía intención de salvar la vida a Noelle sino por el contrario, deseaba vengarse, por lo cual contrató a Chotas para asegurarse de que Noelle fuese condenada. Casi al final del juicio, Chotas dijo a los otros abogados defensores que había llegado a un acuerdo con los jueces si los acusados se declaraban culpables. Era mentira. Larry y Noelle se declararon culpables, y fueron ajusticiados.

—A lo mejor Chotas pensó realmente que...

—Permítame terminar, por favor. Nunca se encontró el cadáver de Catherine Douglas, y no es de extrañar, porque todavía está con vida. Constantin Demiris la tuvo escondida.

Rizzoli lo miraba con extrañeza.

—Un momentito. ¿Demiris *sabía* que estaba viva y permitió que su amante y el novio de ella murieran por haberla matado?

—Exacto. Yo no sé con certeza qué dice la ley, pero estoy seguro de que, si se dan a conocer los hechos, mi cuñado podría ir preso muchos años. O al menos quedaría en la ruina.

Tony Rizzoli permaneció ahí, sentado, reflexionando sobre lo que acababa de escuchar. Había algo que lo intrigaba.

—¿Por qué me cuenta todo esto, señor Lambrou?

Spyros Lambrou esbozó una sonrisa plácida.

—Porque le debo un favor a mi cuñado. Quiero que vaya a verlo. Tengo la sensación de que con todo gusto le permitirá usar sus barcos.

Capítulo 14

Dentro de sí se agitaban tormentas que no podía dominar. Llevaba en su interior un centro frío y ningún recuerdo cálido que lo contrarrestara. Esas tormentas habían comenzado el año anterior, cuando perpetró su acto de venganza contra Noelle. Supuso que con eso daba por terminado el asunto, que el pasado quedaría enterrado. Jamás se le ocurrió que pudieran producirse repercusiones hasta que, inesperadamente, Catherine Alexander volvió a entrar en su vida. Para eso fue necesario apartar del camino a Frederick Stavros y Napoleon Chotas. Ambos participaron en un juego letal para derrotarlo, y él les ganó. Pero lo que a Demiris le llamaba la atención era cuánto había disfrutado con el riesgo, la emoción del peligro. El mundo de los negocios era fascinante, pero palidecía en comparación con el juego de la vida y la muerte. *Soy un asesino*, se dijo. *No; no un asesino sino un verdugo*. Y en vez de sentirse consternado, le resultó estimulante.

Demiris recibía un informe semanal sobre las actividades que desarrollaba Catherine. Hasta ese momento todo iba saliendo a la perfección. El contacto social que tenía se limitaba exclusivamente a sus compañeros de trabajo. Demiris sabía por Evelyn que Catherine de vez en cuando salía con Kirk Reynolds, pero como Reynolds trabajaba para él, no había problema. *La pobre chica debe de estar desesperada*, pensó. Reynolds era un tipo aburrido, que no sabía hablar más que de derecho. Pero tanto mejor. Cuanto más desesperada estuviera ella por tener compañía, más fácil se le haría todo a él. *Tengo que estarle agradecido a Reynolds*.

Catherine estaba saliendo con Kirk Reynolds, y cada vez lo apreciaba más. No era apuesto, pero sí atractivo. *Ya aprendí la lección sobre los hombres apuestos con Larry*, pensó, apenada. Kirk Reynolds era un hombre bueno, confiable. *Con él puedo contar*, se dijo. *No siento por él un amor apasionado, pero quizá nunca vuelva a sentir así por culpa de Larry. Ya he madurado lo suficiente como para aceptar a un hombre que me respete como compañera, alguien con quien compartir una vida limpia y sana, sin tener que preocuparme por el peligro de que me arrojen de arriba de una montaña o me maten dentro de una caverna oscura.*

Concurrieron al teatro a ver *The lady's not for burning*, de Christopher Fry, y otra noche, *September Tide* con Gertrude Lawrence. Fueron *a nightclubs*, donde las diferentes orquestas siempre interpretaban *El tema del tercer hombre* y *La vida color de rosa*.

—La semana que viene viajo a St.-Moritz —le anunció Kirk—. ¿Ya pensaste en lo que te dije?

Catherine había meditado largamente. Estaba segura de que Kirk la quería. *También lo quiero*, pensó, *querer es muy distinto de estar enamorado. ¿O acaso es que soy una tonta romántica? ¿Qué es lo que busco? ¿Otro Larry? ¿Alguien que me tome en sus brazos, se enamore de otra mujer y trate de asesinarme? Kirk Reynolds va a ser un excelente marido. Entonces, ¿por qué dudo?*

Esa noche cenaron en Mirabelle's, y cuando estaban en el postre, dijo Kirk:

—Catherine, por si no lo sabes, estoy enamorado y quiero casarme contigo.

Ella experimentó una sensación de pánico.

—Kirk... —No estaba segura de lo que iba a decir. *Mis próximas palabras van a cambiar mi vida. Sería tan sencillo pronunciar un "sí". ¿Qué es lo que me detiene? ¿Es el miedo al pasado? ¿Voy a vivir toda mi existencia atemorizada? No puedo dejar que me pase eso.*

—Cathy...

—Kirk...¿Por qué no vamos juntos a St.-Moritz?

El rostro de Kirk cobró vida.

—¿Eso significa...?

—Vamos a ver. A lo mejor, cuando me veas esquiar, ya no querrás casarte conmigo.

Él se rió.

—Por nada del mundo cambiaría de idea. Gracias a ti soy muy feliz. Vamos a ir el 5 de noviembre, día de Guy Fawkes.

—¿Qué es eso del día de Guy Fawkes?

—Es una historia fascinante. El rey Jacobo I de Inglaterra había puesto en práctica una estricta política contraria al catolicismo, por lo cual un grupo de católicos prominentes organizó una conspiración para derrocar al gobierno. Hicieron viajar desde España a un soldado de nombre Guy Fawkes para llevar adelante la conjura. Fawkes hizo esconder una tonelada de pólvora distribuida en treinta y seis barriles en el sótano de la Cámara de los Lores. Sin embargo, la mañana en que iban a hacer volar el edificio, uno de los conspiradores informó al gobierno, y todos fueron aprehendidos. A Guy Fawkes se lo sometió a tormentos, pero no habló. Todos fueron ejecutados. Actualmente se celebra en Inglaterra el descubrimiento del atentado con fuegos artificiales, y los niños hacen efigies que representan a Guy.

Catherine meneó la cabeza.

—Un feriado bastante sórdido.

Kirk le sonrió al decir:

—Te prometo que el nuestro no lo será.

La noche antes de partir Catherine se lavó el pelo, preparó el equipaje y desempacó dos veces de la emoción que sentía. En toda su vida había tenido relaciones carnales sólo con dos hombres: William Fraser y su marido. *¿Todavía se usa la palabra* carnal? se preguntó. *Dios mío, ojalá me* *acuerde de cómo se hace. Dicen que ocurre lo mismo que con el andar en bicicleta: una vez que uno aprendió a hacerlo, no se lo olvida más. A lo mejor se desilusiona conmigo en la cama. A lo mejor yo me desilusiono de mí misma en la cama. Quizá debería dejar de preocuparme e irme a dormir.*

—¿El señor Demiris?

—Sí.

—Catherine Alexander partió esta mañana a St.-Moritz.

Se produjo un silencio.

—¿A St.-Moritz?

—Sí, señor.

—¿Viajó sola?

—No. Fue con Kirk Reynolds.

En esta oportunidad el silencio fue más prolongado.

—Gracias, Evelyn.

¡Kirk Reynolds! Imposible. ¿Qué le veía? *Esperé demasiado. Debí haber intervenido antes. Voy a tener que hacer algo. No puedo permitir que ella...* La secretaria lo llamó por el intercomunicador.

—Señor, un tal Anthony Rizzoli quiere verlo. No está citado...

—Entonces, ¿para qué me molesta? —le espetó y cortó.

Al instante el aparato volvió a sonar.

—Perdone que lo interrumpa, pero el señor Rizzoli trae un mensaje del señor Lambrou y dice que es muy importante.

¿Un mensaje? ¡Qué raro! ¿Por qué su cuñado no podía transmitir él mismo lo que quería?

—Hágalo pasar.

—Sí, señor.

Tony Rizzoli entró en el despacho de Constantin Demiris. Paseó la vista en torno y pudo apreciar que era más lujoso que el de Spyros Lambrou.

—Le agradezco que me haya atendido, señor Demiris.

—Tiene dos minutos.

—Me manda Spyros porque piensa que usted y yo deberíamos hablar.

—¿Ah, sí? ¿Y sobre qué?

—¿Puedo tomar asiento?

—No creo que lo necesite, por el tiempo que se va a quedar.

Rizzoli se ubicó en un sillón, frente a Demiris.

—Tengo una fábrica, señor Demiris, y envío mercadería a diversas partes del mundo.

—Entiendo. Entonces quiere alquilar uno de mis buques.

—Exacto.

—No sé por qué Spyros lo mandó a verme. ¿Por qué no le alquiló uno de los suyos? Casualmente en estos momentos tiene dos fondeados.

Rizzoli se encogió de hombros.

—Será porque no le gusta lo que envío.

—No entiendo. ¿Qué es lo que despacha?

—Drogas —respondió Rizzoli, sereno—. Heroína.

Demiris se quedó mirándolo, incrédulo.

—¿Y espera que yo...? Váyase ya mismo de aquí si no quiere que llame a la policía.,

Rizzoli señaló el teléfono moviendo la cabeza.

—Llame, no más —dijo. Cuando vio que Demiris se encaminaba al teléfono, agregó: —Yo también quiero hablar y contarles todo lo que sé sobre el juicio de Noelle Page y Larry Douglas.

Demiris quedó petrificado.

—¿De qué habla?

—Hablo de dos personas que fueron ejecutadas por haber dado muerte a una mujer que todavía está viva.

Constantin Demiris se había puesto pálido.

—¿Cree que a la policía puede interesarle esa historia, señor? Si no les interesa a ellos, seguramente sí al periodismo. Ya me imagino los titulares. ¿Puedo decirle Costa? Spyros me contó que sus amigos le dicen Costa, y yo supongo que nosotros vamos a hacernos muy amigos. ¿Sabe por qué?

Porque los amigos no se andan delatando unos a otros. Vamos a mantener en secreto ese truquito que hizo usted, ¿verdad?

Demiris estaba sentado muy rígido. Cuando habló, lo hizo con voz ronca.

—¿Qué es lo que quiere?

—Ya le dije. Alquilar uno de sus barcos... y como somos tan amigos, supongo que no querrá cobrarme el flete, ¿verdad? Digamos que es un favor a cambio de otro.

Demiris respiró hondo.

—No puedo permitírselo. Si se llegara a saber que saqué drogas del país escondidas en uno de mis barcos, podría llegar a perder la flota entera.

—Pero nadie lo va a saber. En mi esfera de negocios, nadie anda publicando sus actividades. Haríamos todo muy calladitos.

La expresión de Demiris se había vuelto más dura.

—Comete usted un gran error. A mí no puede chantajearme. ¿Sabe quién soy?

—Sí. Mi nuevo socio. Usted y yo vamos a tener relaciones comerciales durante mucho tiempo, Costa, porque si me dice que no, voy directo a la policía y a los diarios y canto todo. Y ahí se acabó su buena fama, su imperio; todo a la mierda.

Hubo un silencio largo, doloroso.

—¿Cómo... cómo se enteró mi cuñado?

Rizzoli sonrió.

—Eso no importa. Lo que sí importa es que a usted lo tengo agarrado de las pelotas, y si aprieto un poco, lo convierto en un eunuco y va a quedar cantando con voz de soprano toda la vida. Dentro de una cárcel, por supuesto. —Miró la hora. — Caramba, se terminaron mis dos minutos. —Se puso de pie. —Le doy sesenta segundos para decidir si me voy de aquí siendo su socio... o si me voy de aquí y nada más.

De repente, Constantin Demiris parecía diez años más viejo. Su rostro había perdido todo color. No se hacía la menor ilusión respecto de lo que sucedería si salía a luz la verdadera historia del juicio. El periodismo se lo comería vivo. Lo presentarían como un asesino, un monstruo. Quizás hasta llegaran a abrir una investigación sobre la muerte de Stavros y de Chotas.

—Se cumplieron los sesenta segundos.

Demiris asintió lentamente.

—De acuerdo —aceptó en un susurro—. De acuerdo.

Tony Rizzoli le sonrió.

—Veo que es inteligente —dijo.

Demiris se levantó sin prisa.

—Por esta vez lo dejo salirse con la suya. No quiero enterarme de cómo ni cuándo lo hace. Uno de sus hombres podrá ir en mi barco. Más de eso no va a conseguir de mí.

—Trato hecho —convino Rizzoli, pero para sus adentros pensó: *A lo mejor no eres tan inteligente. Si transportas un cargamento de heroína, ya quedas enganchado, Costa. Nunca te permitiré desvincularte.* En voz alta repitió: —Trato hecho, por supuesto.

En el camino de regreso al hotel, Tony se sentía exultante. *A la policía de estupefacientes nunca se le ocurrirá tocar la flota de Constantin Demiris. De ahora en adelante voy a poder cargar todos los barcos suyos que partan de aquí. El dinero me llegará a montones. Genial: drogas y objetos de arte.*

Se encaminó a la cabina telefónica de la avenida Stadiou e hizo dos llamados, el primero de ellos a Palermo, para hablar con Pete Lucca.

—Puedes sacar de aquí a tus dos gorilas, Pete, y mandarlos de vuelta al zoológico, de donde nunca debieron salir. La mercadería está por partir, en barco.

—¿Estás seguro de que el paquete no corre peligro?

Rizzoli soltó una risa.

—Es más seguro que el Banco de Inglaterra. Ya te voy a contar todo cuando nos veamos. Además, tengo otra buena noticia. Desde ahora en adelante podremos hacer un envío por semana.

—Fantástico, Tony. Siempre supe que podíamos contar contigo.

Qué vas a pensar eso, hijo de puta.

El segundo llamado fue a Spyros Lambrou.

—Todo salió bien. Su cuñado y yo vamos a encarar juntos ciertos negocios.

—Felicitaciones. Me alegro de oírlo, señor Rizzoli.

Cuando Lambrou cortó, sonrió para sus adentros. *La brigada de estupefacientes también se pondrá muy contenta.*

Demiris permaneció en su oficina hasta después de medianoche sentado a su escritorio, reflexionando sobre el nuevo problema que lo aquejaba. Se había vengado de Noelle Page, pero ahora ella se levantaba de la tumba para acosarlo. Sacó de un cajón una foto de la muchacha. *Hola, puta.* ¡Dios mío, qué bonita era! *¿Así que supones que vas a destruirme? Vamos a verlo. Ya vamos a ver.*

Capítulo 15

St.-Moritz era un sitio de ensueño. Había innumerables pistas de esquí, sendas para caminar, pistas para trineo, torneos de polo y decenas de actividades más. Situada en la ladera sur de los Alpes a dos mil metros de altura, bordeando un resplandeciente lago, el pequeño pueblo dejó a Catherine impresionada por su belleza.

Catherine y Kirk fueron a alojarse al legendario Palace Hotel. El hall estaba lleno de turistas de numerosos países.

—Tengo una reserva a nombre del matrimonio Reynolds —le indicó Kirk al empleado de recepción. Catherine miró a otro lado. *Tendría que haberme puesto una alianza.* Le pareció que todos la miraban porque sabían lo que estaba haciendo.

—Sí, señor Reynolds. *Suite* 215. —Entregó la llave a un botones y agregó: —Por aquí, por favor.

Los acompañaron hasta una *suite* espléndida, de mobiliario sencillo, con una vista espectacular de las montañas desde sus dos ventanas.

Cuando el botones se hubo marchado, Kirk abrazó a Catherine.

—No sabes lo feliz que me haces, querida.

—Espero poder complacerte. Hace... tanto tiempo, Kirk...

—No te preocupes. Yo no te voy a apresurar.

Es tan bueno, se dijo ella. *Pero, ¿qué pensaría si le hablara de mi pasado?* Jamás le había mencionado a Larry, las circunstancias del juicio por homicidio ni ninguna de las cosas tan terribles que le habían sucedido. Quería sentirse unida a él, confiar en él, pero algo la hacía contener.

—Voy a desempacar —anunció.

Lentamente fue sacando las cosas de las maletas hasta que de pronto tomó conciencia de que estaba demorando adrede por miedo a lo que podía ocurrir a continuación.

Desde la otra habitación, Kirk la llamó:

—Catherine...

Dios mío; ahora me va a pedir que me desvista para irnos a la cama. Tragó saliva y respondió con voz apenas audible:

—¿Sí?

—¿Por qué no salimos a dar una vuelta?

Casi se desmaya del alivio.

—Fantástico —aceptó, entusiasmada—. *¿Qué me pasa? Estoy en uno de los lugares más románticos del mundo, con un hombre atractivo que está enamorado de mí, y me dejo dominar por el pánico.*

Reynolds la miraba con expresión extraña.

—¿Te sientes bien?

—Sí, sí —respondió ella, en tono animado.

—Pareces preocupada.

—No. Estaba pensando... en el esquí. Dicen que es peligroso esquiar.

Kirk le sonrió.

—No te aflijas. Mañana vas a empezar en una pendiente poco pronunciada. Ahora vamos.

Se pusieron un suéter y camperas forradas, y salieron a disfrutar del aire frío, vigorizante.

Catherine respiró hondo.

—Esto es asombroso, Kirk. Me encanta.

—Y todavía no has visto nada. En verano es doblemente hermoso.

¿Todavía va a querer estar conmigo cuando llegue el verano? se preguntó. *¿O acaso seré una gran desilusión para él? ¿Por qué no dejo de preocuparme tanto?*

El pueblo de St.-Moritz era precioso; una maravilla medieval, llena de pintorescas tiendas, restaurantes y chalets situados en medio de los Alpes majestuosos.

Recorrieron las tiendas, y Catherine compró regalos para Evelyn y Wim. Entraron también en un pequeño café y pidieron una *fondue*.

Por la tarde, Kirk alquiló un trineo tirado por caballo en el cual pasearon por senderos cubiertos de nieve que se internaban en la montaña. La nieve crujía bajo los patines metálicos.

—¿Lo estás pasando bien, Catherine?

—Sí, sí. —Lo miró y pensó: *Voy a hacerte tan feliz... Esta noche; sí, esta noche te haré inmensamente feliz.*

Esa noche cenaron en el Stubli, un restaurante con el ambiente de una antigua taberna de campo.

—Esta habitación data de 1480 —le contó Kirk.

—Entonces mejor no pidamos el pan.

—¿Qué?

—Fue un chistecito. Perdón.

Larry entendía mis chistes. ¿Por qué pienso en él? Porque no quiero pensar en lo que va a pasar más tarde. Me siento como María Antonieta rumbo al cadalso. No voy a pedir postre.

La comida fue excelente, pero Catherine estaba demasiado nerviosa como para disfrutarla. Cuando terminaron, propuso Kirk:

—¿Vamos arriba? Mañana bien temprano tendrás tu clase de esquí.

—Sí, sí, claro.

Cuando iban subiendo la escalera, Catherine comprobó que el corazón le latía con fuerza. *Me va a decir: vamos a acostarnos enseguida. ¿Y por qué no habría de hacerlo? Para eso vinimos aquí, ¿no? Yo no puedo fingir que vine para aprender a esquiar.*

Al llegar a la suite, Reynolds abrió la puerta y encendió las luces. Entraron en el dormitorio y Catherine clavó la mirada en la cama matrimonial. Era tan grande que parecía ocupar el cuarto entero.

Kirk la estaba observando.

—Catherine...¿te preocupa algo?

—¿Qué? —Soltó una risita falsa. —No, claro que no. Sólo que...

—¿Qué?

Lo sorprendió con una sonrisa resplandeciente.

—No, nada. Estoy bien.

—Bueno. Entonces, desvistámonos para acostarnos.

Justo lo que supuse que iba a proponer. Pero, ¿por qué tuvo que decirlo? Podríamos haberlo hecho sin decir nada. Explicarlo con palabras me parece... tan burdo.

—¿Qué dijiste?

Catherine no se había dado cuenta de que hablaba en voz alta.

—Nada. —Se acercó a la cama. Era la más inmensa que había visto jamás. Una cama construida para los amantes, sólo para ellos. No era una cama para dormir sino para...

—¿No te vas a desvestir, querida?

¿Cuánto hace que no me acuesto con un hombre? Más de un año. Y era mi marido.

—Cathy...

—Sí. —*Voy a quitarme la ropa, a meterme en la cama y desilusionarte. No te amo, Kirk. No puedo acostarme contigo.*

— Kirk...

El se volvió para mirarla, a medio desvestir.

—¿Sí?

—Kirk... perdóname. Vas a odiarme, pero te juro... que no puedo. Lo siento muchísimo. Seguramente pensarás que...

Vio la expresión de desencanto en su rostro.

Kirk hizo el esfuerzo de sonreír.

—Cathy, yo te advertí que iba a tener paciencia. Si todavía no estás lista... te entiendo. De todos modos podemos disfrutar de estos días aquí.

Ella lo besó en la mejilla.

—¡Gracias, gracias, Kirk! Me siento tan ridícula. No sé qué es lo que me pasa.

—No te pasa nada —aseguró él—. Yo te comprendo.

Lo abrazó.

—Gracias. Eres un ángel.

—Mientras tanto —continuó él con un suspiro—, voy a dormir en el sofá del living.

—No, no. Como la culpable de todo este lío soy yo, no quiero que estés incómodo. Duermo yo en el diván.

—No; de ninguna manera.

Catherine se quedó tendida en la cama, despierta, pensando en Kirk. *¿Alguna vez podré volver a tener relaciones sexuales con otro hombre? ¿O acaso Larry quemó esas sensaciones dentro de mí? A lo mejor consiguió matarme, después de todo.* Por último, se quedó dormida.

Kirk se despertó en medio de la noche por los alaridos. Se incorporó en el sofá, y como los gritos continuaban, corrió al dormitorio.

Catherine se revolvía en la cama, con los ojos fuertemente cerrados.

—¡No! —gritaba—. ¡Déjenme! ¡No me maten!

Reynolds se arrodilló a su lado, la abrazó y la atrajo contra su pecho.

—Shh. Está bien...No pasa nada...

El cuerpo de Catherine se sacudía con los sollozos, por lo que la sostuvo apretada hasta que se calmó.

—Ellos... trataron de matarme.

—No fue más que un sueño —la tranquilizó—. Tuviste una pesadilla.

Catherine entonces abrió los ojos y se incorporó, temblorosa.

—No, no fue un sueño. Fue verdad. Intentaron darme muerte.

Kirk la miraba intrigado.

—¿Quiénes?

—Mi... marido y su amante.

Kirk sacudió la cabeza.

—Catherine, tuviste una pesadilla...

—Te digo la verdad. Trataron de matarme, y los ejecutaron por ese motivo.

Una expresión de incredulidad se pintó en el rostro de Reynolds.

—Catherine...

—No te lo conté antes porque... me hace mucho mal hablar de ello.

De pronto él comprendió que lo decía en serio.

—¿Qué pasó?

—Yo no quería darle el divorcio a Larry; él... estaba enamorado de otra mujer, y juntos planearon eliminarme.

Kirk la escuchaba con atención.

—¿Cuándo ocurrió eso?

—Hace un año.

—¿Qué suerte corrieron ellos?

—El gobierno los mandó ajusticiar.

El levantó una mano.

—Un momentito. ¿Dices que fueron ajusticiados por *intentar* matarte?

—Sí.

—Yo no soy un experto en las leyes griegas, pero apuesto cualquier cosa a que no existe la pena de muerte para el *intento* de homicidio. Tiene que haber algún error. Conozco a un abogado de Atenas, que casualmente trabaja para el gobierno. Mañana lo llamo para ver si podemos aclarar esto. Se llama Peter Demonides.

Catherine seguía dormida cuando Kirk se despertó. Rápidamente se vistió y fue hasta el dormitorio. Allí permaneció un instante mirándola. *Cómo la quiero. Tengo que averiguar lo que realmente sucedió y poder quitar todas esas sombras de su pasado.*

Kirk bajó al hall del hotel para llamar a Atenas.

—Quiero hablar de persona a persona con Peter Demonides, operadora.

Media hora más tarde recibía el llamado.

—¿Con el doctor Demonides? Habla Kirk Reynolds. No sé si me recuerda...

—Claro que sí. Usted trabaja para Constantin Demiris.

—Sí.

—¿Qué se le ofrece, doctor Reynolds?

—Perdone que lo moleste, pero cierta información que he recibido últimamente me tiene un poco desconcertado. Se refiere a un punto de las leyes griegas.

—Yo algo conozco sobre el tema —manifestó Demonides, de buen grado—. Será un gusto ayudarlo.

—¿Hay en el derecho de su país algo que permita ejecutar a una persona por un intento de homicidio?

Se produjo un largo silencio en el otro extremo de la línea.

—¿Puedo saber por qué me lo pregunta?

—Estoy con una mujer llamada Catherine Alexander, y ella piensa que su marido y la amante de él fueron ejecutados porque intentaron asesinarla. A mí no me suena muy lógico, ¿me entiende?

—Sí, le comprendo. ¿Dónde se encuentra usted, doctor Reynolds?

—Estoy alojado en el Palace Hotel, de St.-Moritz.

—Mire, voy a hacer alguna averiguación y después lo llamo.

—Se lo agradecería muchísimo. A decir verdad, yo supongo que esta mujer imagina cosas. Por eso me gustaría aclararle el panorama para brindarle algún alivio.

—Entiendo. Yo lo llamo; pierda cuidado.

El aire era frío y tonificante. La belleza del paisaje hizo que Catherine olvidara el terror que había vivido la noche anterior.

Desayunaron en el pueblo, y cuando terminaron, propuso Reynolds:

—Vamos hasta la pista de esquí.

La llevó a la cuesta de los principiantes, y le contrató un instructor.

Catherine se colocó los esquíes y se quedó parada. Luego se miró los pies.

—Esto es ridículo. Si Dios hubiese querido que

206

tuviéramos este aspecto, nuestros padres habrían sido árboles.

—¿Qué?

—Nada, Kirk.

El profesor sonrió.

—No se preocupe. Ya va a ver que enseguida esquía como una profesional. Empezaremos en el lugar de los principiantes, la Corviglia Sass Ronsol.

—Te vas a sorprender de lo rápido que adquieres el arte —le aseguró Reynolds. Miró una pista que había a lo lejos, y le habló al instructor. —Yo voy a probar la Fuorcla Grischa hoy.

—Por el nombre debe estar sabrosísimo. El mío lo quiero a la parrilla —comentó Catherine, pero nadie le festejó el chiste con la más mínima sonrisa.

—Es una pista de esquí, querida.

—Ah. —A Catherine le dio vergüenza explicarle que era una broma. *No debo decir estas cosas cuando estoy con él*, pensó.

—La Grischa tiene un declive muy pronunciado, señor — intervino el instructor—. ¿Por qué no empieza en la Corviglia Standard Marguns?

—Buena idea. Voy a ir ahí. Catherine, nos encontramos en el hotel para el almuerzo.

—Bueno.

Reynolds saludó con la mano y se marchó.

—Que te diviertas —le gritó ella—. No te olvides de escribir.

—Bueno —dijo el instructor—. A trabajar.

Para su gran sorpresa, la clase le resultó divertida. Al principio estaba nerviosa. Se sentía insegura y subió la cuesta con un torpe andar.

—Ahora inclínese para adelante y mantenga los esquíes bien derechos.

—Dígaselo *a ellos*, que se mueven por su propia cuenta.

—Lo está haciendo muy bien. Bueno, a bajar la pendiente. Flexione las rodillas. Mantenga el equilibrio. ¡Ahí va!

Se cayó.

—Vamos de nuevo, que lo está haciendo bien.

Se cayó una y otra vez, hasta que de pronto encontró el sentido del equilibrio y le dio la sensación de tener alas. Se deslizó cuesta abajo como si estuviera volando. Le gustó mucho el ruido de la nieve bajo los patines, y el viento que golpeaba contra su cara.

—¡Me encanta! Con razón la gente se enamora de este deporte. ¿Cuándo puedo largarme por la pendiente alta?

El instructor se rió.

—Mejor nos quedamos aquí todo el día de hoy, y mañana tal vez ya pueda ir a las Olimpíadas.

Fue una mañana gloriosa.

Se encontraba en el bar del hotel cuando Kirk regresó de esquiar. Traía las mejillas sonrosadas y se lo notaba muy animado. Llegó hasta la mesa y se sentó.

—¿Y bien? —preguntó—. ¿Cómo te fue?

—Fantástico. No me quebré nada importante. Me caí nada más que seis veces. ¿Y sabes una cosa? —añadió, orgullosa—. Al final ya lo hacía muy bien. Creo que el profesor me va a anotar para las Olimpíadas.

—Qué bueno —respondió Reynolds, con una sonrisa. Iba a mencionar el llamado a Peter Demonides, pero no lo hizo para no mortificarla.

Después de almorzar salieron a dar una larga caminata por la nieve, y recorrieron también varias tiendas. Catherine estaba empezando a sentirse cansada.

—Quiero volver al hotel y dormir un ratito —dijo.

—Buena idea. Si uno no está acostumbrado a este aire, enseguida se cansa.

—¿Qué vas a hacer tú, Kirk?

El miró en dirección a una pista lejana.

—Tal vez esquíe en la Grischa. Nunca lo hice, y es todo un desafío.

—Lo es...porque está ahí.

—¿Qué?

—Nada. Por el aspecto es tan peligrosa...

Reynolds asintió.

—Por eso es todo un desafío.

Catherine lo tomó de la mano.

—En cuanto a lo de anoche, perdóname. Voy a tratar...
de portarme mejor.

—No te preocupes. Vuelve al hotel y descansa un poco.

—Sí, sí. —Lo observó alejarse y pensó: *Es un hombre
maravilloso. ¿Qué le verá a una tonta como yo?*

Catherine durmió una larga siesta, esta vez sin pesadillas, y se despertó casi a las seis. Kirk debía de estar por regresar.

Se dio un baño y se vistió pensando en la noche que le esperaba. *Voy a dejarlo muy contento.*

Fue a mirar por la ventana. Ya estaba cayendo la noche. *Kirk debe de estar pasándolo muy bien*, pensó, al tiempo que contemplaba la pronunciada pendiente a la distancia. *¿Aquélla será la Grischa? Quién sabe si alguna vez me atreveré a largarme yo por ahí.*

A las siete, Kirk aún no había regresado. El atardecer se había transformado en un negro total. *No puede estar esquiando en la oscuridad. A lo mejor está abajo, en el bar, tomando una copa.*

Se dirigía ya a la puerta cuando sonó el teléfono.

Entonces sonrió. *No me equivoqué. Seguramente me llama para pedirme que baje.*

—¿La señora de Reynolds? —dijo una voz desconocida.

Estuvo a punto de contestar que no, pero de pronto recordó cómo se habían registrado en el hotel.

—Sí, habla ella.

—Lamentablemente tengo que comunicarle una mala

noticia. Su marido sufrió un accidente al esquiar.

—¡Oh, no! ¿Fue... grave?

—Me temo que sí.

—Bajo enseguida. ¿Dónde...?

—Lamento informarle que él... murió, señora. Se hallaba esquiando en el Lagalp y se desnucó.

Capítulo 16

Tony Rizzoli la observó salir desnuda del baño y pensó: *¿Por qué será que las griegas tienen traseros tan grandes?*

Ella se metió en la cama, lo rodeó con los brazos y dijo, en un susurro:

—Me alegro tanto de que me hayas elegido a mí, *poulaki*. Quise tenerte desde el primer momento que te vi.

Tony se esforzó por no soltar una carcajada. Era evidente que esa mujer había visto muchas películas cursis.

—Sí. Yo siento lo mismo, nena.

La había levantado en The New Yorker, un *nightclub* barato de la calle Kallari, donde ella trabajaba de cantante. Era lo que los griegos llaman despectivamente un *gavyeezee skilo*, un perro que ladra. Ninguna de las muchachas que se desempeñaban en el local tenía talento alguno —al menos en las cuerdas vocales—, pero a todas podía uno llevarlas a su casa pagando cierto precio. Ésa en particular —Helena— era relativamente bonita, de ojos oscuros, rostro sensual y una silueta ondulante. Tenía veinticuatro años —algo vieja para el gusto de Rizzoli—, pero como él no conocía a otras mujeres en Atenas, no podía ser demasiado exigente.

—¿Te gusto? —preguntó ella, con afectada timidez.

—Sí. Estoy *pazzo* por ti.

Comenzó a acariciarle los senos, y cuando sintió que se le endurecían los pezones, se los pellizcó.

—¡Ay!

—Lleva la cabeza hacia abajo, nena.

Ella se negó.

—Esas cosas no las hago —dijo.

Rizzoli se quedó mirándola.

—¡No me digas!

Acto seguido la sujetó del pelo y le dio un tirón.

Helena gritó:

—*Parakalo!*

Rizzoli le dio una fuerte cachetada.

—Si vuelves a hacer el más mínimo ruido, te quiebro el pescuezo. —Le empujó la cabeza abajo, hasta su entrepiernas. — Ahí lo tienes, nena. Quiero que lo pongas contento.

—Suéltame —lloriqueó ella—. Estás haciéndome doler.

Rizzoli la tironeó más fuerte del pelo.

—¿Acaso no estabas loca por mí? —La soltó y ella lo miró con ojos de indignación.

—¿Por qué no te vas a...? —La expresión que vio en su rostro la hizo callar. Ese hombre tenía algo muy raro, terrible. ¿Cómo fue que no lo notó antes? —No tenemos por qué pelear —agregó, tratando de aplacarlo—. Juntos podríamos...

Rizzoli le clavó los dedos en el cuello.

—No te pago para que converses —dijo. Luego le dio un puñetazo en la cara. —Cállate la boca y ponte a trabajar.

—Por supuesto, querido —murmuró Helena, gimoteando—. Por supuesto.

Rizzoli era insaciable, y cuando quedó satisfecho, Helena se sentía agotada. Se quedó acostada a su lado hasta que estuvo segura de que él se había dormido; después se bajó de la cama sin hacer ruido y se vistió. Estaba dolorida. Rizzoli aún no le había pagado, y en iguales circunstancias ella le habría sacado el dinero de la billetera, calculando además una generosa propina. Pero en este caso el instinto la llevó a marcharse sin tomar el dinero.

Una hora más tarde Rizzoli se despertó al sentir que golpeaban la puerta. Se incorporó y miró la hora. Eran las cuatro de la mañana. Paseó la mirada a su alrededor: la chica se había ido.

—¿Quién es? —gritó.

—Su vecino. —La voz era de enojo. —Lo llaman por teléfono.

Rizzoli se pasó la mano por la frente.

—Voy enseguida. —Se calzó una robe y fue hasta la silla donde había dejado los pantalones. Se fijó en la billetera y vio que no le faltaba nada de dinero. *Así que la puta no era tonta.* Sacó un billete de cien dólares, se encaminó a la puerta y la abrió.

El vecino estaba parado en el pasillo, vestido también con robe y pantuflas.

—¿Sabe la hora que es? —preguntó, furioso—. Usted me dijo que...

Rizzoli le entregó el billete.

—Lo siento muchísimo —se disculpó—. No voy a demorar mucho.

El hombre tragó saliva, ya sin enojo.

—No se preocupe. Debe de ser algo muy importante si hay necesidad de despertar a la gente a las cuatro de la madrugada.

Tony entró en la habitación de enfrente y levantó el tubo del teléfono.

—Rizzoli.

Una voz dijo:

—Tiene usted un problema, señor Rizzoli.

—¿Quién habla?

—Spyros Lambrou me pidió que lo llamara.

—Ah. —Experimentó una repentina sensación de miedo. — ¿Cuál es el problema?

—Se refiere a Constantin Demiris.

—Sí, ¿qué pasa con él?

—Uno de sus buques cisterna, el *Thele*, está en Marsella, fondeado en la dársena de la Grande Joliette.

—¿Y?

—Nos hemos enterado de que el señor Demiris ha ordenado desviar el buque a Atenas. Atracará allí el domingo por la mañana y zarpará ese mismo día a la noche. Cuando el buque parta, Demiris piensa ir a bordo.

—*¿Qué?*

—Se fuga.

—Pero él y yo tenemos un...

—El señor Lambrou me pidió que le comunicara que Demiris planea ocultarse en los Estados Unidos hasta que pueda encontrar la forma de deshacerse de usted.

¡Ese falso, hijo de puta!

—Entiendo. Agradezca al señor Lambrou de mi parte. Dígale que muchas gracias.

—El placer es de él.

Rizzoli cortó.

—¿Todo bien, señor Rizzoli?

—¿Cómo? Ah, sí. Perfecto. —Así lo sentía él.

Cuanto más pensaba en el llamado telefónico, más contento se ponía Rizzoli. Había forzado a Demiris a huir atemorizado, por lo cual sería mucho más fácil lidiar con él. *El domingo.* Tenía dos días para concretar sus planes.

Sabía que debía andar con cuidado porque lo seguían a todas partes. *Malditos policías*, pensó. *Cuando llegue el momento, pienso deshacerme de ellos.*

A primera hora de la mañana se encaminó a una cabina telefónica de la calle Kifissias y marcó el número del Museo Estatal de Atenas. Reflejado contra un vidrio alcanzó a ver a un hombre que fingía estar mirando un escaparate, y en la acera de enfrente, otro que conversaba con un florista. Ambos formaban parte del equipo de vigilancia que le seguía los pasos. *Buena suerte a los dos*, pensó Rizzoli.

—Oficina del director.

—¿Victor? Habla Tony.

—¿Pasa algo malo? —Un repentino tono de temor en la voz de Korontzis.

—No, no —lo tranquilizó Rizzoli—. Todo anda muy bien. Victor, ¿viste ese hermoso florero con dibujos rojos?

—El ánfora del ka.

—Sí. Esta noche paso a buscarla.

Hubo una pausa larga.

—¿Esta noche? No... no sé, Tony. —Le temblaba la voz. — Si algo no saliera bien...

—Bueno, no importa. Yo quería hacerte un favor, no más. Dile a Sal Prizzi que no tienes el dinero, y déjalo que haga lo que se le...

—No, Tony, espera... —Otra pausa. —De acuerdo.

—¿Seguro que no hay inconvenientes? Si no quieres hacerlo, no tienes más que decírmelo y yo me vuelvo a los Estados Unidos, donde no tengo problemas de esta índole. No tengo por qué soportar este trato...

—No, no. Te agradezco todo lo que estás haciendo por mí, Tony. Sinceramente. Podemos hacerlo esta noche.

—Bueno. Cuando cierre el museo, lo que tienes que hacer es sacar el jarrón verdadero y reemplazarlo por una copia.

—Los custodios revisan todos los paquetes que se sacan del edificio.

—¿Y qué? ¿Acaso ellos son expertos en arte?

—No, claro que no, pero...

—Está bien, Victor. Escúchame: no tienes más que agenciarte una factura de venta de una de las reproducciones y meterla en una bolsa de papel, junto con el original.

—Sí, entiendo... ¿Adónde nos encontramos?

—No vamos a reunirnos. Vete del museo a las seis. Habrá un taxi en la puerta del frente. Lleva el paquete. Dile al chofer que te lleve al Hotel Grande Bretagne y que te espere. Deja el paquete en el auto. Entra en el bar del hotel a tomar una copa. Después, te vas a tu casa.

—Pero el paquete...

—No te aflijas, que alguien se ocupará de él.

Victor Korontzis transpiraba.

—Nunca he hecho nada semejante. Jamás robé nada en la vida...

—Ya sé —lo tranquilizó Rizzoli—. Yo tampoco. Recuerda que soy yo el que corre con todos los riesgos, Victor, y no obtengo nada a cambio.

Korontzis habló con voz entrecortada.

—Eres un buen amigo, Tony. El mejor amigo que he tenido jamás. A propósito, ¿tienes idea de cuándo voy a recibir el dinero?

—Muy pronto —le aseguró Tony—. Cuando concluyamos con esto, ya no tendrás más motivos de preocupación. —*Y yo tampoco*, pensó Rizzoli, feliz. *Nunca más*.

Esa tarde había dos cruceros en el puerto del Pireo, y por consiguiente el museo se llenó de turistas. Por lo general, a Victor Korontzis le gustaba estudiarlos, tratar de adivinar cómo eran sus vidas. Había gente de los Estados Unidos, de Inglaterra y de una decena de países más. Pero, Korontzis estaba demasiado atemorizado como para pensar en ellos.

Miró en dirección a las dos vitrinas donde se exhibían las réplicas de los objetos de arte. En ese momento estaban rodeadas de personas, y las dos vendedoras trataban de satisfacer la intensa demanda.

A lo mejor se venden todas, pensó esperanzado. *Entonces no tendré que cumplir el plan de Rizzoli*. Sin embargo, sabía que no era realista, puesto que había centenares de réplicas guardadas en los sótanos del edificio.

El jarrón que Tony le había pedido que robara era uno de los grandes tesoros del museo, un ánfora del siglo XV a.C, con figuras mitológicas pintadas en rojo sobre fondo negro. La última vez que él la había tocado fue quince años antes, cuando con actitud reverente la colocó dentro de la vitrina que habría de permanecer cerrada eternamente. *Y ahora la robo*, pensó, lleno de desdicha. *Que Dios me ampare*.

Pasó la tarde aturdido, temeroso del momento en que se convertiría en ladrón. Regresó a su despacho, cerró la puerta y se sentó a su escritorio, transido de desesperación. *No puedo hacerlo*, se dijo. *Tiene que haber otra solución. Pero,*

¿cuál? No se le ocurría otra forma de reunir semejante suma de dinero. Todavía le parecía oír la voz de Prizzi. *Me entregará el dinero esta noche, porque de lo contrario con su cuerpo voy a alimentar a los peces. ¿Me entiende?* Ese hombre era un asesino. No, no le quedaba otra salida.

Minutos antes de las seis, se marchó de su oficina. Las mujeres que vendían las reproducciones ya estaban cerrando el local.

—*Signomi* —dijo Korontzis—. Un amigo mío cumple años y se me ocurrió regalarle algo de aquí. —Se acercó a la vitrina y fingió examinarla. Había cántaros, bustos, cálices, libros y mapas. Observó todo como si estuviera tratando de decidir qué compraba. Por último, señaló la copia del ánfora roja. —Creo que le gustará ésa.

—Seguramente que sí —convino la mujer. La retiró de su estante y se la entregó.

—¿Me da una boleta, por favor?

—Por supuesto, señor. ¿Quiere que se la envuelva para regalo?

—No, no. Póngala, no más, en una bolsa.

La mujer así lo hizo, y también puso adentro la factura.

—Gracias.

—Espero que le guste a su amigo.

—No lo dudo. —Tomó la bolsa con manos temblorosas y regresó a su oficina.

Cerró la puerta con llave; luego sacó la réplica y la colocó sobre el escritorio. *Todavía estoy a tiempo*, pensó. *No he cometido ningún delito aún.* La indecisión lo torturaba. Una serie de pensamientos aterradores cruzaron por su mente. *Podría huir a otro país y abandonar a mi mujer y mis hijos. O bien suicidarme. También puedo acudir a la policía y contar que me están amenazando. Pero cuando se sepan los hechos, quedaré arruinado.* No, no había otra salida. Si no pagaba el dinero adeudado, Prizzi lo mataría. *Agradezco a Dios tener a Tony de amigo. Sin él, sería hombre muerto.*

Miró la hora. Había llegado el momento de moverse. Cuando se levantó, le flaqueaban las piernas. Respiró hondo varias veces para tranquilizarse. Tenía las manos húmedas de transpiración, por lo que se las secó en la camisa. Volvió a guardar la réplica en la bolsa de papel y se encaminó a la puerta. Había un guardia apostado en la entrada que se iba a las seis, después de que cerraba el museo, y otro que hacía la recorrida, pero éste último tenía media docena de salones por controlar. Seguramente en ese momento estaría en el otro extremo del museo.

Al salir del despacho se topó con el custodio.

—Perdone, señor Korontzis. No sabía que todavía estaba aquí.

—Sí. Estaba...preparándome para marcharme.

—¿Sabe una cosa? —dijo el guardia, en tono de admiración—. Lo envidio.

Si supiera... —¿De veras? ¿Por qué?

—Usted sabe tanto sobre todas estas cosas preciosas. Yo me paseo por aquí, las miro, pienso que son pedazos de historia... ¿no? No sé mucho sobre estos objetos... a lo mejor algún día usted pueda explicarme...

El tonto no cesaba de hablar.

—Sí, por supuesto. Algún día, con todo gusto. —En el extremo opuesto de la sala estaba la vitrina donde se hallaba la valiosa ánfora. Tenía que desligarse del guardia. —Tenemos problemas con el circuita de alarma del subsuelo. ¿Puede revisarlo?

—Sí, cómo no. Tengo entendido que algunos de estos objetos datan de...

—¿Por qué no se fija ahora? No quisiera irme sin saber que todo está bien.

—Desde luego, señor Korontzis. Enseguida vuelvo.

Korontzis permaneció allí, observándolo cruzar el pasillo para dirigirse al sótano. Apenas hubo desaparecido de la vista, se encaminó de prisa a la vitrina que contenía el ánfora roja. Sacó una llave y pensó: *Realmente voy a cometer el acto. Voy a robarla*. La llave se le resbaló de las manos e hizo ruido al caer al piso. *¿Esto es un signo? ¿Me está diciendo algo Dios?* Sudaba como endemoniado. Se agachó, recogió la llave y miró el ánfora. Era tan bella. Sus antepasados la habían hecho con tanto amor y cuidado, miles de años antes.

El guardia tenía razón: era un pedazo de historia, algo que nunca podría reemplazarse.

Cerró los ojos un instante y se estremeció. Miró alrededor para cerciorarse de que nadie estuviera observándolo; luego quitó llave a la vitrina y con cuidado sacó la reliquia. Tomó la reproducción que llevaba en la bolsa y la colocó en el estante, donde había estado la verdadera.

Se quedó estudiándola un instante. Se trataba de una copia muy buena, pero para él, a todas luces falsa. *Pero sólo para mí*, pensó, *y para unos pocos expertos más*. Ninguna otra persona podría darse cuenta nunca de la diferencia. Y no habría razón para que alguien se pusiera a examinarla con detenimiento. Entonces cerró la vitrina con llave y guardó el ánfora genuina en la bolsa de papel, donde ya estaba la boleta.

Sacó un pañuelo y se enjugó el sudor de la frente. Ya estaba hecho. Miró la hora: las seis y diez. Tenía que apresurarse. Enfiló hacia la puerta y vio al guardia que volvía en dirección a él.

—No encontré fallas en el sistema de la alarma, señor Korontzis, y...

—Me alegro. Siempre hay que tener mucho cuidado.

El hombre sonrió.

—En eso le doy la razón. ¿Ya se va?

—Sí. Hasta mañana.

—Hasta mañana.

El segundo custodio se hallaba en la puerta del frente, aprontándose para partir. Al ver que Korontzis llevaba una bolsa, sonrió y dijo:

—Voy a tener que revisarla. Son sus propias órdenes.

—Por supuesto —se apresuró a decir Korontzis, y le entregó la bolsa. El guardia sacó el cántaro y vio la boleta.

— Es un regalo para un amigo mío, un ingeniero —explicó Korontzis. *¿Qué necesidad tenía de decir eso? Debo obrar con naturalidad.*

—Muy lindo. —El custodio volvió a poner el ánfora en la bolsa, y durante un instante terrible, el director pensó que

219

iba a romperse. Entonces apretó la bolsa contra su pecho y saludó.

—*Kalispehra*.

El guardia le abrió la puerta. —*Kalispehra*.

Korontzis salió al frío aire del atardecer, y respiró hondo para contrarrestar una fuerte sensación de náuseas. Llevaba en las manos un objeto que valía millones de dólares, pero no pensaba en eso. Lo que lo atormentaba era que estaba traicionando a su país, robando un pedazo de historia de su amada Grecia para venderlo a un extranjero ignoto.

Bajó la escalinata. Tal como le había anticipado Rizzoli, había un taxi esperando frente al museo. Enfiló hacia allí y subió.

—Al Hotel Grande Bretagne —dijo.

Se arrellanó en el asiento. Estaba agotado, destruido, como si acabara de tomar parte en una tremenda batalla. Pero, ¿había ganado o perdido?

Cuando el auto estacionó frente al hotel, le pidió al chofer:

—Espere aquí, por favor. —Echó un último vistazo al valioso paquete que quedaba en el asiento; luego se bajó de prisa y entró en el hotel. Desde el hall se dio vuelta y vio que en ese momento un hombre subía al taxi. Un instante después, el vehículo arrancaba a toda velocidad.

Ya estaba hecho. *Nunca voy a tener que hacer de nuevo una cosa así*, pensó. *Jamás. La pesadilla ya terminó.*

El domingo a las tres de la tarde, Tony Rizzoli salió de su hotel y caminó en dirección a la Platia Omonia. Vestía un llamativo saco a cuadros rojos, pantalones verdes y una boina roja también. Dos detectives le seguían los pasos. Uno de ellos comentó:

—Esa ropa debe de habérsela comprado en un circo.

En la calle Metaxa, Rizzoli detuvo un taxi. El detective habló por su *walkie-talkie*.

—El sujeto sube a un taxi que se dirige hacia el oeste.

Una voz le respondió:

—Lo vemos. Estamos siguiéndolo. Regrese al hotel.

—De acuerdo.

Un auto gris, sin chapa, comenzó a seguir al taxi desde una discreta distancia. El taxi enfiló hacia el sur. En el auto gris, el detective que iba sentado al lado del chofer tomó el micrófono de mano.

—Con Central, por favor. Habla la Unidad cuatro. El sujeto viaja en taxi por la dalle Philhellinon...Aguarde. Acaban de doblar a la izquierda por la calle Peta. Parecería que va rumbo a Plaka. Ahí a lo mejor lo perdemos. ¿Pueden poner a alguien que lo siga a pie?

—Un momentito, Unidad cuatro. —Segundos más tarde, volvió a funcionar la radio. —Unidad cuatro, podemos brindarles la ayuda. Si el sujeto se baja en la Plaka, quedará bajo vigilancia.

—*Kala*. Les advierto que viste saco a cuadros rojos, pantalones verdes y boina roja. Muy difícil perderlo. Aguarde un minuto. El taxi se detiene. El individuo se baja en Plaka.

—Pasaremos la información. Ya queda cubierto, y ustedes pueden desentenderse. Cambio y fuera.

En Plaka, dos detectives lo observaron bajar del taxi.

—¿Dónde se habrá comprado semejante atuendo? —se preguntó uno de ellos en voz alta.

Comenzaron a seguirlo en medio del laberinto de calles atestadas de gente, del sector viejo de la ciudad. Durante una hora el hombre paseó por las calles, las tabernas, los bares, las tiendas de regalos y pequeñas galerías de arte. Caminó por la calle Anaphiotika y recorrió el mercado de las pulgas, con su increíble surtido de espadas, dagas, mosquetes, ollas de cocina, velas, lámparas de aceite y binoculares.

—¿Qué diablos hace?

—Da la impresión de que ha salido sólo a dar un paseíto. Un momento... ahí va...

221

Lo siguieron cuando dobló por Aghiou Geronda y se encaminó al restaurante Xinos. Ambos detectives permanecieron afuera, a una distancia escasa, desde donde lo observaron hacer el pedido. Los dos estaban empezando a aburrirse.

—Espero que el tipo haga algo pronto, porque tengo ganas de irme a casa a dormir un rato.

—Quédate despierto, porque si lo perdemos, Nicolino te rompe el culo.

—¿Cómo se nos puede escapar, si sobresale como un farol encendido?

El otro detective lo miró fijo.

—¿Qué? ¿Qué dijiste?

—Dije que...

—No importa. —Había una sensación de apremio en su voz. —¿Le miraste la cara?

—No.

—Yo tampoco. *Tiflo!* Vamos.

Entraron de prisa en el restaurante y se dirigieron a la mesa del sujeto.

Allí se encontraron con la cara de un total desconocido.

El inspector Nicolino se puso furioso.

—Nombré a tres equipos para que siguieran los pasos a Rizzoli. ¿Cómo pudo escapárseles?

—Nos hizo un cambio, señor. El primer grupo lo vio subir a un taxi y...

—¿Lo perdieron de vista?

—No, señor. Nosotros lo vimos bajar del auto, o al menos nos pareció que era él. Vestía unas ropas muy llamativas. Se ve que Rizzoli tenía otro pasajero escondido en el auto, y ambos se cambiaron la ropa, con lo cual seguimos a un hombre que no era.

—Y Rizzoli se marchó en el taxi.

—Sí, señor.

—¿Anotaron el número de la chapa?

—Bueno, no, señor. No nos pareció importante.

—¿Y quién es el hombre que encontraron?

—Un botones del hotel donde se aloja Rizzoli. Éste le dijo que le estaba haciendo una broma a alguien, y le pagó cien dólares. Es todo lo que sabe el chico.

El inspector respiró hondo.

—Y supongo que nadie sabe dónde se halla Rizzoli en este momento.

—No, señor; lamentablemente, no.

Grecia cuenta con siete puertos principales: Salónica, Patras, Volos, Igumenitsa, Kavalla, Iraklion y el Pireo.

El Pireo se encuentra diez kilómetros al sudoeste del centro de Atenas, y no sólo es el más importante del país sino también uno de los mayores de Europa. El complejo portuario consta de varios amarraderos, tres de ellos para embarcaciones de recreo y vapores de ultramar. El cuarto —Hércules— se reserva para cargueros con escotillas que abren directamente sobre el muelle.

El *Thele* estaba fondeado en el Hércules. Se trataba de un inmenso buque cisterna que, por su callada presencia en el puerto oscuro, se asemejaba a un monstruo gigantesco, listo para atacar.

Acompañado por cuatro hombres, Tony Rizzoli llegó hasta el muelle. Levantó los ojos, contempló la inmensa mole y pensó: *De modo que está aquí. Ahora vamos a ver si el amigo Demiris se halla a bordo.*

Se volvió para hablar a sus compañeros.

—Quiero que dos de ustedes esperen aquí. Los otros dos vienen conmigo. Fíjense que nadie baje del barco.

—Bien.

Rizzoli y dos de los hombres subieron por la planchada. Cuando llegaron arriba, un marinero se les acercó.

—¿Qué desean?

—Venimos a ver al señor Demiris.

—El señor Demiris se encuentra en su camarote. ¿El los esperaba?

Entonces el dato que me pasaron era correcto.

223

—Sí, nos espera. ¿A qué hora zarpa el buque?

—A medianoche. Vengan, que los acompaño.

—Gracias.

Cruzaron la cubierta detrás del marinero, y llegaron a una escalera que conducía a un nivel inferior. Bajaron por allí, recorrieron un pasillo angosto y en el trayecto pasaron por la puerta de media docena de camarotes.

Al llegar al último, el marinero iba a golpear, pero Rizzoli lo empujó a un costado.

—Nos vamos a anunciar solos —dijo. Abrió la puerta de un fuerte golpe y entró.

El ambiente era más amplio de lo que suponía. Había en él una cama y un diván, un escritorio y dos reposeras. Detrás del escritorio estaba sentado Constantin Demiris.

Cuando levantó la mirada y vio a Rizzoli, se puso rápidamente de pie, y en el acto palideció.

—¿Qué...qué hacen aquí? —Su voz era un susurro.

—Mis amigos y yo decidimos venir a despedirlo, Costa.

—¿Cómo se enteraron...? Estee... yo no los esperaba.

—No me cabe la menor duda —afirmó Rizzoli, y se volvió para hablar al marinero. —Gracias, amigo.

El marinero se marchó.

Rizzoli entonces se dirigió a Demiris.

—¿Pensaba hacerse un viajecito sin despedirse de su socio?

—No, claro que no. Vine sólo para... revisar unas cosas del barco. Zarpamos mañana por la mañana. —Le temblaban los dedos.

Rizzoli se le acercó más, y le habló con un tono suave de voz.

—Costa, creo que cometió un gran error. No le conviene tratar de escapar porque no tiene dónde esconderse. Usted y yo llegamos a un trato, ¿recuerda? ¿Sabe lo que le pasa a las personas que no cumplen con su palabra? Tienen una muerte fea, muy fea.

Demiris tragó saliva.

—Quiero hablar con usted... a solas.

Rizzoli se dirigió a sus compañeros.

—Esperen afuera —les ordenó.

Cuando se hubieron retirado, Rizzoli se sentó en un sillón.

—Me desilusionó mucho, Costa.

—No puedo cumplir con mi promesa. Le daré dinero... más del que soñó en su vida.

—¿A cambio de qué?

—De que se baje de este barco y no vuelva a molestarme más. —Había desesperación en su voz. —No puede hacerme esto. El gobierno se incautará de mi flota y quedaré en la ruina. Por favor... Le daré lo que quiera.

Tony Rizzoli sonrió.

—Ya tengo todo lo que quiero. ¿Cuántos buques petroleros posee? ¿Veinte? ¿Treinta? Vamos a tenerlos ocupados a todos, usted y yo. Lo único que tiene que hacer es agregar alguno que otro puerto de escala en su trayecto.

—No... no se da una idea del perjuicio que me ocasiona.

—Tal vez debería haberlo pensado antes de planear su complot, ¿no? —Se puso de pie. —Va a tener que hablar con el capitán. Avísele que deberá hacer una escala más, cerca de las costas de Florida.

Demiris vaciló.

—De acuerdo. Cuando usted vuelva por la mañana...

Rizzoli soltó una risa.

—Yo no me voy de aquí. Ya se acabaron los jueguitos. ¿Pensaba huir a medianoche...? bueno, me escaparé con usted. Vamos a subir al barco un cargamento de heroína, Costa, y como para que el trato sea más placentero, traeremos también uno de los objetos de arte del Museo Estatal. Y usted lo ingresará en los Estados Unidos por mí como castigo por haber tratado de engañarme.

Había cierta expresión de aturdimiento en los ojos de Demiris.

—¿No... hay alguna otra cosa que yo pudiera hacer para...?

Rizzoli le dio unas palmaditas en el hombro.

—Anímese. Le prometo que disfrutará siendo mi

socio. — Se encaminó a la puerta y la abrió. —Bueno, a cargar la mercadería —les indicó a sus compañeros.

—¿Dónde quiere que la pongamos?

Hay cientos de lugares perfectos para ocultar algo en cualquier buque, pero Rizzoli no sintió la necesidad de ser astuto. La flota de Constantin Demiris no despertaba ni la más mínima sospecha.

—Pónganla en una bolsa de papas —respondió—. Marquen la bolsa y colóquenla cerca de la cocina. Traigan el jarrón al señor Demiris, que lo va a cuidar personalmente. —Se volvió hacia Demiris, con ojos llenos de desprecio. —¿Tiene algún problema?

Demiris intentó hablar, pero no le salieron las palabras.

—Bueno, muchachos, andando —dijo Rizzoli. Luego se sentó en el sillón. —Lindo camarote. Voy a permitirle que lo conserve, Costa. Mis amigos y yo nos buscaremos otro lugar.

—Gracias —repuso Demiris, desdichado—. Gracias.

A medianoche, el inmenso petrolero salió a mar abierto guiado por dos remolcadores. La heroína estaba escondida a bordo de la nave, y el ánfora se hallaba en el camarote de Demiris.

Rizzoli llamó a un lado a uno de sus hombres.

—Ve ya mismo a la sala de telegrafía y arranca la radio. No quiero que este tipo pueda mandar algún mensaje.

—Entendido.

Sabía que Constantin Demiris era un hombre derrotado, pero no deseaba correr riesgos.

Hasta el momento de zarpar, Rizzoli temió que algo pudiera salir mal, porque lo que estaba sucediendo superaba sus sueños más alocados. Constantin Demiris, uno de los hombres más ricos y poderosos del mundo, era socio suyo. *¿Socio? Más bien soy el dueño de ese hijo de puta. Toda* *su flota me pertenece. Puedo despachar tanta mercadería como me traigan los muchachos. Que los otros se rompan el culo tratando de averiguar cómo hice para entrarla en los Estados Unidos. Todo salió redondo. Además están los tesoros del museo, otra mina de oro. Y eso no es nada más que mío. Los muchachos no pueden codiciar algo que no saben que existe.*

Se durmió y soñó con una flota de barcos de oro y palacios llenos de núbiles doncellas a su servicio.

Cuando despertó por la mañana, fue con sus amigos a desayunar al comedor. Allí encontraron ya a una media docena de miembros de la tripulación. Un camarero se les acercó.

—Buenos días.

—¿Dónde está el señor Demiris? —preguntó Tony—. ¿Acaso no desayuna?

—Va a quedarse en su camarote, señor, pero nos dio instrucciones de que les sirvamos lo que deseen.

—Muy amable de su parte. Bueno, yo quiero un jugo de naranja y huevos con tocino. ¿Y ustedes, muchachos?

—Lo mismo.

Después de haber hecho el pedido, dijo Rizzoli:

—Muchachos, quiero que se porten con mucha calma. Sean amables, simpáticos, y no anden mostrando las armas. Recuerden que somos invitados del señor Demiris.

Como el dueño del barco no apareció a almorzar, ni tampoco a cenar, Rizzoli subió a hablar con él. Lo encontró en su camarote, mirando por un ojo de buey, y lo notó pálido, consumido.

—Tiene que comer para no perder las fuerzas, socio. No me gustaría que se enfermara. Tenemos mucho por hacer. Ya le dije al camarero que le suba algo de comida.

Demiris respiró hondo.

—No puedo...Váyase, por favor.

—Sí, por supuesto —aceptó Tony con una sonrisa—. Y después de comer, duerma un poco, que tiene un aspecto terrible.

Por la mañana, fue a ver al capitán.

—Soy Tony Rizzoli —se presentó—, invitado del señor Demiris.

—Ah, sí. El señor me advirtió que vendría a verme y que a lo mejor había algún cambio de ruta.

—Sí. Yo le avisaré. ¿Cuándo vamos a estar cerca de las costas de Florida?

—Dentro de aproximadamente tres semanas, señor.

—Bien. Hasta luego, entonces.

Salió y se puso a caminar por el barco, *su* barco. Toda la flota le pertenecía. El mundo era suyo también. Se llenó de una euforia como nunca antes había experimentado.

El cruce fue tranquilo, y de tanto en tanto Rizzoli se daba una vuelta por el camarote de Demiris.

—Debería traer a bordo a algunas prostitutas —comentó—. Pero supongo que ustedes, los griegos, no las necesitan, ¿verdad?

Demiris se negó a morder el anzuelo.

Los días pasaban con lentitud, pero cada hora acercaba a Tony más a sus ilusiones. Lo consumía la impaciencia. Transcurrió una semana, luego otra, y pronto comenzaron a aproximarse al continente americano.

El sábado a la noche estaba acodado en la baranda contemplando el mar, cuando de pronto vio un relámpago.

El segundo oficial se le acercó.

—Vamos a tener mal tiempo, señor Rizzoli. Espero que sea buen marino.

Se encogió de hombros.

—A mí nada me molesta.

El mar se embraveció y el barco comenzó a cabecear cuando cortaba las olas.

Sintió mareos. *Después de todo no soy tan buen marino*, pensó. *Pero, ¿qué problema hay?* Total, era dueño del mundo. Regresó pronto a su camarote y se acostó.

Soñó, pero esta vez no con naves de oro ni hermosas doncellas desnudas. Fueron sueños tétricos. Había una guerra, y pudo hasta sentir el rugido de los cañones. De pronto una explosión lo despertó.

Se sentó, totalmente despabilado. El camarote se movía. Evidentemente estaban en medio de una tormenta. Alcanzó a oír pasos por el pasillo. ¿Qué diablos sucedía?

Se levantó de prisa y salió al corredor. De repente el piso se inclinó a un lado, y por poco pierde el equilibrio.

—¿Qué pasa? —preguntó a uno de los hombres que pasaban corriendo.

—Hubo una explosión y se produjo un incendio. Nos estamos hundiendo. Le aconsejo que suba a la cubierta.

¿Hundiéndose? No podía creerlo. Todo había salido tan a la perfección... *Pero no importa*, se dijo. *Puedo darme el lujo de perder este cargamento. Tengo que salvar a Demiris. Él es la clave de todo. Mandaremos a pedir ayuda.* Entonces recordó que había ordenado destruir la radio.

Luchando para mantenerse de pie, llegó hasta la escalera y subió a la cubierta. Allí comprobó, sorprendido, que la tormenta había amainado. El mar estaba calmo y había salido una hermosa luna llena. En ese momento se produjeron dos estallidos más, y el buque comenzó a inclinarse. La proa se hundía rápidamente. Los marineros trataron de bajar los botes salvavidas, pero ya era tarde. El agua que rodeaba el barco era una sola mancha de petróleo en llamas. ¿Dónde estaba Constantin Demiris?

Fue entonces cuando oyó el ruido, una suerte de zumbido que sobresalía por encima de las explosiones. Alzó la mirada y vio un helicóptero que se hallaba a unos tres metros por encima de la nave.

Estamos salvados, pensó, feliz, y le hizo señas desesperadas.

Cuando apareció un rostro en la ventanilla, demoró un instante en reconocer a Demiris, que sonreía y levantaba en una mano la valiosa ánfora.

Se quedó mirándolo, tratando de entender lo que pasaba. ¿Cómo había hecho Demiris para encontrar un helicóptero en medio de la...?

Fue entonces cuando comprendió, y sintió un retortijón en el vientre. Constantin Demiris no había tenido nunca intención de hacer negocios con él. El hijo de puta había planeado todo el operativo desde el comienzo. El llamado para avisarle que Demiris estaba por huir...no había provenido de Spyros Lambrou ¡sino del propio Demiris! Le había tendido una trampa para hacerlo ir al barco, y él se introdujo solo en ella.

El buque comenzó a hundirse más rápidamente; la fría agua del mar ya le bañaba los pies, luego las rodillas. El hijo de puta iba a dejarlos morir ahí, perdidos en la inmensidad, donde no quedarían huellas de lo sucedido.

Levantó la mirada hacia el helicóptero y gritó, enardecido:

—¡Regrese! ¡Le prometo darle lo que quiera! —El viento se llevó sus palabras.

Lo último que alcanzó a ver antes de que el barco terminara de zozobrar y se le llenaran los ojos de agua salada fue el helicóptero, que ascendía raudamente hacia la luna.

Capítulo 17

St.-Moritz

Catherine se hallaba en un estado de profunda conmoción. Sentada en el diván de su habitación del hotel, escuchó al teniente Hans Bergman, jefe de la patrulla de esquí, informarle que Kirk Reynolds había muerto. Como no prestaba atención a las palabras, la voz del policía le llegaba como en ráfagas. Estaba atontada por el horror. *Toda la gente que me rodea, muere*, pensó, angustiada. *Larry murió, y ahora Kirk.* También estaban los otros: Noelle, Napoleon Chotas, Frederick Stavros. Una pesadilla interminable.

En medio de la nebulosidad de la desesperación, alcanzó a oír la voz de Bergman.

—Señora...señora de Reynolds...

Levantó la cabeza.

—No soy la señora de Reynolds —dijo, con un hilo de voz—. Soy Catherine Alexander. Kirk y yo éramos... amigos.

—Ah.

Catherine respiró hondo.

—¿Cómo...cómo ocurrió? Kirk esquiaba tan bien.

—Sí, ya sé. Había venido muchas veces a esquiar aquí. — Meneó la cabeza. —A decir verdad, me intriga muchísimo lo que pasó. Encontramos su cuerpo en la Lagalp, una cuesta que estaba clausurada porque la semana pasada se produjo una avalancha. El cartel debe de haberse volado por el viento. Lo siento muchísimo.

Lo siento. Qué palabras tan débiles, tan estúpidas.

"¿Cómo desea que se organice el sepelio, señorita?

De modo que la muerte no era el fin. No; había que *organizar* cosas. Ataúdes, lote para la sepultura, flores, parientes a quienes avisar. Sintió deseos de gritar.

—¿Señorita Alexander?

Catherine levantó la mirada.

—Yo me ocuparé de notificar a su familia.

—Gracias.

El viaje de regreso a Londres fue un duelo. Había ido a con Kirk a las montañas llena de esperanzas, pensando que ese viaje podía ser un nuevo principio, la puerta que la condujera a una vida nueva.

Kirk había sido tan generoso y complaciente. *Debí haber tenido relaciones con él*, pensó. *Pero a la larga, ¿acaso habría importado? ¿Qué importaba nada? Alguien debe de haberme echado una maldición, porque aniquilo a todo el que se me acerca.*

Llegó a Londres tan deprimida que no quiso volver al trabajo. Permaneció en el apartamento, y se negó a ver ni hablar con nadie. Anna, el ama de llaves, le preparó la comida y se la llevó a la habitación, pero las bandejas volvieron intactas.

—Tiene que comer algo, señorita.

Pero el solo hecho de pensar en la comida la descomponía.

Al día siguiente se sentía peor. Tenía la sensación de llevar un hierro dentro del pecho, por lo cual le resultaba difícil respirar.

No puedo seguir así, se dijo. *Algo tengo que hacer.*

Conversó del tema con Evelyn Kaye.

—Me culpo por todo lo que pasó.

—Eso es una tontería, Catherine.

—Ya sé, pero no puedo evitarlo. Me siento responsable. Me haría falta hablar con alguien... a lo mejor un psiquiatra...

232

—Conozco uno muy bueno. Casualmente atiende a Wim de vez en cuando. Se llama Alan Hamilton. Yo tenía una amiga con tendencias suicidas; el doctor Hamilton la trató y ahora anda muy bien. ¿No quieres ir a verlo?

¿Y si me dice que estoy loca? ¿Y si realmente lo estoy?

—Bueno —aceptó, no de muy buen grado.

—Voy a tratar de conseguirte hora con él, aunque sé que está muy ocupado.

—Gracias, Evelyn. Muchas gracias.

Catherine se dirigió a la oficina de Wim. *Él seguramente querrá enterarse de lo de Kirk*, pensó.

—Wim, ¿te acuerdas de Kirk Reynolds? Murió hace unos días en un accidente de esquí.

—¿Sí? Westminster cero-cuatro-siete-uno.

—¿Qué? —De pronto comprendió que lo que Wim recitaba era el número de teléfono de Kirk. ¿Eso eran las personas para él? ¿Apenas unos números? ¿Acaso no le inspiraban sentimiento alguno? ¿Sinceramente era incapaz de sentir odio o compasión?

A lo mejor está mucho mejor que yo, se dijo. *Al menos no experimenta el tremendo dolor que sentimos todos los demás.*

Evelyn consiguió un turno con el doctor Hamilton para el viernes siguiente. También pensó en avisar a Constantin Demiris lo que había hecho, pero le pareció algo de poca importancia como para molestarlo por ello.

El consultorio de Hamilton quedaba en la calle Wimpole. Catherine fue a su primera sesión con mucho miedo, y enojada. Miedo a lo que él podía decir sobre ella, y enojada consigo misma por tener que depender de un extraño para resolver problemas que, en su opinión, debía solucionar sola.

La recepcionista le informó:

—El doctor Hamilton está listo para atenderla.

Pero, ¿estoy yo lista para dejarme atender? De repente sintió pánico. *¿Qué estoy haciendo aquí? No pienso ponerme en manos de un curandero que probablemente se cree Dios.*

—Señorita...cambié de opinión. En realidad no necesito consultar al doctor. Con gusto le abono la visita.

—¿Sí? Un momentito, por favor.

—Pero...

La empleada había entrado en el despacho del doctor.

Segundos más tarde, se abrió la puerta y salió Alan Hamilton, un hombre de poco más de cuarenta años, alto, rubio, de ojos azules y modales sencillos.

Miró a Catherine y sonrió.

—Me compensó el día, señorita.

Catherine puso cara de no entender.

—¿Qué?

—No sabía lo buen médico que era hasta que llegó usted. Con sólo entrar en la recepción ya se siente mejor. Esto debe ser todo un récord.

Catherine asumió una postura defensiva.

—Perdóneme, pero cometí un error. No necesito ayuda.

—Me alegro de oírlo. Ojalá todos mis pacientes pensaran lo mismo. Pero ya que está aquí, señorita, ¿por qué no pasa un instante? Venga, la invito con un café.

—Gracias. No... —Catherine dudó. —Bueno, un minutito, nada más.

Entró detrás de él en el despacho, una habitación sencilla, decorada con muy buen gusto, que más parecía un living que un consultorio médico. Había bellos grabados en las paredes, y sobre una mesita ratona, una foto de una mujer hermosa con un niño. *Bueno, veo que tiene un consultorio bonito y una familia atractiva. ¿Eso qué prueba?*

—Siéntese, por favor. El café va a estar listo en un minuto.

—Yo no querría hacerle perder el tiempo, doctor...

—No se preocupe por eso. —Se sentó en una poltrona y la estudió con la mirada. —Ha pasado momentos muy difíciles —dijo, condolido.

—¿Qué sabe usted sobre eso? —reaccionó Catherine, con más enojo en la voz del que habría querido expresar.

—Hablé con Evelyn. Ella me contó lo sucedido en St.-Moritz. Lo siento.

Otra vez esa maldita expresión.

—¿Lo siente? Si es un médico tan maravilloso, ¿por qué no le devuelve la vida a Kirk? —Todo el dolor que llevaba contenido en su interior irrumpió con la fuerza de un torrente, y, horrorizada, Catherine no pudo contener unos sollozos histéricos. —¡Déjeme en paz! —gritó—. ¡No me moleste!

Alan Hamilton nada dijo, sino que se limitó a mirarla en silencio.

Cuando por fin logró dominar el llanto, ella dijo:

—Le pido disculpas, pero ahora tengo que irme. —Se levantó y enfiló hacia la puerta.

—Señorita, yo no sé si voy a poder ayudarla, pero me gustaría intentarlo. Lo único que le prometo es que, cualquier cosa que yo haga, no la hará sufrir.

Catherine se detuvo en la puerta, indecisa. Se volvió para mirarlo, con los ojos llenos de lágrimas.

—No sé qué me pasa —confesó en un susurro—. Me siento tan perdida.

Hamilton se levantó y fue hacia ella.

—Entonces, ¿por qué no tratamos de averiguarlo? Eso lo haremos juntos. Tome asiento y espéreme un momentito, que voy a ver cómo anda el café.

Demoró cinco minutos en volver. Catherine se preguntó cómo había hecho él para convencerla de que se quedara. Ese hombre producía un efecto tranquilizador, transmitía confianza con su manera de ser.

A lo mejor puede ayudarme.

Hamilton regresó llevando dos tazas de café.

—Tengo crema y azúcar, si lo desea.

—No, gracias.

El doctor se sentó frente a ella.

—Me han dicho que su amigo murió en un accidente de esquí.

¡Era un tema tan doloroso para tratar!

—Sí. Se lanzó por una pendiente que estaba clausurada. El viento hizo volar el cartel.

—¿Es su primer contacto con la muerte de alguien cercano?

¿Cómo debía responder eso? *No, no. Mi marido y su amante fueron ejecutados por tratar de asesinarme. Todos los que se me acercan mueren.* Con una respuesta como ésa, sí que lo conmovería. Él estaba sentado ahí, esperando una contestación, *hijo de puta, pagado de sí mismo.* Bueno, no iba a darle el gusto. No tenía por qué meterse en la vida de ella. *Lo odio.*

Hamilton vio la furia pintada en su rostro, por lo que deliberadamente cambió de tema.

—¿Cómo anda Wim? —dijo.

La pregunta la tomó desprevenida.

—¿Wim? Bien, bien. Evelyn me contó que era paciente suyo.

—Sí.

—¿Puede explicarme por qué... él es como es?

—Wim empezó a tratarse conmigo porque vivía perdiendo trabajos. Es un ser muy extraño, un verdadero misántropo. No voy a analizar las causas, pero básicamente odia a las personas. Es incapaz de establecer una relación con los demás.

Catherine recordó las palabras de Evelyn: *No siente emociones. Jamás se enamorará de nadie.*

—Pero es un genio de la matemática —prosiguió Hamilton—. Y ahora tiene un empleo en el cual puede aplicar todos esos conocimientos.

Catherine asintió.

—Nunca conocí a nadie que se le parezca.

Alan Hamilton se inclinó hacia adelante.

—Señorita Alexander —dijo—, usted está pasando momentos de mucho dolor, pero yo creo que podría aliviar en algo su sufrimiento. Quisiera probar.

—No sé...Todo me parece tan inútil.

—Si siente así, no hay lugar alguno adonde pueda

acudir; pero, ¿está segura de que no lo hay? —Le dirigió una sonrisa contagiosa. —¿Por qué no fijamos otra entrevista más? Si al concluir esa sesión sigue odiándome, no nos reuniremos más.

—Yo no lo odio —se disculpó Catherine—. Bueno, tal vez un poco.

Hamilton caminó hasta su escritorio y consultó su agenda. Tenía los días totalmente ocupados.

—¿Le parece bien el lunes que viene, a las trece? —Era su hora de almuerzo, pero estaba dispuesto a perderla. Catherine Alexander llevaba una carga insoportable, y quería hacer lo que estuviera a su alcance por ayudarla.

La muchacha lo miró un largo instante.

—De acuerdo —aceptó.

—Bien. Nos vemos el lunes. —Le entregó una tarjeta. — Pero mientras tanto, si me necesita por cualquier cosa, aquí tiene el teléfono del consultorio y el de mi casa. Soy de poco dormir, de modo que no se preocupe si tiene que despertarme.

—Gracias. El lunes nos vemos.

El doctor Hamilton la observó partir. *Es tan vulnerable, y tan bonita. Tengo que andar con cuidado.* Contempló la foto que había sobre su escritorio. *Me pregunto qué pensaría Angela.*

El llamado se produjo a medianoche.

Constantin Demiris escuchó, y luego habló con voz de asombro.

—¿Dice que el *Thele* se hundió? No puedo creerlo.

—Es cierto, señor. Los guardacostas encontraron apenas unos pocos restos del naufragio.

—¿Hubo algún sobreviviente?

—No, señor. Lamentablemente no. Murieron todos los tripulantes.

—Qué terrible. ¿Alguien sabe cómo ocurrió?

—Creo que nunca podremos saberlo señor. Todas las

pruebas están en el fondo del mar.

—El mar —murmuró Demiris—, el mar cruel.

—¿Hacemos la presentación a la compañía de seguros?

—Cuesta preocuparse por estas cosas cuando tantos hombres valientes han perdido la vida. Pero sí, haga, no más, el reclamo a la compañía aseguradora. —Conservaría el ánfora en su colección privada.

Había llegado el momento de castigar a su cuñado.

Capítulo 18

Spyros Lambrou no cabía en sí de la impaciencia mientras aguardaba la noticia de la detención de Demiris. Tenía la radio constantemente encendida y leía con detenimiento todas las ediciones de los diarios. *A esta altura ya debía de haberme enterado*, se dijo. *La policía tendría que haberlo arrestado*.

Apenas Tony Rizzoli le informó que Demiris había accedido a transportar la droga, Lambrou notificó a la Aduana de los Estados Unidos —en forma anónima, desde luego— que el *Thele* estaba por zarpar con un cargamento de heroína.

En ese momento sonó el intercomunicador.

—En línea dos está el señor Demiris, que quiere hablar con usted.

—¿Llama alguien de parte de él?

—No; es él mismo. —Una sensación de frío lo recorrió entero.

Nervioso, atendió.

—¿Costa?

—Spyros. —La voz de Demiris era jovial. —¿Cómo andan las cosas?

—Bien, bien. ¿Dónde estás?

—En Atenas.

—Ah. —Tragó saliva, inquieto. —Hace tiempo que no conversamos.

—Yo he estado muy ocupado. ¿No quieres que almorcemos juntos hoy?

Lambrou tenía un compromiso importante para la hora del almuerzo. Sin embargo, respondió:

—Sí, con todo gusto.

—Bien. Nos encontramos entonces en el club, a las dos.

Cuando Lambrou cortó, le temblaban las manos. ¿Qué podía haber salido mal? Bueno, muy pronto lo averiguaría.

Demiris lo tuvo esperando media hora, y cuando por fin llegó, se disculpó con cierta brusquedad.

—Lamento llegar tarde.

—No tiene importancia.

Spyros lo estudió detenidamente, buscando en él algún signo de la experiencia que debía de haber vivido recientemente. *Nada*.

—Tengo mucha hambre —comentó Demiris, en tono animado— . ¿Y tú? A ver qué hay hoy en el menú. Ah, *stridia*. ¿Quieres empezar con unas ostras, Spyros?

—No, no. —Había perdido el apetito. Al ver que su cuñado desplegaba tanta bonhomía, tuvo una terrible premonición.

Después de haber hecho el pedido, dijo Demiris:

—Tengo que agradecerte algo, Spyros.

—¿Qué cosa? —preguntó, cauteloso.

—Haberme enviado un buen cliente, el señor Rizzoli.

Se humedeció los labios.

—¿Te...reuniste con él?

—Sí, sí. Me aseguró que en el futuro íbamos a hacer muchos negocios en conjunto. —Suspiró. —Aunque lamentablemente no creo que le quede mucho futuro.

Spyros se puso en tensión.

—No te entiendo.

Demiris le respondió con voz áspera.

—Quiero decir que Tony Rizzoli murió.

—¿Cómo...? ¿Qué pasó?

—Tuvo un accidente. —Miró a los ojos a su cuñado. —Como les ocurre a todos los que pretenden engañarme.

—No... te comprendo.

—¿De veras que no? Trataste de destruirme y fracasaste. Te garantizo que para ti habría sido mejor que te salieran bien las cosas.

—No sé... de qué me hablas.

—¿No, Spyros? —Sonrió. —Muy pronto lo sabrás. Pero primero voy a destruir a tu hermana.

Llegaron las ostras.

"Ah —exclamó Demiris—; tienen aspecto de deliciosas. Que disfrutes de tu almuerzo.

Con posterioridad, Demiris rememoró el episodio con un sentimiento de profunda satisfacción. Spyros era un hombre totalmente desmoralizado. Sabía cuánto amaba a su hermana, y planeaba castigarlos a ambos.

Pero primero tenía que resolver algo: el problema de Catherine Alexander. Luego de morir Kirk, lo había llamado, al borde de la histeria.

—Es... espantoso.

—Lo siento tanto, Catherine. Sé lo mucho que apreciabas a Kirk. Es una pérdida terrible para mí también.

Voy a tener que cambiar de planes, pensó Demiris. *Ahora no hay tiempo para Rafina.* Catherine era el último eslabón que podía conectarlo con lo sucedido a Noelle Page y Larry Douglas. Había sido un error dejarla vivir tanto tiempo. En tanto y en cuanto siguiera con vida, alguien podría demostrar siempre lo que él había hecho. Pero si moría, quedaría totalmente a salvo.

Tomó el teléfono de su escritorio y marcó un número. Cuando una voz le atendió, dijo:

—Voy a estar en Kowloon el lunes. Esté allí. —Cortó sin aguardar una respuesta.

Los dos hombres se reunieron en un edificio desierto, que Demiris poseía dentro de la ciudad amurallada.

—Debe parecer un accidente. ¿Puede hacerlo? —preguntó Demiris.

El otro individuo lo tomó como un insulto y sintió que crecía la furia en su interior. Esa clase de preguntas uno se la hacía a algún vago que encontraba por la calle, y tentado estuvo de responder irónicamente: *Sí, creo que puedo hacer-*

lo. ¿Prefiere un accidente en el interior de alguna casa? Puedo hacer que ella ruede por una escalera y se quiebre el pescuezo. La bailarina de Marsella. *También podría emborracharse y terminar ahogada en la bañera.* La rica heredera de Gstaad. *Podría ser que ingiriera una sobredosis de heroína.* De esa forma había eliminado a tres. *O bien, quedarse dormida en la cama con un cigarrillo encendido.* El detective sueco, en L'Hôtel, de París. *¿O prefiere usted que ocurra al aire libre? Por ejemplo, un accidente de tránsito, uno de avión, o también desaparecer en el mar.*

Pero no dijo nada de eso pues, a decir verdad, el hombre que tenía sentado ante sí le daba miedo. Había oído demasiadas historias aterradoras sobre él, y tenía motivos para creerlas.

Por eso, lo único que dijo fue:

—Sí, señor, puedo hacerlo. Nadie lo sabrá jamás. —Y en el momento en que pronunciaba tales palabras, pensó: *Él sabe que lo sabré yo.* Entonces, esperó. Desde ese piso alcanzaban a oírse los ruidos de la calle y el discorde sonido políglota de las diversas lenguas que hablaban los residentes de la ciudad amurallada.

Demiris lo estudiaba con una mirada impasible, y por fin habló.

—Muy bien. El método elíjalo usted.

—Sí, señor. ¿La persona se halla aquí, en Kowloon?

—En Londres. Se llama Catherine Alexander y trabaja en las oficinas que tengo en esa ciudad.

—Me vendría bien que consiguiera presentarme de alguna manera.

Demiris lo pensó un instante.

—La semana que viene envío a Londres a una delegación de ejecutivos. Me encargaré de incluirlo a usted en el grupo. —Se inclinó hacia adelante y agregó, con voz queda: —Una cosa más.

—¿Sí, señor?

—No quiero que nadie pueda identificar el cuerpo.

Capítulo 19

Demiris llamó por teléfono.

—Buenos días, Catherine. ¿Cómo te sientes hoy?

—Bien, gracias, Costa.

—¿Estás mejor?

—Sí.

—Me alegro de oírlo. Voy a enviar a Londres a una delegación de ejecutivos nuestros que van a verificar las operaciones que realizamos allá. Te agradecería que los atendieras como corresponde.

—Con gusto. ¿Cuándo llegan?

—Mañana por la mañana.

—Haré todo lo que esté a mi alcance.

—Sé que puedo contar contigo. Gracias, Catherine.

—De nada.

Adiós, Catherine.

La comunicación se cortó.

¡De modo que eso ya estaba hecho! Demiris se acomodó en su asiento, y pensó. Al desaparecer Catherine Alexander, ya no quedaban más cabos sueltos. Ahora podría dedicar toda su atención a su mujer y su cuñado.

—Tenemos invitados esta noche; unos ejecutivos de la oficina. Quiero que seas la anfitriona.

Como hacía tanto tiempo que no hacía de anfitriona para su marido, se sintió alborozada. *A lo mejor las cosas empiezan a cambiar.*

Sin embargo, la cena no cambió nada. Llegaron tres

personas, comieron y se marcharon.

Le presentaron a los hombres mecánicamente y permaneció callada durante toda la cena, mientras su marido se dedicaba a seducirlos. Casi se había olvidado de lo carismático que podía ser Costa. Relató cuentos divertidos, los llenó de cumplidos, y a ellos les encantó. Estaban en presencia de un gran hombre, y demostraban que se daban cuenta de ello. Melina no tuvo ni la menor oportunidad de hablar. Cada vez que iba a decir algo Costa la interrumpía, hasta que por fin optó por quedarse muda.

¿Para qué quiso que estuviera yo aquí? —se preguntó.

Al concluir la velada, cuando los invitados ya se retiraban, les dijo Demiris:

—Mañana a primera hora parten para Londres. Estoy seguro de que harán allá todo lo que sea preciso hacer.

De inmediato se marcharon.

La delegación arribó a Londres al día siguiente. Estaba formada por tres hombres de diferentes nacionalidades.

Jerry Haley, el norteamericano, era alto, musculoso, de ojos grises y sonrisa simpática. A Catherine le fascinaron sus manos, las más grandes que hubiese visto jamás. Además, parecían tener vida propia pues estaban en constante movimiento, como deseosas de tener siempre algo que hacer.

Yves Renard —francés— contrastaba enormemente ya que era bajo y gordo. Catherine tenía la sensación de que su mirada fría e indagadora la traspasaba. Parecía una persona reservada, introvertida. La palabra que venía a la mente de Catherine era *cauteloso*. Pero, ¿cauteloso por qué?

El tercero era Dino Mattusi, italiano, un hombre que caía muy bien y derrochaba simpatía por los cuatro costados.

—El señor Demiris la aprecia mucho —comentó Mattusi.

—Eso para mí es un elogio.

—Dijo que usted se iba a ocupar de nosotros aquí en

Londres. Mire, le traje un regalito. —Le entregó un paquete con la etiqueta de la casa Hermès. Adentro venía un hermoso pañuelo de seda.

—Gracias; muy amable de su parte. —Miró a los demás. — Vengan conmigo, que les muestro sus oficinas.

A sus espaldas oyeron un fuerte ruido a algo que se rompía, que los hizo volverse. Había un muchachito que transportaba tres maletas y contemplaba consternado un paquete que se le había caído. Parecía de unos quince años, y era menudo para su edad. Tenía pelo castaño enrulado, ojos verdes y un aspecto muy frágil.

—¡Por Dios! —le espetó Renard—. ¡Ten cuidado con esas cosas!

—Perdón —se disculpó el chico—; perdón. ¿Dónde pongo las maletas?

—En cualquier parte —se impacientó el francés—. Todavía no las necesitamos.

Catherine miró intrigada al joven, y Evelyn le explicó:

—Este chico era cadete en nuestras oficinas de Atenas, y vino porque necesitábamos otro cadete aquí.

—¿Cómo te llamas? —le preguntó Catherine.

—Atanas Stavich, señorita. —Estaba a punto de echarse a llorar.

—Bien. Ahí al fondo hay una habitación donde puedes dejar las valijas, Atanas. Yo me ocuparé de que después alguien las lleve.

—Gracias, señorita.

Catherine se volvió para dirigirse a los visitantes.

—El señor Demiris me anticipó que venían para estudiar el funcionamiento de esta empresa. Yo voy a ayudarlos en todo lo que pueda. Cualquier cosa que necesiten, trataré de conseguírsela. Ahora, si me acompañan, les presentaré a Wim y el resto del personal. —Avanzaron por el pasillo y Catherine iba deteniéndose para hacer las presentaciones, hasta que llegaron a la oficina de Wim.

—Wim, ésta es la delegación que envió el señor Demiris: los señores Yves Renard, Dino Mattusi y Jerry Haley, que acaban de llegar de Grecia.

—Grecia tiene una población de sólo siete millones seiscientos treinta mil habitantes. —Los hombres intercambiaron miraditas de extrañeza.

Catherine sonrió para sus adentros. Wim estaba causando a esa gente la misma impresión que le causó a ella cuando lo conoció.

—Les he hecho preparar sus oficinas —anunció—. ¿Por qué no vienen conmigo?

Cuando salieron al pasillo, Jerry Haley preguntó:

—¿Qué es esa persona? Me habían dicho que era alguien importante de aquí.

—Lo es —le aseguró Catherine—. Wim controla las finanzas de los diversos departamentos.

—Yo no lo dejaría controlar ni a mi gato —ironizó Haley.

—Cuando lo conozcan mejor...

—A mí no me interesa conocerlo mejor —murmuró el francés.

—Ya les conseguí los hoteles —les informó Catherine—. Tengo entendido que cada uno prefiere alojarse en uno distinto.

—Así es —repuso Mattusi.

Ella estuvo a punto de comentar algo al respecto, pero prefirió no hacerlo. No tenía por qué importarle que hubieran elegido parar en hoteles diferentes.

Mientras la observaba, pensó: *Es mucho más linda de lo que suponía, por lo cual mi tarea será también mucho más interesante. Además, se le nota en los ojos que ha sufrido intensamente. Yo le voy a enseñar lo sublime que puede llegar a ser el sufrimiento. Lo disfrutaremos juntos. Y cuando haya acabado con ella, la enviaré al lugar donde no se siente más dolor. Cómo me va a gustar esto. Para mí será un inmenso placer.*

Catherine los llevó a sus respectivas oficinas, y cuando se hubieron ubicado, regresó a su propio despacho. Desde el pasillo oyó que el francés le gritaba al cadete.

—¡Éste no es mi portafolio, estúpido! El mío es marrón. ¡Marrón! ¿Entiendes?

—Sí, señor. Perdone, señor —dijo el chico, aterrado.

Voy a tener que intervenir en esto, se dijo Catherine.

—Si precisas ayuda con el grupo, avísame —se ofreció Evelyn Kaye.

—Gracias, Evelyn. Cualquier cosa, te digo.

Minutos más tarde, Atanas Stavich pasó frente a la oficina de Catherine, y ella aprovechó para llamarlo.

—¿Puedes entrar un segundito, por favor?

El muchacho la miró asustado.

—Sí, señorita. —Entró como con miedo a ser castigado.

—Cierra la puerta, por favor.

—Sí, señorita.

—Siéntate, Atanas. Atanas era tu nombre, ¿verdad?

—Sí, señorita.

Trataba de ponerlo cómodo pero no lo lograba.

—No tienes nada de qué atemorizarte.

—No, señorita.

Catherine se preguntó qué cosas tremendas le habrían ocurrido como para que hubiera quedado con tanto miedo. Por eso, se propuso averiguar algo más sobre su pasado.

—Atanas, si alguien de aquí te causa algún problema, quiero que vengas y me lo digas. ¿Entiendes?

El chico tragó saliva.

—Sí, señorita.

Sin embargo, ella se preguntó si tendría el coraje suficiente como para acudir en busca de ayuda. En algún momento, alguien le había destrozado la moral.

—Hablaremos en otra oportunidad, Atanas.

El currículum vitae de los miembros de la delegación decía que todos habían trabajado en diversas divisiones del extenso imperio de Constantin Demiris, de modo que tenían experiencia dentro de la organización. El que más intrigaba a Catherine era el afable italiano. Dino Mattusi la bombardeaba con preguntas cuyas respuestas debía haber sabido, y no parecía demasiado interesado en conocer el funcionamiento de la sucursal Londres. De hecho, más que por la empresa se interesaba por la vida privada de Catherine.

—¿Es casada? —le preguntó.

—No.

—Pero estuvo casada.

—Sí.

—¿Se divorció?

Ella quiso poner fin a la conversación.

—Soy viuda.

Mattusi le sonrió.

—Apuesto a que tiene algún amigo... usted me entiende.

—Le entiendo —respondió ella con desagrado. *Y es cosa mía.* —¿Está casado *usted*?

—Sí, sí. Tengo mujer y cuatro hermosos *bambini* que me extrañan mucho cuando viajo.

—¿Viaja usted mucho, señor Mattusi?

Él puso cara de ofendido.

—Dígame Dino, por favor. El señor Mattusi es mi padre. Sí, viajo bastante. —Le sonrió y bajó la voz. —Pero a veces los viajes nos brindan placeres adicionales. ¿Me comprende?

Catherine le devolvió la sonrisa.

—No.

Ese día, a las doce y quince, Catherine se dirigió a la sesión con el doctor Hamilton. Para su gran sorpresa, se dio cuenta de que esperaba con ganas esa hora. Recordó lo alterada que había estado cuando fue a verlo la vez anterior. Ahora, en cambio, entró en el consultorio dominada por una sensación expectante. La secretaria había salido a almorzar, y la puerta del consultorio se hallaba abierta. Alan Hamilton estaba esperándola.

—Pase —le dijo. Cuando ella hubo entrado, le señaló un sillón. —¿Y bien? ¿Tuvo una buena semana?

¿Había sido buena? En realidad, no. No pudo borrar el recuerdo de Kirk Reynolds de su mente.

—Anduve bastante bien. Trato de... estar siempre ocupada.

—Eso ayuda mucho. ¿Cuánto hace que trabaja con Demiris?

—Cuatro meses.

—¿Le gusta el trabajo?

—Me sirve para no... pensar en otras cosas. Yo tengo una enorme deuda con el señor Demiris. No le puedo decir lo mucho que ha hecho por mí. —Esbozó una sonrisita triste. —Pero supongo que voy a terminar diciéndoselo, ¿no?

Hamilton negó con un movimiento de cabeza.

—Me dirá sólo lo que quiera.

Se produjo un silencio, que finalmente ella quebró.

—Mi marido trabajaba con el señor Demiris; era su piloto. Yo... tuve un accidente náutico y perdí la memoria. Cuando la recobré, el señor Demiris me ofreció este empleo.

Estoy dejando de mencionar el sufrimiento y el terror. ¿Acaso me da vergüenza contarle que mi marido trató de matarme? ¿Será porque no quiero que me considere menos valiosa?

—A nadie le resulta fácil hablar de su pasado.

Catherine lo miró en silencio.

—Dijo que había perdido la memoria.

—Sí.

—Y que tuvo un accidente náutico.

—Sí. —Catherine sentía los labios tensos, como si estuviera decidida a relatar lo menos posible. Por un lado deseaba contarle todo y así poder recibir su ayuda, y por el otro, no quería decirle nada sino que la dejara en paz.

Hamilton la escrutaba con la mirada.

—¿Está divorciada?

Sí... Me divorció un pelotón de fusilamiento.

—Mi marido... murió.

—Señorita Alexander... —Titubeó. —¿Le molesta que la llame Catherine?

—No.

—Dígame Alan. Catherine, ¿a qué tiene miedo?

—¿Por qué supone que tengo miedo?

—¿Acaso no lo tiene?

—No. —Esta vez el silencio fue más prolongado.

Tenía miedo de expresarlo con palabras, de sacar la realidad a la superficie.

"La gente que me rodea... termina muriéndose.

Si él se sorprendió por sus palabras, al menos no lo demostró.

—¿Por lo cual cree que es usted la causante de las muertes?

—Sí. No. No sé. Tengo sentimientos confusos.

—A menudo nos echamos la culpa por cosas que le pasan a otra gente. Cuando una pareja se divorcia, los hijos suponen que son ellos los culpables. Si un hombre maldice a otra persona y ésta muere, cree que la muerte fue por causa de él. Estas ideas son muy habituales. Usted...

—Es algo más.

—¿Sí? —La estudiaba con la mirada, dispuesto a escuchar.

Entonces, las palabras le brotaron libres.

—Mi marido y... su amante fueron ejecutados. Los dos abogados que los defendieron murieron también. Y ahora... —Se le quebró la voz. —Kirk.

—¿Y usted cree ser la culpable de todas esas muertes? Es una carga muy pesada para soportar, ¿verdad?

—Es como si yo fuera una especie de amuleto pero de la mala suerte. Me da miedo entablar una relación con otro hombre. No sé. No podría soportar que le...

—Catherine, ¿sabe usted de qué vida es responsable? De la suya, nada más. Es imposible que determine la vida o la muerte de otras personas. Usted es inocente; no tuvo nada que ver con esas muertes, y eso tiene que entenderlo.

Usted es inocente; no tuvo nada que ver con esas muertes. Catherine se quedó ahí sentada, pensando en esas palabras que deseaba creer con todas sus fuerzas. Esas personas habían muerto a causa de sus propios actos, no por culpa de ella. Y en cuanto a Kirk, había sido un lamentable accidente. ¿No?

Alan Hamilton la observaba en silencio. Catherine entonces levantó los ojos y pensó: *Es un hombre decente.* De pronto le vino otro pensamiento: *Qué pena que no lo conocí antes.* Con sentimiento de culpa posó sus ojos en la foto de la esposa de Alan y su hijo, que estaba sobre la mesita.

—Gracias. Voy a... tratar de creerle. Tengo que acostumbrarme a la idea.

Hamilton sonrió.

—Nos iremos acostumbrando los dos juntos. ¿Va a volver?

—¿Qué?

—La sesión de hoy era de prueba, ¿recuerda? Usted iba a decidir si continuaba con la terapia.

Catherine no vaciló.

—Sí, vuelvo, Alan.

Cuando se hubo marchado. Hamilton se quedó pensando en ella.

Durante los largos años que llevaba como terapeuta había tenido muchas pacientes bonitas, y algunas hasta habían manifestado cierto interés sexual por él, pero como buen psiquiatra que era, no podía permitirse caer en la tentación. Casualmente uno de los primeros tabúes de su profesión era el establecer una relación personal con un paciente. Habría sido una traición.

Alan Hamilton provenía de una familia de médicos. El padre era un cirujano que se había casado con su enfermera, y el abuelo había sido un famoso cardiólogo. Desde niño Alan quiso ser cirujano como el papá.

Concurrió a la facultad de medicina de King's College

y, cuando se recibió, se especializó en cirugía.

Tenía un talento natural, algo innato que no podía enseñarse. Pero después, el 1º de septiembre de 1939, el ejército del Tercer Reich cruzó la frontera de Polonia, y dos días más tarde Gran Bretaña y Francia declararon la guerra. Había empezado la Segunda Guerra Mundial.

Hamilton se alistó como cirujano.

El 22 de junio de 1940, cuando las fuerzas del Eje ya habían conquistado Polonia, Checoslovaquia, Finlandia, Noruega y los Países Bajos, sucumbió Francia, y el impacto de la guerra recayó sobre las Islas Británicas.

Al principio, un centenar de aviones dejaron caer bombas en las ciudades inglesas. Pronto fueron doscientos los aviones, y luego mil. La carnicería fue atroz. Había muertos y heridos por doquier, ciudades en llamas. Pero Hitler se había equivocado terriblemente al juzgar a los británicos. Los ataques sólo sirvieron para afianzar su espíritu: estaban listos para morir en defensa de su libertad.

No había respiro ni de día ni de noche, y Alan Hamilton pasaba sin dormir períodos de hasta sesenta horas. Cuando el hospital de emergencia en el que se desempeñaba fue bombardeado, trasladó sus pacientes a un depósito. Salvó innumerables vidas trabajando en las condiciones de mayor peligro.

En octubre, cuando arreciaban los bombardeos, un día en particular sonaron las sirenas de alarma y la gente corrió a los refugios antiaéreos subterráneos. Alan en ese momento estaba operando, y no quiso abandonar a su paciente. Las bombas caían cada vez más cerca. Un colega le gritó: "Salgamos ya mismo de aquí".

"Enseguida". Había abierto el pecho del paciente y estaba extrayendo restos ensangrentados de metralla.

"¡Alan!"

No pudo marcharse. Concentrado en su labor, no se percató de las bombas que caían a su alrededor. Por supuesto, no oyó el sonido de la que estalló en el edificio.

Estuvo seis días en coma, y cuando despertó se enteró de que, además de otras heridas, se le habían deshecho los huesos de la mano derecha. Se la habían arreglado y de aspecto estaba normal, pero ya nunca podría volver a operar.

Demoró casi un año en superar el trauma de ver arruinado su futuro. Se trató con un psiquiatra serio, de mentalidad práctica, que un día le dijo: "Deje de compadecerse y vuelva a enfrentar la vida".

"¿Haciendo qué?", preguntó Alan amargamente.

"Lo que hacía hasta ahora, pero de una manera distinta."

"No le entiendo."

"Usted es un hombre que cura, Alan. Cura el cuerpo de las personas. Bueno, eso no lo puede hacer más, pero tan importante como eso es curar las mentes. Estoy seguro de que sería un buen psiquiatra porque es inteligente y compasivo. Piénselo."

Resultó ser una de las decisiones más acertadas de su vida. Le gustaba enormemente lo que hacía. En cierto sentido, le resultaba más gratificante lograr que un paciente que llegaba sumido en la desesperanza volviera a la normalidad que curarlo de sus males físicos. Muy pronto se hizo buena fama, y desde hacía tres años se veía obligado a rechazar pacientes. A Catherine accedió a tratarla sólo para poder derivarla a algún colega. Sin embargo, ella había logrado conmoverlo. *Tengo que ayudarla.*

Cuando regresó a la oficina luego de su sesión con Hamilton, Catherine fue a ver a Wim.

—Hoy estuve con el doctor Hamilton —le contó.

—¿Sí? En la readaptación social psiquiátrica, la tasa de muerte de uno de los cónyuges es de cien, de divorcios setenta y tres, de separaciones sesenta y cinco, de detención en cárceles sesenta y tres, de muerte de un familiar cercano sesenta y tres, de heridas o enfermedades de la persona cincuenta y tres, de matrimonio cincuenta, de despidos del trabajo cuarenta y siete...

Catherine se quedó escuchándolo. *¿Cómo será*, se preguntó, *pensar las cosas sólo como números, no conocer a otra persona como ser humano, no tener nunca un amigo? Tengo la sensación de haber encontrado un nuevo amigo*, se dijo.

¿Cuánto tiempo hará que está casado?

Capítulo 20

Atenas

Trataste de destruirme y fracasaste. Te garantizo que para ti habría sido mejor que te salieran bien las cosas. Pero primero voy a destruir a tu hermana.

Las palabras de Constantin Demiris resonaban en los oídos de Lambrou. No tenía dudas de que su cuñado trataría de llevar a cabo su amenaza. Por Dios, ¿qué pudo haberle salido mal a Rizzoli, si todo se había planeado tan al detalle? Pero no había tiempo para detenerse a especular sobre lo sucedido. Ahora lo importante era advertir a su hermana.

Su secretaria entró en el despacho.

—Está esperando la persona que tenía citada a las diez. ¿La hago pasar?

—No. Cancele todos mis compromisos. —Tomó el teléfono, hizo un llamado y cinco minutos más tarde iba rumbo a encontrarse con Melina.

Ella lo esperaba en el jardín de la residencia.

—Spyros. ¡Te noté tan preocupado por teléfono! ¿Qué pasa?

—Tenemos que hablar. —La condujo hasta un banco que había debajo de una glorieta. Se sentó mirando a su hermana, y pensó: *¡Qué mujer encantadora es! Siempre fue motivo de alegría para todos los que se han cruzado en su camino. No merece que le pase esto.*

—¿No me vas a contar qué ocurre?

Lambrou respiró hondo.

—Lo que voy a decirte es muy doloroso, querida.

—Estás empezando a preocuparme.

—Ésa es mi intención. Tu vida corre peligro.

—¿Qué? ¿Quién la pone en peligro?

Spyros midió sus palabras.

—Creo que Costa va a intentar darte muerte.

Melina se quedó mirándolo boquiabierta.

—Hablas en broma.

—No; lo digo en serio, Melina.

—Querido, Costa es muchas cosas, pero no asesino. Sería incapaz...

—Te equivocas. Ya ha matado antes.

—¿Qué dices? —reaccionó ella, repentinamente pálida.

—Bueno, no lo hace él con sus propias manos, pero se lo encarga a otro...

—No te creo.

—¿Te acuerdas de Catherine Douglas?

—La mujer que fue asesinada...

—No la mataron: está viva.

Melina hizo gestos de negación con la cabeza.

—Imposible. Es decir... no puede ser, porque ejecutaron a los homicidas.

Lambrou tomó las manos de su hermana entre las suyas.

—Melina, Larry Douglas y Noelle Page no mataron a Catherine. Durante todo el transcurso del juicio, Costa la tuvo escondida.

Melina quedó azorada, sin poder hablar porque de pronto recordó a la mujer que había alcanzado a divisar en su casa.

¿Quién es la mujer que vi en el hall?

Es una amiga de un socio mío. Va a trabajar en mis oficinas de Londres.

La vi de paso y me hizo acordar a alguien. Me recuerda a la esposa del piloto que trabajaba contigo, pero sé que es imposible porque la asesinaron.

Sí, la mataron.

—La vi en la casa, Spyros. Costa me mintió, entonces.

—Está loco. Quiero que juntes tus cosas y te marches de aquí.

Ella le respondió, serena:

—No; ésta es mi casa.

—Melina, no quiero que te pase algo.

—No te preocupes —repuso ella con voz firme—. No me pasará nada. Costa no es ningún tonto; sabe que si me hiciera daño, lo pagaría muy caro.

—Es tu marido, pero no lo conoces. Tengo miedo por ti, Melina.

—Te juro que puedo manejarlo, Spyros.

Lambrou se dio cuenta de que no había forma de disuadirla.

—Si no te vas, al menos hazme un favor. Prométeme que no vas a estar a solas con él.

Melina le dio una palmadita en la mejilla.

—Te lo prometo. —Desde luego, no tenía la menor intención de cumplir su palabra.

Cuando esa noche llegó Demiris a su casa, Melina estaba esperándolo. Él la saludó con una simple inclinación de cabeza y siguió de largo hacia su dormitorio. Melina fue atrás.

—Creo que ya es hora de que hablemos, Costa.

Demiris miró la hora.

—Me quedan apenas cinco minutos. Tengo un compromiso.

—¿Ah, sí? ¿Piensas matar a alguien esta noche?

—¿Qué estás diciendo?

—Spyros vino a verme esta mañana.

—Voy a prohibir que tu hermano vuelva a pisar esta casa.

—La casa es mía también —lo desafió—. Tuvimos una charla muy interesante.

—No me digas. ¿Sobre qué?

—Sobre ti, Catherine Douglas y Noelle Page.

Con esas palabras logró toda la atención de su marido.

—Eso es historia antigua.

—¿De veras? Spyros dice que hiciste matar a dos

personas inocentes, Costa.

—Spyros es un idiota.

—Yo vi a la chica aquí, en esta casa.

—Nadie te va a creer. No volverás a verla porque ya envié a alguien para eliminarla.

De pronto ella recordó a los tres hombres que habían ido a cenar. *Mañana a primera hora parten para Londres. Estoy seguro de que harán allá todo lo que sea preciso hacer.*

Demiris se le acercó y habló con voz contenida:

—Ya me estoy hartando de ti y de tu hermano. —Le sujetó el brazo y se lo apretó con fuerza. —Spyros trató de arruinarme. Más le habría convenido haberme matado. —La apretó más aún. — Los dos van a lamentar que no lo haya hecho.

—¡Basta! Me estás haciendo doler.

—Mi querida esposa, todavía no sabes lo que es el dolor, pero pronto lo sabrás. —Le soltó el brazo. —Pero no voy a salir a matarte abiertamente. No, no. Tengo hermosos planes para ti y tu hermanito. Bueno, ya conversamos. Si me disculpas, voy a ir a cambiarme. No es de buena educación dejar esperando a una dama.

Dio media vuelta y se dirigió a su cuarto de vestir. Melina se quedó ahí, sintiendo que el corazón le latía con fuerza. *Spyros tenía razón. Es un loco.*

Se sentía totalmente indefensa, pero no temía por su propia vida. *¿Qué motivo tengo para vivir?*, pensó. El marido le había quitado toda dignidad y la rebajó hasta el nivel de él. Recordó tantas veces que la había humillado en público. Sabía que sus amistades la compadecían. No, por ella misma no se preocupaba más. *Estoy dispuesta a morir*, se dijo, *pero no puedo permitir que haga daño a Spyros*. Sin embargo, ¿qué puedo hacer para impedírselo? Spyros era un hombre poderoso, pero su marido lo era más. Sabía con certeza que, si ella lo dejaba, Costa iba a cumplir su amenaza. *Tengo que detenerlo de alguna manera. Pero, ¿cómo? ¿Cómo...?*

Capítulo 21

La delegación de ejecutivos griegos tenía a Catherine muy ocupada. Organizó para ellos reuniones con otros ejecutivos de la compañía y los llevó a recorrer las oficinas de Londres. Todos se maravillaron de su eficiencia, y quedaron debidamente impresionados.

Los días de Catherine eran intensos, y las distracciones le impedían ponerse a pensar en sus problemas. También llegó a conocer un poco más a cada uno de los hombres.

Jerry Haley era la oveja negra de su familia. El padre había sido un acaudalado petrolero, y el abuelo, un juez muy respetado. Cuando Jerry tenía veintiún años, cumplió una condena de tres años en un centro juvenil de detención por robo de autos, robo en casas particulares y violación. Su familia finalmente lo envió a Europa para librarse de él. "Pero después me enderecé", le contó a Catherine. "Abrí una página nueva en mi vida."

Yves Renard era un hombre amargo. Catherine se enteró de que sus padres lo habían abandonado, por lo cual lo criaron unos parientes lejanos que lo trataban muy mal. "Tenían una granja cerca de Vichy donde me hacían trabajar como un perro de sol a sol. Me escapé de ahí a los quince años, y me fui a buscar empleo a París."

Dino Mattusi, el alegre italiano, había nacido en Sicilia, en una familia de clase media.

—Cuando tenía dieciséis años provoqué un gran escándalo cuando huí con una mujer casada, diez años mayor que yo. Ah, era *bellisssima.*"

—¿Cómo terminó el asunto? —preguntó Catherine.

Mattusi suspiró.

—Me trajeron de vuelta a casa y después me mandaron a Roma para escapar de la ira del marido de la mujer.

Catherine sonrió.

—Entiendo. ¿Cuándo entró en la empresa del señor Demiris?

No quiso ser concreto en su respuesta.

—Al tiempo. Primero trabajé de cualquier cosa con tal de ganarme la vida.

—¿Y después conoció a su mujer?

Miró a Catherine a los ojos y respondió:

—Mi mujer no está aquí.

La observaba, hablaba con ella, escuchaba el sonido de su voz, olía su perfume. Quería saber hasta el último detalle sobre ella. Le agradaba el modo en que se movía, y se preguntaba cómo sería su cuerpo bajo el vestido. Pronto lo sabría, muy pronto. No aguantaba más.

Jerry Haley entró en la oficina de Catherine.

—¿Le gusta el teatro, Catherine?

—Sí...

—Están dando una obra musical nueva, *Finian's Rainbow*. Me gustaría verla esta noche.

—Si quiere, con todo gusto le consigo una entrada.

—No sería demasiado divertido ir solo. ¿Tiene algo que hacer hoy?

Catherine vaciló.

—No. —Clavó la mirada en las manos enormes e inquietas de Haley.

—¡Fantástico! Pase a buscarme a las siete por el hotel. —Fue una orden. Luego dio media vuelta y se marchó.

Qué raro, pensó Catherine. Ese hombre parecía tan abierto y simpático, y sin embargo...

Después me enderecé. No pudo sacarse de la mente la imagen de esas manazas.

Haley la estaba esperando en el hall del Hotel Savoy, y juntos fueron al teatro en una limusina de la empresa.

—Londres es una ciudad preciosa —comentó él—. Siempre me encanta volver. ¿Hace mucho que está aquí?

—Unos meses.

—¿Es norteamericana de nacimiento?

—Sí, de Chicago.

—Ésa sí que es una linda ciudad. He pasado muy buenos momentos allí.

¿Violando a mujeres?

Llegaron al teatro y se unieron al gentío. El espectáculo fue excelente y el elenco espléndido, pero Catherine no pudo concentrarse. Haley se pasó todo el tiempo haciendo tamborilear los dedos contra el costado de la butaca, sobre su falda, sobre las rodillas. No podía tener quietas esas manos inmensas.

Cuando terminó la representación, se volvió hacia Catherine.

—La noche está tan linda...¿No quiere que dejemos el auto y vayamos a caminar por Hyde Park?

—Mañana tengo que estar muy temprano en la oficina. Tal vez en otro momento.

Haley la estudió con una mirada enigmática.

—Bueno. Hay tiempo de sobra.

Yves Renard se interesó por los museos.

—Claro que en París tenemos el museo más grande del mundo. ¿Conoce el Louvre? —preguntó a Catherine.

—No. No conozco París.

—¡Qué pena! Tendría que ir algún día. —Pero en el mismo momento de decirlo, pensó: *Sé que no irá.* —Me gustaría visitar los museos de Londres. ¿Me acompaña el sábado a recorrer algunos?

Catherine tenía pensado ponerse al día con el trabajo de la oficina el sábado, pero Demiris le había pedido también que se ocupara de las visitas.

—De acuerdo, el sábado.

No tenía mucho interés en pasar el día con el francés. *¡Es tan amargo! Se comporta como si todavía estuviera recibiendo malos tratos.*

El día comenzó placenteramente. Fueron primero al Museo Británico, donde recorrieron galerías llenas de magníficos tesoros del pasado. Vieron una copia de la Carta Magna, una proclamación firmada por Isabel I y tratados de batallas libradas siglos después.

Había algo en Yves Renard que perturbaba a Catherine, y sólo cuando llevaban casi una hora juntos se dio cuenta de lo que era.

Estaban mirando una vitrina donde había un documento redactado por el almirante Nelson.

—Creo que éste es uno de los objetos de exposición más interesantes —comentó ella—. Nelson lo escribió poco antes de entrar en batalla, cuando no sabía si tenía autoridad... —De pronto tomó conciencia de que Yves Renard no la escuchaba. Y más aún: no había prestado la menor atención al museo. Nada le interesaba. *Entonces, ¿para qué me dijo que quería visitar museos?*

A continuación se dirigieron al Victoria and Albert, y allí se repitió la misma experiencia. Esta vez, Catherine lo observó atentamente. Renard pasaba de una sala a otra elogiando de la boca para afuera lo que veían, pero resultaba obvio que tenía la mente en otra parte.

Al terminar, Catherine propuso:

—¿Le gustaría ir a la Abadía de Westminster?

—Sí, por supuesto.

Recorrieron la hermosa abadía deteniéndose ante la tumba de los personajes famosos de la historia, poetas, reyes y hombres de estado, que estaban sepultados allí.

—Mire. Ahí está enterrado Keats.

Renard siguió la dirección de sus ojos.

—Ah, Keats —dijo. Luego siguió caminando.

Catherine se quedó un instante mirándolo alejarse. *¿Qué busca? ¿Por qué está desperdiciando el día?*

Cuando volvían al hotel, Yves Renard dijo:

—Gracias, señorita Alexander. Me gustó muchísimo el paseo.

Miente. Pero, ¿por qué?

"Hay un lugar que, según me han dicho, es muy interesante. Stonehenge. Creo que queda en la llanura de Salisbury.

—Sí.

—¿No quiere que vayamos allí el sábado que viene?

Catherine se preguntó si Stonehenge le resultaría igual de interesante que los museos.

—Sí, por supuesto.

Dino Mattusi era todo un gourmet. Un día entró en la oficina de Catherine con una guía para turistas en la mano.

—Tengo una lista de los mejores restaurantes de Londres. ¿Le interesa?

—Bueno, yo...

—¡Bien! Esta noche la llevo a cenar al Connaught.

—Esta noche tenía que...

—No acepto excusas. Paso a buscarla a las ocho.

—De acuerdo.

Mattusi esbozó una amplia sonrisa.

—*Bene!* —Se inclinó hacia adelante. —No es lindo hacer las cosas solo, ¿verdad? —Su intención era evidente.

Es tan obvio, pensó Catherine, *que en realidad no resulta peligroso*.

La cena estuvo exquisita. Pidieron salmón escocés ahumado y luego *roast beef*.

—Usted me resulta fascinante, Catherine —afirmó Mattusi, cuando estaban comiendo la ensalada—. Me encantan las norteamericanas.

—Ah. ¿Su esposa es de los Estados Unidos? —preguntó ella con aire inocente.

—No; es italiana. Pero es muy comprensiva.

—Eso a usted le debe de venir muy bien.

Él sonrió.

—Sí, sí, muy bien.

Cuando llegaron al postre, preguntó Mattusi:

—¿Le gusta el campo? Un amigo mío me presta un auto. ¿No le gustaría salir a dar una vuelta el domingo?

Catherine iba a contestar que no, pero de pronto pensó en Wim, un muchacho tan solo... A lo mejor a él le gustaría dar un paseíto por el campo.

—Sí, sería lindo.

—Le prometo que será sumamente interesante.

—¿Puedo llevar a Wim?

Mattusi le dijo que no con un movimiento de la cabeza.

—El auto es pequeño. Yo me encargo de organizar todo.

Los visitantes de Atenas eran exigentes, y a Catherine no le quedaba mucho tiempo para ella. Haley, Renard y Mattusi se reunieron varias veces con Wim Vandeen, y Catherine comprobó que cada uno de ellos había cambiado de opinión.

—¿Todo lo hace sin calculadora? —se maravilló Haley.

—Efectivamente.

—Jamás vi nada semejante.

Catherine estaba impresionada con Atanas Stavich. El muchachito era la persona más trabajadora que hubiese conocido jamás. Cuando ella llegaba a la oficina por la mañana, él ya estaba ahí, y se quedaba hasta después de que se hubieran marchado todos. Siempre estaba sonriente y deseoso de complacer. Le hacía acordar a un perrito sumiso. En algún momento de su vida alguien seguramente lo había tratado muy mal. Decidió entonces hablar de él en su sesión con Alan Hamilton. *Tiene que haber alguna forma de devolverle la confianza en sí mismo*, pensó. *Estoy segura de que Alan podría ayudarlo*.

—Sabes que el muchachito está enamorado de ti, ¿verdad? —le comentó Evelyn un día.

—¿Qué dices?

—Hablo de Atanas. ¿No has visto con qué adoración te mira? Te sigue a todas partes como un corderito extraviado.

Catherine se rió.

—Estás viendo visiones.

Siguiendo un impulso, un día lo invitó a almorzar.

—¿En un... restaurante? —preguntó Atanas.

—Sí, por supuesto —respondió Catherine, con una sonrisa.

El chico se sonrojó.

—No... no sé, señorita. —Se miró la ropa poco agraciada. —Seguramente le dará vergüenza que la vean conmigo.

—Yo no juzgo a las personas por la ropa que usan —sentenció Catherine—. Voy a reservar mesa.

Lo llevó al Lyons Corner House. El muchacho quedó admirado con el ambiente.

—Es muy hermoso. Nunca había estado en un lugar así.

Catherine se conmovió.

—Quiero que pidas lo que más te guste.

Él leyó el menú y movió la cabeza a uno y otro lado.

—Todo es muy caro. —Sus palabras arrancaron una sonrisa a Catherine.

—No te preocupes. Tenemos la suerte de trabajar para

un hombre muy rico. Estoy segura de que a él le gustaría que comiéramos bien. —Lo que no le dijo fue que la cuenta la pagaría ella.

Atanas pidió un cóctel de camarones, ensalada, pollo a la parrilla con papas fritas, y de postre, torta de chocolate con helado.

Catherine lo miró comer, impresionada. ¡Era un chico tan esmirriado!

—¿Dónde vas a poner tanta comida?

Atanas respondió con timidez.

—Nunca engordo.

—¿Te gusta Londres, Atanas?

Él asintió.

—Lo que he visto hasta ahora me gusta mucho.

—¿Trabajabas de cadete en Atenas?

—Sí, para el señor Demiris. —Había un dejo de rencor en la voz.

—¿Acaso no te gustaba?

—Perdóneme...sé que no debería decirlo, pero el señor Demiris no me parece una buena persona. A mí... no me cae bien. — Miró rápidamente alrededor como con miedo a que alguien pudiese haberlo oído. —Él... no, mejor no lo digo.

Catherine consideró más prudente no ahondar en el tema.

—¿Por qué decidiste venirte a Londres?

El muchacho respondió en un tono de voz tan bajo que fue imposible oírle.

—¿Cómo?

—Quiero ser médico.

—¿Médico? —repitió ella, sorprendida.

—Sí. Sé que puede parecer una tontería... Mi familia proviene de Macedonia, y toda la vida me han contado historias sobre los turcos, que llegaban a nuestra aldea, torturaban y mataban a mi gente. Nunca había médicos para ayudar a los heridos. Ahora la aldea ya no existe más y mi familia quedó diezmada, pero todavía hay muchos heridos en el mundo, y yo quiero ayudarlos. —Bajó la mirada,

266

cohibido. —Usted pensará que estoy loco.

—No —aseguró Catherine en tono quedo—. Creo que es maravilloso. ¿Así que viniste a Londres a estudiar medicina?

—Sí. Voy a trabajar de día y estudiar de noche, y me recibiré de médico.

Había un tono de determinación en su voz.

—Estoy segura de que te irá bien. Vamos a hablar más sobre esto en otro momento. Tengo un amigo que quizá pueda ayudarte. Y también conozco un restaurante lindísimo donde podemos almorzar la semana que viene.

A medianoche estalló una bomba en la residencia de Spyros Lambrou. La explosión destrozó el frente de la casa y mató a dos sirvientes. El dormitorio de Lambrou quedó destruido, y la única razón por la cual salvó la vida fue que a último momento su esposa y él habían decidido asistir a una cena que daba el intendente de Atenas.

A la mañana siguiente le llegó a la oficina una notita que decía: "Mueran los capitalistas". Firmaba el "Partido Revolucionario Helénico".

—Pero, ¿por qué te hacen semejante cosa a ti? —preguntó Melina, horrorizada.

—No fueron ellos. Fue Costa.

—No tienes cómo probarlo.

—No necesito prueba alguna. ¿Todavía no sabes con quién estás casada?

—Yo... no sé qué pensar.

—Melina, mientras ese hombre esté vivo, los dos corremos peligro. No hay nada que lo detenga.

—¿No puedes acudir a la policía?

—Tú misma lo dijiste: no tengo pruebas. Se reirían de mí. —Le tomó las manos entre las suyas. —Quiero que te vayas de aquí, por favor. Vete lo más lejos posible.

Ella se quedó callada largo rato. Cuando por fin habló, dio la impresión de que había tomado una decisión muy importante.

—Está bien, Spyros. Haré lo que debo hacer.

El hermano la abrazó.

—Bien. Y no te preocupes. Ya encontraremos la forma de detenerlo.

Melina permaneció en su dormitorio toda la tarde tratando de asimilar todo lo que estaba sucediendo. Su marido había hablado en serio cuando amenazó con destruirlos a ella y a su hermano. No podía permitirle que cumpliera su propósito. Y si la vida de ambos corría peligro, también lo corría la vida de Catherine Douglas. *Va a trabajar para mí en Londres. La pondré sobre aviso*, pensó. *Pero es preciso hacer algo más que eso: debo destruir a Costa, impedirle que cause daño a nadie más. Pero, ¿cómo?* Y en ese momento se le ocurrió la forma. *¡Claro! Es la única manera. ¿Cómo no se me ocurrió antes?*

Capítulo 22

Transcripción de la sesión con Catherine Douglas

C.: Lamento llegar tarde, Alan, pero tuve una reunión de último momento en la oficina.

A.: No hay problema. ¿Sigue en Londres la delegación de Atenas?

C.: Sí. Piensan marcharse a fines de la semana que viene.

A.: Lo dice con alivio. ¿Le resultó difícil?

C.: Bueno, no exactamente difícil. Pero yo les noto algo extraño.

A.: ¿Extraño?

C.: No es fácil de explicar. Parece una tontería, pero... todos tienen algo de raro.

A.: ¿Han hecho alguna cosa que...?

C.: No. Simplemente me ponen nerviosa. Anoche volví a tener la pesadilla.

A.: ¿El sueño en el que alguien trata de ahogarla?

C.: Sí. Hacía tiempo que no lo tenía. Pero esta vez fue distinto.

A.: ¿En qué sentido?

C.: Fue más... real. Y no terminó donde había terminado antes.

A.: ¿Pasó el punto en que alguien intentaba hundirla en el agua?

C.: Sí. Estaban tratando de hundirme, pero de pronto me encontraba en un sitio seguro.

A.: ¿El convento?

C.: No lo sé con certeza. Podría haber sido. Yo estaba en un jardín y un hombre venía a verme. Creo que soñé algo así antes, pero esta vez pude verle el rostro.

A.: ¿Lo reconoció?

C.: Sí. Era Constantin Demiris.

A.: De modo que en el sueño...

C.: Alan, no fue sólo un sueño; fue un recuerdo nítido. De pronto recordé que Demiris me regaló el prendedor de oro que tengo.

A.: ¿Usted cree que su subconsciente sacó a la superficie algo que ocurrió en la realidad? ¿Seguro que no se trataba de...?

C.: Seguro. Constantin Demiris me dio ese prendedor en el convento.

A.: Usted dijo que la habían rescatado del lago unas monjas, y que ellas la llevaron al convento.

C.: Así es.

A.: Catherine, ¿alguien más sabía que usted estaba en el convento?

C.: No, creo que no.

A.: Entonces, ¿cómo pudo enterarse Demiris de que estaba allí?

C.: No sé. Lo único que sé es que sucedió. Me desperté asustada. Fue como si el sueño fuese una especie de advertencia. Tengo la sensación de que algo terrible está por ocurrir.

A.: Las pesadillas pueden producir ese efecto en nosotros. La pesadilla (*nightmare* en inglés) es uno de los enemigos más antiguos del hombre. La palabra se remonta a la Edad Media, y significaba "duende de la noche". Según la antigua superstición, solía salir después de las cuatro de la madrugada.

C.: ¿Usted piensa que pueda tener algún significado real?

A.: A veces lo tienen. Coleridge escribió: "los sueños no son sombras sino que son las mismas sustancias y calamidades de mi vida".

C.: Yo quizá esté tomando todo esto demasiado en serio. De no ser por las pesadillas, estoy bien. Ah, también quería hablarle de otra persona, Alan.

A.: ¿Sí?

C.: Se llama Atanas Stavich y es un muchachito joven que vino a Londres a estudiar medicina. Ha tenido una vida muy dura. Pensé que a lo mejor algún día usted podía reunirse con él y darle algún consejo.

A.: Con gusto. ¿Por qué pone cara de preocupada?

C.: Acabo de acordarme de algo.

A.: ¿Sí?

C.: Parece una locura.

A.: Nuestro subconsciente no distingue entre locura y cordura.

C.: En el sueño, cuando el señor Demiris me entregaba el prendedor...

A.: ¿Sí?

C.: Oí una voz que decía: "Este hombre te va a matar".

Debe parecer un accidente. No quiero que nadie pueda identificar su cuerpo. Había muchas formas de darle muerte. Tendría que empezar a hacer los preparativos. Tendido en la cama, mientras pensaba en las distintas alternativas, advirtió que tenía una erección. La muerte era el orgasmo máximo. Por fin decidió cómo iba a hacerlo. Era tan sencillo. No quedarían ni rastros del cadáver para identificar. Constantin Demiris estaría conforme.

Capítulo 23

La casa de la playa de Constantin Demiris se hallaba cinco kilómetros al norte del Pireo, en un terreno con frente al mar. Demiris llegó a las siete de la tarde. Estacionó en el sendero de acceso, bajó del auto y se dirigió a la casa.

Al llegar, le abrió la puerta un hombre al que no conocía.

—Buenas tardes, señor Demiris.

Adentro pudo ver a unos seis oficiales de la policía.

—¿Qué pasa aquí? —preguntó de mala manera.

—Soy el teniente de policía Theophilos...

Demiris lo empujó a un lado y entró en el living. Lo encontró hecho un revoltijo. Sillas y sillones estaban tirados, dados vuelta. En el piso, un vestido de Melina, desgarrado. Demiris lo levantó y lo miró.

—¿Dónde está mi mujer? Tenía que encontrarme aquí con ella.

El policía le respondió.

—No está. Registramos la casa y revisamos la playa de arriba a abajo. Parece que entraron ladrones.

—Bueno, ¿y dónde está Melina? ¿Ella los llamó a ustedes? ¿Estuvo aquí?

—Sí, creemos que estuvo aquí, señor. —Sostenía un reloj pulsera de mujer en la mano. El vidrio estaba roto, y las agujas se habían parado en las tres. —¿Éste es el reloj de su mujer?

—De aspecto es igual.

—En el reverso tiene grabado: "Para Melina, con amor, Costa".

—Entonces es. Fue un regalo de cumpleaños.

El detective Theophilos señaló unas manchas en el piso.

—Son manchas de sangre —dijo. Recogió con cuidado

un cuchillo que estaba tirado en el suelo para no tocar el mango. La hoja estaba ensangrentada. —¿Conoce este cuchillo, señor?

Demiris le echó un vistazo.

—No. ¿Está diciendo que ella está muerta?

—Por cierto es una posibilidad. Encontramos gotas de sangre en la arena, camino al agua.

—Dios mío —murmuró Demiris.

—Felizmente para nosotros, hay impresiones digitales muy claras en el cuchillo.

Demiris se sentó pesadamente en un sillón.

—Entonces van a encontrar al asesino.

—Sí, en el caso de que tuviéramos registradas esas huellas. Las hay por toda la casa, pero tenemos que clasificarlas. Si nos permite tomarle las suyas, al menos podemos descartarlas de entrada.

Demiris vaciló.

—Sí, desde luego —accedió después.

—El sargento que me acompaña se las tomará.

Demiris se acercó a un policía uniformado que tenía una almohadilla negra.

—Apoye los dedos aquí. —El trámite terminó en un instante. —Comprenderá que esto es de rutina.

—Entiendo.

El teniente Theophilos le entregó una tarjetita.

—¿Sabe algo de esto, señor?

Demiris leyó la tarjeta. Decía: "Agencia de detectives Katelanos. Investigaciones privadas". Luego la devolvió.

—No. ¿Acaso significa algo?

—No sé. Vamos a investigarlo.

—Naturalmente, quiero que hagan todo lo posible por averiguar quién fue el responsable. Y avísenme si tienen alguna noticia de mi mujer.

El policía lo miró a los ojos y asintió.

—No se preocupe, señor. Le avisaremos.

274

Melina. La chica de oro, linda, inteligente y divertida. Todo había sido tan maravilloso al comienzo. Después asesinó al hijo de ambos, y para eso no podía haber jamás perdón... sólo la muerte.

El llamado se produjo al día siguiente, al mediodía. Demiris se hallaba en medio de una reunión cuando sonó el intercomunicador.

—Perdone, señor —dijo la secretaria.

—Le advertí que no quería que me molestaran.

—Sí, señor, pero está un tal inspector Lavanos al teléfono, y dice que es urgente. ¿Quiere que le...?

—No. Lo atiendo. —Se volvió hacia los hombres reunidos con él. —Si me disculpan un segundito, señores. —Tomó el tubo del teléfono. —Demiris.

—Habla el inspector Lavanos, señor. Nos ha llegado cierta información que quizá sea de su interés. ¿Podría pasar por el cuartel central de policía?

—¿Tienen novedades sobre mi mujer?

—Preferiría no hacer comentarios por teléfono, si no le molesta.

Demiris vaciló apenas un instante.

—Voy ya mismo para allá. —Cortó y se dirigió a las otras personas. —Ha surgido algo urgente. ¿Por qué no van al salón de conferencias y cambian ideas sobre mi propuesta? Yo pienso estar de vuelta a tiempo para que almorcemos juntos.

Hubo un murmullo general de asentimiento. Cinco minutos más tarde, Demiris se hallaba camino a la central de policía.

Había media docena de hombres aguardándolo en la oficina del jefe de policía. Demiris reconoció a los oficiales que habían estado en su casa de veraneo.

—...y éste es el fiscal especial Delma.

Se trataba de un hombre bajo, robusto, de cara redon-

275

da, cejas gruesas y ojos de mirada cínica.

—¿Qué pasó? —inquirió Demiris, en tono imperioso—. ¿Tienen noticias de mi esposa?

El inspector principal respondió:

—A decir verdad, hemos encontrado algunas cosas que nos intrigan. Confiábamos en que usted pudiera ayudarnos.

—Lamentablemente es muy poco lo que puedo ayudarlos. Todo esto es tan terrible...

—¿Usted había quedado en encontrarse en la casa de la playa ayer, a eso de las tres de la tarde?

—¿Qué? No. Ella me llamó y me pidió que nos reuniéramos allí a las siete.

El fiscal Delma habló con voz pausada.

—Casualmente ése es uno de los puntos que nos tienen intrigados. En su casa, una de las criadas nos dijo que usted había llamado a su mujer a eso de las dos y le pidió que acudiera sola a la casa de la playa para esperarlo allí.

Demiris frunció el entrecejo.

—Se confundió. Mi esposa me llamó a mí y me pidió que estuviera allí a las siete.

—Ah. Entonces se equivocó esa persona.

—Obviamente.

—¿Sabe usted el motivo por el cual su señora pudo haberle solicitado que se encontrara con ella en la casa de la playa?

—Supongo que sería para disuadirme de que le pidiera el divorcio.

—¿Usted le había dicho que pensaba divorciarse de ella?

—Sí.

—La criada dice haber escuchado una conversación telefónica durante la cual la señora le decía que *ella* quería divorciarse *de usted*.

—Me importa una mierda lo que diga la criada. Tiene que creer en mi palabra.

—Señor Demiris, ¿guarda usted pantalones de baño en la casa de la playa? —preguntó el inspector principal.

—¿En esa casa? No. Hace años que no me meto en el

276

mar. Me baño en la piscina de la casa que tengo en la ciudad.

El inspector abrió un cajón del escritorio y sacó un traje de baño de una bolsita plástica. Lo extrajo y se lo mostró a Demiris.

—¿Es suyo este pantalón? —preguntó.

—Supongo que podría ser mío.

—Tiene sus iniciales bordadas.

—Sí. Me parece que lo reconozco. Es mío.

—Lo encontramos en el fondo de un placard, en la casa de la playa.

—¿Y qué? Probablemente quedó ahí hace mucho tiempo. ¿Por qué...?

—Todavía están húmedos de agua de mar. Los análisis demuestran que se trata de la misma agua que hay frente a su casa. Las manchas rojas que tiene son de sangre.

El ambiente se estaba caldeando.

—Entonces algún otro tiene que haberlo usado.

—¿Por qué haría eso una persona? Ésa es otra de las cosas que nos intrigan, señor Demiris.

El inspector principal abrió un sobrecito que tenía sobre el escritorio, y sacó un botón dorado.

—Uno de mis hombres encontró esto debajo de una alfombra, en la casa de playa. ¿Lo reconoce?

—No.

—Es de una chaqueta suya. Nos tomamos la libertad de enviar un detective hoy a su casa, a revisar su guardarropa. A uno de sus sacos le faltaba un botón. Los hilos coinciden perfectamente. Y el saco volvió de la tintorería hace apenas una semana.

—Yo no...

—Señor Demiris, usted dijo que le había avisado a su esposa que quería divorciarse y ella deseaba convencerlo de que no lo hiciera.

—Correcto.

El inspector exhibió la tarjeta comercial que le habían mostrado el día anterior en la casa de playa.

—Hoy visitamos la Agencia de detectives Katelanos.

—Ya les dije que no los conozco.

—Su mujer los contrató para que la protegieran.

La noticia le cayó como balde de agua fría.

—¿Melina? ¿Protegerla de qué?

—De usted. Según el dueño de la agencia, su mujer amenazaba con divorciarse de usted, y usted le advirtió que si lo hacía, iba a matarla. Él le preguntó por qué no acudía a pedir ayuda a la policía, y ella contestó que quería mantener la situación en privado, que no se la diera a publicidad.

Demiris se puso de pie.

—No voy a quedarme aquí a escuchar semejante sarta de mentiras. No hay...

El inspector sacó entonces de un cajón el cuchillo manchado de sangre que se había encontrado en la casa de veraneo.

—Usted declaró no haber visto nunca este cuchillo.

—En efecto.

—Sin embargo tiene sus huellas digitales.

Demiris clavó la mirada en el cuchillo.

—¿Mis impresiones? Debe de haber un error ¡Imposible! — Rápidamente fue repasando las pruebas en contra de él que iban acumulándose: la criada aseguraba que había llamado a las dos a su mujer para decirle que fuera sola a la casa de la playa... un pantalón de baño con manchas de sangre... un botón arrancado de su chaqueta... un cuchillo con sus huellas dactilares... —¿No ven, idiotas, que se trata de algo tramado? —gritó—. Alguien llevó ese pantalón a la casa de la playa, echó unas gotas de sangre sobre el pantalón y el cuchillo, arrancó un botón de mi saco y...

El fiscal lo interrumpió.

—Señor Demiris, ¿puede justificar que estén sus huellas en el cuchillo?

—No...no sé. A ver, espere. Sí, ahora me acuerdo. Melina me pidió que le abriera un paquete. Ése debe de ser el cuchillo que me dio; por eso quedaron mis impresiones en el mango.

—Entiendo. ¿Qué había en el paquete?

—No sé...

—¿No sabe lo que había adentro?

—No. Yo me limité a cortar el piolín. Ella después no lo abrió.

—¿Qué explicación tienen las manchas de sangre en la alfombra y sobre la arena, en dirección al mar?

—Es obvio —le espetó Demiris—. Melina no tuvo más que hacerse un cortecito y caminar hacia el mar para que ustedes pensaran que yo la había asesinado. Está tratando de desquitarse de mí porque le dije que iba a divorciarme. En estos momentos debe de estar escondida en alguna parte, riéndose porque supone que ustedes van a detenerme. Melina está más viva que yo.

El fiscal habló entonces en tono grave.

—Ojalá fuera verdad, señor. Lamentablemente esta mañana extrajimos su cadáver del mar. Fue apuñalada y ahogada. Queda arrestado, señor Demiris, por la muerte de su esposa.

Capítulo 24

Al principio, Melina no sabía cómo iba a hacerlo. Sólo sabía que su marido había intentado destruir a su hermano, y eso no podía permitirlo. De alguna manera había que detenerlo. La vida de ella ya no importaba. Sus días y sus noches estaban llenos de dolor y humillación. Recordaba que Spyros había tratado de impedir su matrimonio. *No puedes casarte con Demiris. Es un monstruo y te destruirá.* Qué acertado había estado. Pero como ella estaba tan enamorada, no le hizo caso. Y ahora había que aniquilar a su esposo. Pero, ¿cómo? *Tengo que pensar como Costa*, se dijo. Entonces lo hizo. A la mañana ya había planeado hasta el último detalle. Después, lo demás fue fácil.

Constantin Demiris estaba trabajando en su escritorio cuando entró Melina llevando en las manos un paquete atado con un cordón grueso. Traía también un enorme cuchillo.

—Costa, ¿puedes cortar este hilo por favor? Yo no me doy maña.

Él levantó la mirada, con una expresión de impaciencia.

—No me llama la atención que no puedas. ¿No sabes que no se debe sostener un cuchillo de la hoja? —Tomó el cuchillo y comenzó a cortar el hilo. —Podrías habérselo pedido a uno de los sirvientes.

Melina nada dijo.

—¡Ahí está! —exclamó Demiris al terminar. Dejó el cuchillo, y Melina lo tomó de la hoja con mucho cuidado.

—Costa, no podemos seguir así. Yo todavía te quiero. Seguramente sientes algo por mí. ¿Recuerdas los momentos tan maravillosos que tuvimos juntos? ¿Te acuerdas de aquella noche, en la luna de miel, cuando...?

—Por Dios, ¿es que no entiendes? Esto se terminó.

Vete de aquí; me das asco.

Melina se quedó un instante mirándolo. Por último, dijo:

—Está bien. Como tú digas. —Dio media vuelta y se se encaminó a la puerta, con el cuchillo.

—Te olvidas el paquete —gritó él.

Ella se marchó.

Fue al cuarto de vestir de su marido y abrió el placard. Había cientos de trajes, y un sector especial para los sacos sport. Tomó uno de éstos últimos y le arrancó un botón, que se guardó en el bolsillo.

A continuación abrió un cajón y sacó un pantalón de baño con las iniciales de él bordadas. *Ya estoy casi lista*, pensó.

La Agencia de detectives Katelanos quedaba en la calle Sofokleous, en un viejo edificio que ocupaba una esquina.

Hicieron pasar a Melina al despacho del dueño de la agencia, el señor Katelanos, un hombre bajo, calvo, con un fino bigote.

—Buenos días, señora de Demiris. ¿En qué puedo servirla?

—Necesito protección.

—¿Qué clase de protección?

—Que me proteja de mi marido.

Katelanos frunció el entrecejo porque olió problemas. Ése no era en absoluto el caso que suponía le iban a proponer. Sería muy desaconsejable hacer algo que pudiera ofender a un hombre tan poderoso como Constantin Demiris.

—¿No pensó en acudir a la policía?

—No puedo. No quiero publicidad. Prefiero que esto se mantenga en secreto. Le dije a mi marido que quería divorciarme, y él me amenazó con matarme si lo hacía. Por eso vine a verlo a usted.

—Entiendo. ¿Y qué es lo que desea que yo haga exactamente?

—Que ponga a algunos de sus hombres a protegerme.

Katelanos estudió el semblante de la mujer. *Es muy hermosa*, pensó, *pero evidentemente neurótica*. Resultaba inconcebible que el marido le hiciera daño. Probablemente se trataba de una pequeña rencilla íntima, que en pocos días se arreglaría. Pero entretanto él podría cobrarle un suculento honorario. Por eso, llegó a la conclusión de que valía la pena correr el riesgo.

—De acuerdo —aceptó—. Tengo a un hombre muy capaz que puedo asignarle. ¿Cuándo quiere que empiece?

—El lunes.

Entonces él tenía razón. No había urgencia alguna.

Melina Demiris se puso de pie.

—Lo llamo —dijo—. ¿Puede darme una tarjeta suya?

—Sí, por supuesto. —Katelanos se la entregó y la acompañó a la puerta. *Es una buena cliente en el sentido de que puede impresionar favorablemente a mis otros clientes.*

Cuando llegó a su casa, Melina llamó por teléfono al hermano.

—Spyros, tengo una buena noticia —anunció, con voz llena de entusiasmo—. Costa quiere una tregua.

—¿Qué? No confío en él. Debe de ser algún otro de sus trucos.

—No. Esta vez es sincero. Se da cuenta de que es una tontería estar peleándose todo el tiempo contigo, y quiere hacer las paces.

Silencio.

—No sé.

—Dale al menos una oportunidad. Quiere reunirse contigo en tu chalet de Acrocorinth, esta tarde a las tres.

—Es un viaje de tres horas. ¿Por qué no podemos encontrarnos en la ciudad?

—No me dijo, pero si es por hacer las paces...

—Bueno, voy. Pero lo hago por ti.

—Por nosotros. Adiós, Spyros.

—Adiós.

Luego llamó a Constantin a la oficina.

—¿Qué pasa? —dijo él, con brusquedad—. Estoy ocupado.

—Recién me llamó Spyros. Quiere hacer las paces contigo.

Demiris reaccionó con una risita despectiva.

—No me extraña. Cuando acabe con él, va a tener toda la paz que quiera.

—Dijo que no iba a competir más contigo, Costa. Está dispuesto a venderte su flota.

—¿Venderme su... flota? ¿Estás segura? —De pronto su voz denotó un gran interés.

—Sí. Dijo que ya estaba harto.

—De acuerdo. Dile que mande a sus contadores a mi oficina y...

—No. Quiere que te reúnas con él esta tarde, a las tres, en Acrocorinth.

—¿En su chalet?

—Sí. Es un sitio apartado. Estarán sólo ustedes dos. No quiere que nadie sepa ni una palabra de esto.

Y con razón, pensó Demiris, satisfecho. *Cuando se corra la voz, será el hazmerreír de todo el mundo.*

—De acuerdo. Avísale que iré.

El trayecto a Acrocorinth era largo, por caminos sinuosos que serpenteaban en medio de los campos exuberantes, perfumados con el aroma de las vides, los limones y el heno. Lambrou pasó frente a antiguas ruinas. A la distancia alcanzó a ver los pilares caídos de Elefsis, los derruidos altares de los dioses menores. Pensó en Demiris.

El primero en llegar fue Spyros. Estacionó ante el chalet y permaneció un momento en el auto, pensando en el encuentro que iba a tener lugar. ¿Realmente deseaba Constantin reconciliarse o era sólo uno de sus trucos? Si algo le pasara, al menos Melina sabía adónde había ido. Se bajó del auto y caminó hasta la casa desierta.

Se trataba de un bellísimo chalet antiguo, de madera, y desde allí se tenía una preciosa vista de Corinto a lo lejos. De niño, Spyros había pasado ahí fines de semana enteros con su padre, cazando animales pequeños en la montaña. Ahora, en cambio, perseguía animales mayores.

Quince minutos más tarde arribó Demiris. Vio que Spyros estaba adentro esperándolo, lo cual le produjo una enorme satisfacción. *Así que, después de tantos años, está dispuesto a reconocer que perdió.* Se bajó del coche y enfiló hacia la casa. Los dos hombres se quedaron de pie, midiéndose con la mirada.

—Bueno, querido cuñado —dijo Demiris—, por fin hemos llegado al término del camino.

—Quiero que se acabe esta locura, Costa. Ya se ha ido demasiado lejos.

—Totalmente de acuerdo. ¿Cuántos barcos tienes, Spyros?

Lambrou lo miró sorprendido.

—¿Qué?

—¿Cuántos barcos tienes? Te los compro todos. Con un descuento importante, naturalmente.

Lambrou no podía creer lo que estaba oyendo.

—¿Comprar mis barcos?

—Sí, todos. Voy a tener la flota más numerosa del mundo.

—¿Estás loco? ¿Cómo se te ocurre que pueda querer desprenderme de mis buques?

Le tocó reaccionar a Demiris.

—Para eso nos reunimos hoy, ¿no?

—Vinimos a encontrarnos aquí porque tú querías hacer las paces.

El rostro de Demiris se ensombreció.

—¿Quién te lo dijo?

—Melina.

Ambos comprendieron a un mismo tiempo lo que había ocurrido.

—¿Ella te dijo que yo quería hacer las paces?

—¿Ella te dijo que yo quería vender mis barcos?

—Qué imbécil —estalló Demiris—. Debe de haber pensado que, si nos reuníamos, íbamos a poder llegar a algún acuerdo. Es más tonta que tú, Spyros. He perdido toda la tarde por tu culpa.

Giró sobre sus talones y se marchó hecho una furia.

Lambrou lo miró partir y pensó: *Melina no debió habernos mentido. Tendría que haber sabido que no hay forma de que su marido y yo nos pongamos de acuerdo. Ahora no; es demasiado tarde. Siempre fue demasiado tarde.*

Esa misma tarde más temprano —a las dos— Melina había llamado a la criada.

—¿Andrea, puede traerme un té, por favor?

—En seguida, señora. —La mujer salió de la habitación, y cuando regresó con la bandeja del té diez minutos más tarde, la señora estaba hablando por teléfono con tono de enojo.

—No, Costa, ya lo tengo decidido. Me divorciaré de ti y pienso hacerlo armando el mayor escándalo posible.

Cohibida, Andrea dejó la bandeja y quiso retirarse, pero Melina le hizo señas de que se quedara.

—Amenázame todo lo que quieras —habló Melina por el teléfono muerto—. No voy a modificar mi decisión... Nunca... No me importa lo que digas... No me asustas, Costa... No... ¿Para qué quieres que vaya?... Está bien, te veo en la casa de la playa, pero no te servirá de nada... Sí, iré sola. ¿Dentro de una hora? Muy bien.

Colgó lentamente, con cara de preocupación, y le habló a Andrea:

—Voy a la casa de veraneo para encontrarme con mi marido. Si a las seis no he vuelto, dé aviso a la policía.

Andrea se puso muy nerviosa.

—¿No quiere que la lleve el mayordomo?

—No. El señor Demiris me pidió que fuera sola.

—Sí, señora.

Quedaba una cosa más por hacer. La vida de Catherine Alexander corría peligro, por lo cual debía ponerla sobre aviso. El asesino sería uno de los integrantes de la delegación que había ido a cenar a la casa. *No volverás a verla. Ya he enviado a alguien para que la elimine.* Entonces, llamó a la oficina de Londres.

—¿Trabaja allí la señorita Catherine Alexander?

—No está en este momento. ¿Quiere que la comunique con alguna otra persona?

Melina vaciló. El mensaje era demasiado urgente como para dejárselo a cualquiera, pero no tendría tiempo de volver a llamar. Recordó que Costa mencionaba a veces a un genio que había en Londres, un tal Wim Vandeen.

—¿Podría hablar entonces con el señor Vandeen?

—Un segundito, por favor.

Una voz masculina apareció en la línea.

—Hola.

—Tengo un mensaje para Catherine Alexander. Es muy importante. ¿Puede encargarse de dárselo usted, por favor?

—Catherine Alexander.

—Sí. Dígale... dígale que su vida corre peligro porque alguien va a tratar de matarla. Creo que podría ser uno de los hombres que viajaron de Atenas.

—Atenas...

—Sí.

—Atenas tiene una población de ochocientos seis mil...

Como no pudo lograr que el hombre entendiera, cortó. Había hecho todo lo posible.

Sentado a su escritorio, Wim trataba de digerir el mensaje telefónico. *Alguien está tratando de matar a Catherine. Este año se cometieron ciento catorce asesinatos en Inglaterra, o sea que con el de Catherine serán ciento quince. Uno de los hombres que vinieron de Atenas: Jerry Haley, Yves Renard, Dino Mattusi. Uno de ellos va a matarla.* La computadora que llevaba en la mente en el acto le suministró todos los datos sobre los tres hombres. *Ya sé cuál es.*

Cuando al rato regresó Catherine, no le dijo nada sobre el llamado.

Tenía curiosidad por comprobar si había acertado en su deducción.

Catherine salía con un miembro distinto de la delegación cada noche, y cuando llegaba a trabajar por la mañana, Wim siempre estaba ahí, esperando, y ponía cara de desilusión al verla.

¿Cuándo va a permitir que la maten? se preguntaba. A lo mejor debía contarle lo del llamado. Pero eso equivalía a hacer trampa. No sería justo cambiar las probabilidades.

Capítulo 25

El trayecto a la casa de veraneo le significó una hora de tiempo y veinte años de recuerdos. Tenía tantas cosas para pensar, tanto que recordar. Costa, joven y buen mozo, diciendo: *Te han enviado de los cielos para enseñarnos a los mortales lo que es la belleza. Imposible elogiarte demasiado. Cualquier cosa que yo diga no te haría justicia...* Los viajes maravillosos en su yate y las idílicas vacaciones en Psara... Las veces en que de día le llegaban regalos de sorpresa, y de noche hacían el amor desenfrenadamente. Después, el aborto espontáneo, las numerosas amantes, el asunto de Noelle Page. Las palizas y las humillaciones en público. *Monnareemou! No tienes nada por qué vivir*, había dicho. *¿Por qué no te matas?* Y por último, la amenaza de aniquilar a Spyros.

Eso fue lo que a Melina le resultó imposible de soportar.

Llegó a la casa de la playa, que se hallaba desierta. El cielo estaba nublado, y un viento frío soplaba desde el mar. *Un presagio*, pensó.

Entró en la casa cómoda y simpática, y paseó la mirada alrededor por última vez.

Después empezó a tirar los muebles y destrozar lámparas. Hizo jirones un vestido suyo y lo dejó caer al piso. Colocó la tarjeta de la agencia de detectives sobre una mesa. Levantó la alfombra y escondió debajo el botón dorado. Luego se arrancó el reloj que le había regalado Costa y lo golpeó contra la mesa. Tomó el pantalón de baño del marido que había traído desde su casa y lo llevó a la playa. Lo mojó en el agua y regresó. Por último, quedaba una sola cosa por hacer. *Ya es hora*, se dijo. Respiró hondo, tomó el cuchillo de carnicero y lo desenvolvió lentamente para no romper el papel de seda en que traía envuelto el mango. Ése era el momento crucial. Tenía que clavarse el cuchillo lo suficientemente hondo como para que pareciera un homicidio, y al mismo tiempo tener fuerzas como para llevar a cabo la última parte del plan.

Cerró los ojos y se lo clavó hondo, en el costado.

Le dolió inmensamente y empezó a manar la sangre. Sostuvo el pantalón de baño húmedo contra la herida, y cuando estuvo bien manchado, lo guardó en el fondo de un placard. Empezaba a sentirse mareada. Miró en derredor para asegurarse de que no se había olvidado de nada; luego caminó a los tumbos hasta la puerta que daba al mar, dejando un reguero de manchas rojas en la alfombra.

Avanzó en dirección al mar. La herida sangraba profusamente. Pensó: *No voy a poder hacerlo. Costa va a ganar. No debo permitírselo.*

El trayecto le resultó interminable. *Un paso más, un paso más...*

Siguió caminando, luchando contra el mareo que la dominaba. La vista comenzaba a nublársele. Cayó de rodillas. *No debo detenerme ahora.* Se levantó y continuó, hasta que sintió el agua fría en los pies.

Cuando el agua salobre le llegó a la herida, dio un grito de dolor. *Lo hago por Spyros*, pensó. *Mi hermano querido.*

Alcanzó a divisar a lo lejos una nube baja, sobre el horizonte, y comenzó a nadar hacia allá, dejando una estela de sangre. Entonces sucedió un milagro. La nube bajó hasta ella, y pudo sentir la blanca suavidad que la envolvía, la acariciaba. Ya no experimentaba dolor sino una maravillosa sensación de paz.

Voy a casa, pensó, feliz. *Por fin vuelvo a casa.*

Capítulo 26

Queda arrestado por la muerte de su esposa. Después de eso, todo pareció suceder en cámara lenta.

Volvieron a tomarle las impresiones digitales. Le sacaron fotos y lo recluyeron en un calabozo. Era increíble que se atrevieran a tratarlo así.

—Quiero hablar con Peter Demonides. Díganle que necesito comunicarme enseguida con él.

—El doctor Demonides ha sido relevado de sus funciones y se está investigando su conducta.

De modo que no había nadie a quien acudir. *Voy a salir de esto*, se dijo. *Soy Constantin Demiris*.

Mandó a llamar al fiscal especial.

Delma llegó a la cárcel una hora más tarde.

—¿Quería verme?

—Sí —respondió Demiris—. Tengo entendido que se comprobó que la hora de la muerte de mi mujer fue las tres de la tarde.

—Correcto.

—Entonces, antes de que usted y la policía hagan un papelón, yo puedo probar que ayer a esa hora estaba en otra parte, lejos de la casa de veraneo.

—¿Puede demostrarlo?

—Desde luego. Tengo un testigo.

Estaban sentados en el despacho del jefe de policía cuando arribó Spyros Lambrou. Al verlo, a Demiris se le iluminó el rostro.

—¡Gracias a Dios que viniste, Spyros! Estos idiotas suponen que yo maté a Melina. Tú sabes que no fui yo. Díselo.

Lambrou puso cara de no entender.

—¿Decirles qué cosa?

—Melina fue asesinada ayer a las tres de la tarde. A esa hora tú y yo estábamos en el chalet de Acrocorinth y no habría podido llegar en auto a la casa de veraneo antes de las siete. Cuéntales de la reunión que tuvimos.

—¿Qué reunión?

Demiris comenzó a ponerse pálido.

—La... que tuvimos ayer, tú y yo, en Acrocorinth.

—Debes de estar confundido, Costa. Yo anduve solo en auto ayer por la tarde. No voy a mentir para salvarte.

En el rostro de Demiris se reflejó una expresión de furia.

—¡No puedes hacerme esto! —Lo aferró de las solapas. — Diles la verdad.

Spyros Lambrou se lo sacó de encima de un empujón.

—La verdad es que mi hermana murió y tú la asesinaste.

—¡Mentiroso! —gritó Demiris—. ¡Mentiroso! —Volvió a arremeter contra su cuñado, y dos policías tuvieron que sujetarlo.

—Hijo de puta. ¡Sabes que soy inocente!

—Eso lo determinarán los jueces. Creo que te hace falta un buen abogado.

En ese momento, Constantin Demiris tomó conciencia de que había un solo hombre capaz de salvarlo.

Napoleon Chotas.

Capítulo 27

Transcripción de la sesión con Catherine Douglas

C.: ¿Cree en las premoniciones, Alan?

A.: No se las puede aceptar científicamente, pero como cuestión de hecho, yo sí las acepto. ¿Ha tenido alguna?

C.: Sí. Tengo la sensación de que algo terrible está por sucederme.

A.: ¿Esto es parte del viejo sueño?

C.: No. Le conté que el señor Demiris había enviado a unos hombres procedentes de Atenas...

A.: Sí.

C.: Como me pidió que me ocupara de ellos, he estado viéndolos bastante.

A.: ¿Siente con que ellos está en peligro?

C.: No, no exactamente. Es difícil de explicar. No me han hecho nada, pero yo estoy... como esperando que pase algo. Algo muy feo. ¿Tiene sentido lo que digo?

A.: Hábleme de esos hombres.

C.: Hay un francés, Yves Renard. Siempre quiere ir a visitar museos, pero cuando vamos, me doy cuenta de que no

292

le interesan. Me pidió que lo lleve a Stonehenge este sábado. Después está también Jerry Haley, un norteamericano. Es simpático, pero tiene algo que me perturba. Por último, Dino Mattusi. Supuestamente es ejecutivo de la empresa del señor Demiris, pero hace preguntas cuya respuesta debería saber. Me invitó a dar un paseo en auto. A mí se me ocurrió que podía llevar a Wim...Y hablando de Wim...

A.: ¿Sí?

C.: Ultimamente se comporta de una manera extraña.

A.: ¿En qué sentido?

C.: Cuando llego a la oficina de mañana, siempre está esperándome, cosa que antes no hacía. Y al verme, casi se diría que se enoja. Nada de esto tiene sentido, ¿verdad?

A.: Todo cobra sentido una vez que uno encuentra la clave, Catherine. ¿Tuvo algún otro sueño?

C.: Sí. Soñé con Demiris, pero no lo recuerdo bien.

A.: Cuénteme lo que recuerde.

C.: Yo le preguntaba por qué era tan amable conmigo, por qué me había dado el puesto en Londres y el departamento. Y también por qué me había regalado el prendedor de oro.

A.: ¿Y él qué le contestó?

C.: No me acuerdo. Me desperté gritando.

El doctor Hamilton leyó detenidamente la transcripción, buscando alguna huella inadvertida del subconsciente, alguna pista que pudiera explicar qué era lo que perturbaba a Catherine. Estaba casi seguro de que su aprensión se relacionaba con el hecho de que habían llegado personas extrañas de Atenas, el sitio que había sido el escenario de su pasado traumático. La parte acerca de Wim lo tenía intrigado. ¿La estaría imaginando Catherine? ¿O acaso Wim se estaba comportando de una manera atípica? *Él tiene cita conmigo para dentro de unas semanas. Quizá debería adelantársela.*

Siguió pensando en Catherine. Aunque tenía por norma no comprometerse afectivamente con sus pacientes, la consideraba una persona especial. Era hermosa, frágil y... *¿Qué estoy haciendo? No puedo pensar de esta manera. Voy a concentrarme en otra cosa.* Pero sus pensamientos volvían siempre a ella.

Catherine no podía alejar a Alan Hamilton de su mente. *No seas tonta*, se dijo. *Es casado. Todas las mujeres se enamoran de sus analistas.* Pero nada de lo que se decía le servía. *A lo mejor debería consultar a algún terapeuta por esto que me está pasando con el mío.*

Dos días después tenía que ir a verlo. *Quizá debería cancelar la sesión antes de que esto sea más profundo. Demasiado tarde.*

El día en que tenía la sesión, se vistió con esmero y fue a la peluquería. *Si hoy es la última vez que voy a verlo*, reflexionó, *no tiene nada de malo que me ponga linda.*

Apenas entró en el consultorio se le fue toda la decisión. *¿Por qué tiene que ser tan atractivo? ¿Por qué no pudimos conocernos antes de que él se casara? ¿Por qué no pudo conocerme cuando yo era una persona normal y cuerda? Pero por otra parte, si fuera una persona normal y cuerda, no habría acudido a él en busca de ayuda, ¿no?*

—Perdone, no le entendí.

Catherine se dio cuenta de que había hablado en voz alta. Ahora era el momento de anunciarle que ésa era su última sesión.

Respiró hondo y dijo:

—Alan... —Perdió el ánimo y miró la fotografía que estaba sobre la mesita. —¿Cuántos años lleva de casado?

—¿De casado? —Siguió la dirección de sus ojos. —Ah. No; ésa es mi hermana con su hijo.

Catherine se sintió invadida por una profunda felicidad.

—¡Estupendo! Quiero decir... ella es estupenda.

—¿Se siente bien, Catherine?

Kirk Reynolds siempre le preguntaba eso. *En ese entonces yo no estaba bien, pero ahora sí.*

—Estoy bien. ¿No es casado?

—No.

¿Quiere cenar conmigo? ¿Se acostará conmigo? ¿Quiere casarse conmigo? Si pronunciaba cualquiera de esas cosas en voz alta, realmente pensaría que estaba loca. *A lo mejor lo estoy.*

Él la observaba con expresión reconcentrada.

—Catherine, lamentablemente no vamos a poder seguir con estas sesiones. La de hoy será la última.

Sintió que el corazón le daba un vuelco.

—¿Por qué? ¿Hice algo que...?

—No...La culpa no es suya. En una relación profesional de esta índole, el terapeuta no debe comprometerse afectivamente con un paciente.

Ella lo miraba con ojos brillosos.

—¿Está diciendo que se siente comprometido afectivamente conmigo?

—Sí. Y debido a eso me temo que...

—Tienes toda la razón del mundo —exclamó ella, alborozada—. Vamos a conversar sobre el tema esta noche, cuando salgamos a cenar.

Comieron en un pequeño restaurante italiano, en el corazón del Soho. La comida podía haber sido buenísima o espantosa, que a ellos les dio igual porque estaban totalmente absortos el uno en el otro.

—No es justo Alan, que tú sepas tanto sobre mí. Háblame de ti. ¿Nunca te casaste?

—No. Estuve comprometido.

—¿Y qué pasó?

—Fue en la época de la guerra. Vivíamos juntos en un apartamentito. Eran los días del bombardeo. Yo estaba trabajando en el hospital, y cuando una noche volví a casa...

Catherine reparó en el dolor que trasuntaba su voz.

"El edificio ya no estaba más. No quedaba nada en pie. Ella apoyó una mano sobre la suya.

—Cuánto lo siento.

—Me llevó mucho tiempo reponerme. Y nunca volví a conocer a alguien con quien quisiera casarme. —Con los ojos agregó: *hasta ahora.*

Estuvieron horas conversando sobre infinidad de temas: de teatro, de medicina, de la situación mundial. Pero la verdadera conversación fue sin palabras, una suerte de electricidad que crecía en el interior de ambos, una tensión sexual arrolladora.

Por último, Alan sacó el tema.

—Catherine, en cuanto a lo que dije hoy sobre la relación médico-paciente...

—Háblame de ello en tu apartamento.

Se desvistieron juntos, rápido, ansiosos. A medida que Catherine se quitaba la ropa rememoraba cómo se había sentido con Kirk Reynolds y qué diferente era ahora. *La diferencia es estar, o no, enamorado. Y yo estoy enamorada de este hombre.*

Se tendió en la cama a esperarlo, y cuando él vino y la abrazó, se desvanecieron en ella todos los miedos a no poder volver a estar nunca más con un hombre. Se acariciaron explorando el cuerpo del otro, primero con ternura, luego apasionadamente, hasta que la necesidad se volvió apremiante. Entonces se unieron, y Catherine lanzó exclamaciones de placer. *Vuelvo a estar sana*, pensó. *¡Gracias!*

Quedaron ahí tendidos, exhaustos, y Catherine sostuvo a Alan entre sus brazos: no deseaba soltarlo más.

Cuando pudo volver a hablar, dijo con voz temblorosa:

—Usted sí que sabe tratar a una paciente, doctor.

Capítulo 28

Catherine se enteró por los titulares sobre la detención de Constantin Demiris, acusado de dar muerte a su esposa. La noticia la conmocionó enormemente. Cuando llegó a la oficina, el ambiente era lúgubre.

—¿Te enteraste de la novedad? —comentó Evelyn, amargada—. ¿Qué vamos a hacer?

—Seguir exactamente como él habría querido que hiciéramos. Estoy segura de que se trata de un error. Voy a tratar de llamarlo por teléfono.

Pero fue imposible comunicarse con él.

Constantin Demiris era el preso más importante que jamás hubiese habido en la Prisión Central de Atenas. El fiscal había dado orden de que no se le dispensara tratamiento especial alguno. Demiris había solicitado varias cosas: acceso a teléfonos, máquinas de télex y servicio de mensajero. Todos sus pedidos fueron denegados.

Trataba de imaginar quién había matado a Melina durante la mayoría de sus horas de vigilia y muchas de sus horas de sueño.

Al principio supuso que Melina había descubierto a un ladrón que estaba desvalijando la casa, y éste le dio muerte. Pero apenas la policía le presentó todas las pruebas en su contra, comprendió que alguien le estaba tendiendo una celada. El asunto era: ¿quién? La persona lógica era Spyros Lambrou, pero esa teoría resultaba sumamente endeble pues Lambrou amaba a su hermana más que a nadie en el mundo, y jamás podría haberle causado un daño.

Sus sospechas recayeron entonces en la banda con que había trabajado Tony Rizzoli. A lo mejor se habían enterado de lo que él le había hecho a Rizzoli, y ésa era su forma de vengarse. Demiris descartó de plano tal teoría. Si la mafia hubiera querido tomarse la revancha, sencillamente lo habrían liquidado.

Así, sentado a solas en su calabozo, repasó todos los acontecimientos una y otra vez, tratando de resolver el misterio. Al final, cuando hubo agotado todas las posibilidades, sólo quedaba una conclusión posible: Melina se había suicidado. Se suicidó y tramó todo para que lo culparan a él. Demiris pensó en lo que les había hecho a Noelle Page y Larry Douglas, y lo irónico era que él se encontraba ahora en la misma situación que habían estado los otros: iban a juzgarlo por un crimen que no había cometido.

El guardián se acercó a la puerta de la celda.

—Vino a verlo su abogado —anunció.

Demiris siguió al custodio hasta una salita de reuniones. El abogado, de apellido Vassiliki, lo estaba esperando. Tenía algo más de cincuenta años, una abundante cabellera canosa y perfil semejante al de un artista de cine. Se había hecho fama de penalista de primera línea. ¿Sería suficiente con eso?

—Tiene quince minutos —le advirtió el guardiacárcel, y los dejó solos.

—¿Y bien? ¿Cuándo va a sacarme de aquí? —preguntó Demiris, en tono prepotente—. ¿Para qué le pago?

—Señor Demiris, el asunto no es tan fácil. El fiscal se niega a...

—El fiscal es un imbécil. No pueden mantenerme encerrado aquí. ¿No puedo salir bajo fianza? Pagaré lo que sea.

Vassiliki se pasó la lengua por los labios.

—Se ha negado la fianza. Estuve revisando las pruebas que ha reunido la policía contra usted, y le anticipo que son muy perjudiciales.

—Perjudiciales o no, yo no maté a Melina. ¡Soy inocente!

El abogado tragó saliva.

—Sí, por supuesto. ¿Tiene alguna idea... de quién pudo haberlo hecho?

—Nadie. Mi mujer se suicidó.

—Perdone, señor Demiris, pero creo que eso no nos sirve mucho como defensa. Va a tener que pensar algo mejor.

Abatido, Demiris comprendió que el hombre tenía razón. Ningún jurado del mundo iba a creer su historia.

A primera hora del día siguiente, el letrado volvió a visitarlo.

—Lamentablemente traigo malas noticias.

Demiris casi se ríe en voz alta. Estaba preso, esperando que lo sentenciaran a muerte, y ese idiota le decía que traía malas noticias. ¿Qué podía haber peor que la situación en que estaba?

—¿Sí?

—Se trata de su cuñado.

—¿Spyros? ¿Qué pasa con él?

—Me informaron que fue y contó en la policía que una tal Catherine Douglas está con vida. Yo no estoy muy al tanto de los pormenores del juicio a Noelle Page y Larry Douglas, pero...

Demiris ya no escuchaba. Debido a la gravedad de todas las cosas que le estaban pasando, se había olvidado totalmente de Catherine. Si la encontraban y ella hablaba, podía quedar involucrado en la muerte de Noelle y Larry. Ya había enviado a Londres a una persona para que la eliminara, pero el tema ahora se volvía urgente.

Se inclinó hacia adelante y aferró el brazo del abogado.

—Quiero que envíe un mensaje a Londres de inmediato.

Leyó dos veces el mensaje y sintió el comienzo de la excitación sexual que se le producía siempre antes de cumplir

300

con un contrato. Era como jugar a ser Dios. Él decidía sobre la vida y la muerte de las personas. Se sobrecogía de sólo pensar en el inmenso poder con que contaba. Pero había un problema. Si tenía que hacerlo cuanto antes, no quedaba tiempo para su otro plan. Tendría que improvisar algo y conseguir que pareciera un accidente. Esa misma noche.

Capítulo 29

ARCHIVO CONFIDENCIAL

Transcripción de la sesión con Wim Vandeen

A.: ¿Cómo se siente hoy?

W.: Bien. Vine aquí en taxi. El nombre del chofer era Ronald Christie. Matrícula del coche, tres-cero-dos-siete-uno; número de habilitación del taxi tres-cero-siete-cero. En el camino pasamos treinta y siete Land Rover, un Bentley, diez Jaguar, un Mini Minor, seis Austin, un Rolls-Royce, veintisiete motos y seis bicicletas.

A.: ¿Cómo le va en el trabajo, Wim?

W.: Usted sabe.

A.: Dígame.

W.: Odio a la gente de la oficina.

A.: ¿Y a Catherine Alexander? Wim, ¿y a Catherine Alexander?

W.: Ah, ella. Ya no trabajará más ahí.

A.: ¿Qué me quiere decir?

W.: Van a asesinarla.

A.: ¿Qué? ¿Por qué dice eso?

W.: Ella me lo dijo.

A.: ¿Catherine le dijo que iban a matarla?

W.: La otra.

A.: ¿Qué otra?

W.: La esposa.

A.: ¿La esposa de quién, Wim?

W.: De Constantin Demiris.

A.: ¿Ella le dijo que Catherine Alexander iba a morir asesinada?

W.: La señora de Demiris. Su esposa. Me llamó desde Grecia.

A.: ¿Quién va a matarla?

W.: Uno de los hombres.

A.: ¿Se refiere a los hombres que llegaron de Atenas?

W.: Sí.

A.: Wim, vamos a tener que terminar aquí esta sesión porque tengo que irme.

W.: Bueno.

Capítulo 30

Las oficinas de la Corporación Helénica cerraban a las seis. Unos minutos antes de la hora, Evelyn y los demás empleados se preparaban ya para marcharse.

Evelyn se dirigió al despacho de Catherine.

—Están dando *Milagro en la calle 34* en el Criterion, y ha tenido muy buenas críticas. ¿No quieres que vayamos a verla?

—No puedo. Gracias, Evelyn. Le prometí a Jerry Haley ir al teatro con él.

—Te tienen ocupada, ¿eh? Bueno, que te diviertas.

Catherine oyó el ruido de los demás que se iban yendo. Por último reinó el silencio. Echó un último vistazo a su escritorio, controló que todo quedara en orden, se puso el abrigo, tomó la cartera y salió al pasillo. Casi había llegado a la puerta de calle cuando sonó el teléfono. Dudó si debía atenderlo o no. Miró la hora; iba a llegar tarde. El teléfono seguía sonando. Volvió corriendo a su oficina y atendió.

—Hola.

—Catherine. —Era Alan Hamilton y parecía agitado. — Gracias a Dios te encontré.

—¿Pasa algo?

—Te hallas en peligro. Creo que alguien está tratando de matarte.

Ella dejó escapar un gemido. La pesadilla se hacía realidad. De pronto se sintió mareada.

—¿Quién?

—No sé. Pero quiero que te quedes donde estás. No salgas de la oficina. No hables con nadie. Yo ya voy a buscarte.

—Alan...

—No te aflijas; ya salgo para allá. Enciérrate con llave. Quédate tranquila, que no pasará nada.

La comunicación se cortó.

Catherine cortó lentamente.

—¡Dios mío!

Atanas apareció en ese momento en la puerta. Vio el rostro desencajado de su amiga, y corrió a su lado.

—¿Pasa algo, señorita Alexander?

—Alguien... alguien está tratando de asesinarme.

El muchacho la miró boquiabierto.

—¿Por qué? ¿Quién habría de querer matarla?

—No estoy segura.

Oyeron que alguien golpeaba la puerta del frente.

Atanas miró a Catherine.

—¿Voy a ver?

—No —dijo ella rápidamente—. No dejes entrar a nadie. El doctor Hamilton ya viene hacia aquí.

El golpe en la puerta se repitió, más fuerte.

—Podría esconderse en el sótano —murmuró el chico—. Ahí va a estar a salvo.

—Tienes razón.

Se dirigieron al fondo del pasillo, hacia la puerta por la que se bajaba al subsuelo.

—Cuando llegue el doctor Hamilton, dile dónde estoy.

—¿No va a tener miedo ahí abajo?

—No —respondió Catherine.

Atanas encendió una luz y bajó adelante de ella por la escalera que llevaba al sótano.

—Aquí nadie la encontrará —aseguró—. ¿No tiene idea de quién quiere matarla?

Ella pensó en Demiris y en las pesadillas. *Él va a tratar de matarla. Pero eso fue sólo un sueño.*

—No estoy segura.

Atanas la miró de frente y declaró, en un susurro:

—Yo creo que lo sé.

Lo miró sorprendida.

—¿Quién?

—Yo. —De pronto el muchacho sacó una navaja y la

apretó contra el cuello de Catherine.

—Atanas, éste no es momento para juegos. —El cuchillo se hundió más en su carne.

—¿Nunca leyó *Appointment in Samarra*, Catherine? ¿No? Bueno, ahora es demasiado tarde, ¿verdad? Se trata de una persona que intentó escapar de la muerte. Fue a Samarra y la muerte la estaba esperando allí. Ésta es su Samarra, Catherine.

Le repugnaba oír palabras tan aterradoras de boca de ese chico de aspecto tan inocente.

—Atanas, por favor. No puedes...

Le dio una fuerte bofetada.

—¿No puedo porque soy demasiado joven? ¿La sorprendí? Eso es porque soy un excelente actor. Tengo treinta años, Catherine. ¿Sabe por qué tengo apariencia de chiquilín? Porque cuando estaba creciendo, nunca tuve alimento suficiente. Vivía de los desperdicios que robaba de los tarros de basura por la noche. —Con el cuchillo apretado contra el cuello de Catherine, la obligaba a retroceder hacia una pared. —Cuando era niño vi cómo unos soldados violaban a mi madre y mi padre, y luego los mataban acuchillándolos. Después me violaron a mí y me dejaron por muerto.

La llevaba cada vez más al fondo del subsuelo.

—Atanas, yo nunca hice nada que te hiciera sufrir.

Él esbozó su sonrisa juvenil.

—Esto no es algo personal sino un asunto de negocios. Usted vale cincuenta mil dólares para mí. Muerta.

Para ella fue como si se hubiera corrido una cortina frente a sus ojos y estuviera viendo todo a través de una bruma roja. Una parte de su ser se hallaba afuera, observando lo que estaba sucediendo.

—Yo había tramado un hermoso plan para usted, pero ahora estoy apurado, de modo que tendremos que improvisar, ¿no es cierto?

Catherine sintió que la punta del cuchillo se le clavaba en el cuello. El hombre levantó la hoja y con ella le rasgó la parte delantera del vestido.

—Hermosa. Muy hermosa. Había planeado una fiesta primero para nosotros, pero como viene hacia aquí el doctor, no tendremos tiempo. Lo lamento por usted, porque soy un gran amante.

Catherine se sentía sofocada, casi sin poder respirar.

Atanas metió la mano en su chaqueta y sacó una botellita del bolsillo, que contenía un líquido color rosado.

—¿Nunca probó el *slivovic*? Brindaremos por su accidente, ¿eh? —Retiró el cuchillo para destapar la botella, y durante un instante Catherine estuvo tentada de huir.

—Vamos, pruébelo —dijo él, en tono suave—. Por favor.

Catherine se pasó la lengua por los labios.

—Mira, te pagaré...

—No gaste saliva. —Bebió un largo sorbo y le pasó la botella. —Beba.

—No. Yo no...

—¡Beba!

Catherine tomó la botella y bebió un sorbo pequeño. El fuerte coñac le quemó la garganta. Atanas le quitó la botella y bebió un largo trago.

—¿Quién le contó a ese médico amigo suyo que alguien iba a matarla?

—No...no sé.

—De todos modos no interesa. —Señaló uno de los gruesos postes de madera que sostenían el techo. —Vaya allá —dijo.

Catherine miró en dirección a la puerta. La hoja de acero le presionó el cuello.

—No me haga decírselo dos veces.

Entonces caminó hacia el poste.

—Muy bien. Siéntese. —Se dio vuelta un instante, y Catherine aprovechó para huir.

Corrió a la escalera con el corazón que le latía desordenadamente. Corría para salvar la vida. Cuando llegó al primer escalón, sintió una mano que la tomaba de una pierna y la arrastraba hacia atrás con una fuerza increíble.

—¡Hija de puta!

La aferró del pelo y acercó el rostro al suyo.

—Vuelva a intentarlo y le quiebro las piernas.

La hoja del cuchillo se le clavaba entre los omóplatos.

—¡Muévase!

Atanas la llevó de vuelta hasta el poste de madera, y la arrojó al suelo.

—¡Quédese aquí!

Lo vio encaminarse hasta una pila de cajas de cartón que había atadas con un cordón grueso, cortar dos trozos largos y regresar.

—Coloque las dos manos detrás del poste.

—No, Atanas...

Le asestó un puñetazo tan fuerte en la cara, que la vista se le nubló. Atanas se agachó para hablarle en un murmullo.

—Nunca me diga que no. Haga lo que le digo si no quiere que le rebane la cabeza.

Catherine puso ambas manos detrás del poste e instantes más tarde sintió que él le ataba las muñecas; la soga le raspaba la carne y se le cortaba la circulación.

—Por favor, están demasiado ajustadas...

—Bien —dijo él, sonriente. Tomó el segundo tramo de cuerda y le ató firmemente los tobillos. Luego se puso de pie. — Ya estamos —dijo—. Todo en orden. —Bebió un trago de la botella. —¿Quiere otro sorbito?

Ella contestó que no con la cabeza, y Atanas se encogió de hombros.

—Como quiera.

Vio que él volvía a llevarse la botella a los labios. *A lo mejor se emborracha y se queda dormido*, pensó, desesperada.

—Solía tomarme un litro de coñac por día —alardeó Atanas, y dejó la botella vacía en el piso de cemento—. Bueno, ya es hora de ponerse a trabajar.

—¿Qué...qué vas a hacer?

—Voy a fraguar un pequeño accidente. Va a ser una obra maestra. Quizás hasta le cobre tarifa doble a Demiris.

¡Demiris! Entonces no era sólo un sueño. Fue él quien planeó todo. Pero, ¿por qué?

Vio que Atanas se dirigía hacia la inmensa caldera. Retiró la tapa y examinó la llama piloto y los ocho quemadores que mantenían caliente la unidad. La válvula de seguridad se hallaba resguardada dentro de un armazón de metal que la protegía. Atanas tomó un trozo de madera y lo calzó en el armazón de modo de impedir que funcionara la válvula. La aguja del termómetro marcaba 65º, pero Atanas la llevó hasta el máximo. Satisfecho, regresó con Catherine.

—¿Se acuerda de todos los problemas que tuvimos con esta caldera? Bueno, me temo que finalmente va a estallar. —Se le acercó más. —Cuando la aguja llegue a los doscientos cuatro grados, estallará. ¿Sabe lo que ocurrirá entonces? Las cañerías del gas se abrirán, y la caldera les prenderá fuego. Entonces todo el edificio estallará como una bomba.

—¡Estás loco! Hay personas inocentes que...

—No existen las personas inocentes. Ustedes los norteamericanos creen en los finales felices, pero son unos tontos. Tampoco existen los finales felices. —Se agachó, tanteó la soga con que Catherine estaba atada al poste y comprobó que le cortaba la carne, y los nudos estaban firmes. Lentamente acarició los pechos desnudos de Catherine, y se los besó. —Es una pena que no tengamos más tiempo. Nunca va a saber lo que se perdió. —La sujetó del pelo para besarla en los labios. Ella le sintió aliento a alcohol. —Adiós, Catherine. —Se levantó.

—No me abandones —le rogó—. Hablemos...

—Tengo que tomar un avión. Me vuelvo a Atenas. —Vio que se encaminaba a la escalera. —Le dejo la luz encendida así ve todo cuando ocurra. —Un instante después, oyó cerrarse la pesada puerta del sótano y el ruido del cerrojo que se calzaba. Después, silencio. Estaba sola. Miró la aguja del indicador de temperatura y notó que ascendía rápidamente. Así, subió de setenta a setenta y cinco, y seguía subiendo. Trató por todos los medios de soltarse, pero cuanto más tironeaba, más fuerte quedaban atadas las manos. Volvió a mirar: la aguja había pasado ya los ochenta y dos grados. No había forma de escapar.

Alan Hamilton conducía por la calle Wimpole como un loco; entraba y salía de los carriles, no prestaba atención a los gritos indignados que le proferían ni a los bocinazos de conductores enardecidos. Cuando vio que en un momento dado no podía avanzar hacia adelante, dobló a la izquierda en Portland Place y enfiló hacia Oxford Circus. Allí el tránsito era más pesado, lo cual lo obligó a aminorar la marcha.

En el sótano de la calle Bond 217, la aguja de la caldera había trepado hasta noventa y tres grados. El subsuelo se estaba volviendo muy caliente.

El tránsito estaba casi detenido. La gente volvía a su casa, salía a cenar, al teatro. Al volante de su auto, Alan Hamilton se preguntaba si no debía haber dado aviso a la policía. *Pero, ¿qué habría conseguido? Una paciente neurótica que tengo supone que la van a asesinar. Los policías se habrían reído de mí. No, tengo que llegar yo.* El tránsito comenzó a moverse de nuevo.

En los sótanos, la aguja estaba por alcanzar los ciento cuarenta y cinco grados. El calor ya era casi insoportable. Trató una vez más de desatarse; la soga la dejó en carne viva, pero los nudos siguieron firmes.

Dobló en la calle Oxford y atravesó velozmente la línea reservada para los peatones en el momento en que cruzaban dos ancianas. Oyó a sus espaldas el agudo silbato de un policía. Por un momento estuvo tentado de detenerse y pedir ayuda. Pero no había tiempo para explicaciones, por lo que prosiguió su marcha.

En una esquina apareció un inmenso camión que le bloqueó el paso. Hamilton tocó enérgicamente la bocina. Sacó la cabeza por la ventanilla y gritó:

—¡Salga de ahí!

El camionero lo miró.

—¿Qué te pasa, muchacho? ¿Vas a un incendio?

El tránsito se volvió una maraña infernal. Cuando por fin se despejó, Hamilton avanzó raudamente hacia la calle Bond. Un viaje que debía durar diez minutos le había llevado casi media hora.

En el subsuelo, la aguja llegó a los doscientos cuatro grados.

Felizmente, ya avistaba el edificio. Se acercó al cordón de la acera de enfrente y clavó los frenos. Abrió la puerta y se bajó como una tromba. Cuando corría hacia la entrada, se detuvo presa del horror. La tierra tembló en el instante en que todo el edificio estallaba como una bomba gigantesca, llenando el aire de llamaradas.

Y de muerte.

Capítulo 31

Atanas Stavich estaba tremendamente excitado, como le ocurría siempre que cumplía con un contrato. Acostumbraba tener relaciones sexuales con sus víctimas —hombres o mujeres— antes de matarlas, y eso siempre le resultaba emocionante. Ahora estaba frustrado porque no había tenido tiempo de torturar a Catherine ni forzarla a hacer el amor con él. Miró la hora. Todavía era temprano, porque su avión sólo salía a las once de la noche. Tomó un taxi hasta Shepherd Market, pagó, se bajó y echó a andar entre el laberinto de calles. En las esquinas, había grupos de muchachas jóvenes que llamaban a los hombres que pasaban.

—Hola, querido. ¿No quieres una clase francesa esta noche?

—¿No te gustaría una fiesta?

—¿Te interesa el estilo griego?

Ninguna de ellas se acercó a Atanas. Él se aproximó a una rubia alta que vestía una breve falda de cuero y zapatos de taco muy fino.

—Buenas noches —dijo, cortés.

Ella lo miró, divertida.

—Hola, nene. ¿Tu mamá sabe que saliste?

Atanas sonrió con timidez.

—Sí, señorita. Pensé que, si no estaba ocupada...

La prostituta se rió.

—¿Ah, sí? ¿Y qué harías si yo no estuviera ocupada? ¿Ya te acostaste alguna vez con una mujer?

—Una vez, y me gustó.

—Eres como un enano —se rió ella—. Por lo general rechazo a los muy pequeños, pero esta noche el negocio anda flojo. ¿Tienes un billete de diez?

—Sí.

—De acuerdo. Entonces vamos arriba.

Entraron por una puerta y subieron dos pisos de escaleras, hasta un departamento de un ambiente.

Atanas le entregó el dinero.

—Bueno, a ver qué es lo que sabes hacer, querido. —Se desnudó y observó desvestirse a Atanas. Quedó boquiabierta. — ¡Dios mío! Eres enorme.

—¿Sí?

La mujer se tendió en la cama.

—Con cuidado. No vayas a hacerme doler.

Atanas llegó a la cama. Habitualmente disfrutaba golpeando a las prostitutas porque así aumentaba su goce sexual, pero ése no era el momento de hacer algo que pudiera resultar sospechoso o dejar alguna pista para la policía. Por eso, sonrió y dijo:

—Hoy es tu noche de suerte.

—¿Qué?

—Nada. —Trepó encima de ella y la penetró. Le hizo doler, pero era Catherine la que gritaba pidiendo piedad, rogándole que parara. La golpeó salvajemente, cada vez más fuerte, porque los alaridos lo excitaban, hasta que por fin sintió que todo estallaba. Entonces, se tendió en la cama, satisfecho.

—Dios mío —murmuró la mujer—. Eres increíble.

Atanas abrió los ojos, pero no era Catherine la que estaba a su lado. Se hallaba en una sórdida habitación, con una puta horrible. Se vistió, tomó un taxi hasta su hotel, empacó sus cosas y se marchó.

Había una fila pequeña frente al mostrador de la Olympic Airways. Cuando le llegó el turno a Atanas, entregó su boleto.

—¿El avión sale puntualmente?

—Sí. —El empleado leyó el nombre que figuraba en el pasaje. *Atanas Stavich*. Volvió a mirar a Atanas; luego miró de reojo a un hombre que había a un costado e hizo un leve movimiento de cabeza. El hombre entonces se acercó al mostrador.

—¿Me permite su boleto?

Atanas se lo entregó.

—¿Pasa algo?

—Este vuelo está completo —le explicó el señor—. Pase, por favor a la oficina, así vemos cómo lo podemos arreglar.

Atanas se encogió de hombros.

—Bueno. —Fue detrás del hombre, inundado de una profunda sensación de euforia. Demiris ya debía de haber salido de la cárcel. Era un hombre demasiado importante como para que lo tocaran. Todo había salido a la perfección. Pondría los cincuenta mil dólares en una de sus cuentas numeradas, de Suiza. Después se tomaría unas vacaciones. Tal vez iría a la Riviera, o quizás a Río. Le encantaban los homosexuales brasileños.

Entró en el despacho y quedó paralizado de la impresión.

—¡Usted está muerta! ¡Está muerta! ¡Yo la maté! —gritó.

Seguía gritando aún cuando lo sacaron de allí y lo llevaron a un celular de la policía. Alan Hamilton y Catherine lo miraron partir.

—Ya todo terminó, querida. Por fin se acabó todo.

Capítulo 32

Varias horas antes, en el subsuelo, Catherine intentaba desperadamente soltar sus manos, pero cuanto más forcejeaba, más le apretaba la soga. Los dedos se le estaban entumeciendo. Miraba todo el tiempo la aguja de la caldera, que ya estaba en ciento veintiún grados. *Cuando llegue a los doscientos cuatro, estallará. Tiene que haber alguna forma de salir de aquí. ¡Tiene que haber!* Su mirada se posó en la botellita de coñac que Atanas había arrojado al piso; entonces, el corazón comenzó a latirle aceleradamente. *¡Hay una posibilidad!* Si pudiera...Se recostó contra el poste y estiró los pies hacia la botella, pero no la pudo alcanzar. Se deslizó un poco más hacia abajo. La botella quedaba a escasos dos centímetros. Se le llenaron los ojos de lágrimas. *Un intento más*, pensó. *Uno más.* Se echó más hacia abajo, y la espalda se le astilló toda al raspar contra la madera. Volvió a empujar con todas sus fuerzas. Con un pie rozó la botella. *Cuidado, no vayas a alejarla más.* Lenta, muy lentamente enganchó el pico de la botella con la soga que le ataba los pies. Luego movió los pies hacia adentro para acercar la botella. Por último consiguió tenerla a su lado.

La aguja ya estaba en ciento treinta y siete grados. Trató de no dejarse dominar por el pánico. Despacito fue llevando la botella con los pies hasta detrás del poste. Los dedos de su mano rozaron la botella, pero estaban demasiado entumecidos como para aprehenderla. Además, también estaban resbalosos por la sangre de la herida que le había provocado la soga.

Cada vez hacía más calor. Volvió a probar, y la botella se le resbaló. Miró la aguja: *¡ciento cuarenta y ocho grados! Respiró hondo una vez más y le dio la impresión de que la aguja subía velozmente. Comenzaba a salir vapor de la caldera. Trató de nuevo de agarrar la botella.*

¡Por fin lo consiguió! La tenía sujeta entre ambas

manos atadas. La sostuvo fuertemente, levantó los brazos y los bajó deslizándolos contra el poste, con lo cual la botella golpeó contra el piso de cemento. No pasó nada. Lanzó un grito de desesperación y volvió a intentarlo. Nada. La aguja subía inexorablemente. *¡ciento setenta y seis grados!* Volvió a tomar aliento, golpeó la botella con todas sus fuerzas y sintió el ruido a vidrios rotos. *¡Gracias a Dios!* Actuando lo más rápido que se atrevió, sujetó el cuello roto de la botella en una mano y comenzó a desgastar la soga con la otra. El vidrio le hizo cortes en las muñecas, pero ella no hizo caso del dolor. Sintió que se cortaba una hebra; luego la otra, y de repente las manos quedaron libres. De prisa aflojó la soga de la otra mano y desató la atadura de los pies. La aguja había llegado hasta los ciento noventa y tres grados. Chorros de vapor salían de la caldera. Se puso de pie con un gran esfuerzo. Atanas había trancado la puerta de acceso. No había tiempo de escapar del edificio antes de la explosión.

Fue hasta la caldera y tironeó del pedazo de madera que impedía que funcionara la válvula de seguridad, pero estaba trancado. *¡Doscientos cuatro grados!*

Tuvo que tomar la decisión en una fracción de segundo. Corrió hasta el refugio antiaéreo, entró y cerró la gruesa puerta. Se arrodilló en el piso del inmenso *bunker* hecha un ovillo, con la respiración entrecortada, y cinco segundos más tarde tuvo la impresión de que la habitación se movía. Permaneció allí en las tinieblas, respirando con dificultad, escuchando el rugido de las llamas del otro lado de la puerta. Se había salvado. Ya había terminado todo. *No, todavía no.*, se dijo. *Todavía me queda algo por hacer.*

Una hora más tarde, cuando los bomberos la hallaron y la sacaron de allí, se encontró con Alan. Corrió a su lado, y él la estrechó en sus brazos.

—Catherine, mi amor. ¡Tuve tanto miedo! ¿Cómo hiciste...?

—Después te cuento. Ahora debemos detener a Atanas Stavich.

Capítulo 33

Se casaron en una ceremonia sencilla que se realizó en la granja que la hermana de Alan tenía en Sussex. La hermana de Alan resultó ser muy simpática, y era igualita a la foto que tenía Alan en el consultorio. El hijo estaba estudiando afuera. La pareja pasó un fin de semana tranquilo en el campo, y luego viajaron de luna de miel a Venecia.

Venecia era una página de brillante colorido de un libro de historia medieval, una mágica ciudad flotante de canales y ciento veinte islas cruzadas por cuatrocientos puentes. Alan y Catherine llegaron al aeropuerto Marco Polo, cerca de Mestre, y tomaron una lancha hasta la terminal de la plaza San Marco. Se alojaron en el Royal Danieli, el viejo y hermoso hotel contiguo al Palacio de los Dogos.

La *suite* que les asignaron era bellísima, con muebles de anticuario, y daba al Gran Canal.

—¿Qué quieres que hagamos primero?

Catherine se le acercó y lo rodeó con sus brazos.

—Adivina.

Desempacaron más tarde.

Venecia fue como un bálsamo cicatrizante, que ayudó a Catherine a olvidar los horrores y pesadillas del pasado.

Salieron juntos a explorar. La Plaza San Marcos quedaba a pocas cuadras del hotel, pero siglos atrás en el tiempo. La iglesia de San Marcos era a la vez galería de arte y catedral, con sus paredes y techos adornados con asombrosos mosaicos y frescos.

Entraron en el Palacio de los Dogos, recorrieron sus opulentas cámaras. Se pararon en el Puente de los Suspiros, que siglos antes los prisioneros cruzaban para ir al encuentro de la muerte.

Visitaron museos e iglesias en algunas islas cercanas. En Murano presenciaron el soplado del vidrio, y en Burano vieron cómo las mujeres bordaban encajes. Tomaron una lancha para ir a Torcello; allí cenaron en el hermoso jardín lleno de flores de Locanda Cipriani, que a Catherine le hizo acordar al jardín del convento. Recordó también qué perdida se sentía entonces. Miró a ese hombre tan querido que tenía enfrente y pensó: *Gracias, Dios mío*.

Mercerie era la principal arteria comercial, y allí encontraron tiendas fabulosas. Rubelli era famoso por las telas; Casella por los zapatos y Giocondo Cassini por las antigüedades. Cenaron en Quadri, en Al Graspo de Ua y en El Bar de Harry. Anduvieron en góndolas y en los más pequeños *sandoli*.

El viernes, a punto de concluir su estada, se largó un aguacero repentino en medio de una violenta tormenta eléctrica.

Catherine y Alan corrieron a guarecerse en el hotel, y miraron llover desde la ventana.

—Lamento lo de la lluvia, señora Hamilton —dijo Alan—. Los folletos prometían un sol espléndido.

Catherine sonrió.

—¿Qué lluvia? ¡Estoy tan contenta, mi amor!

En el cielo brillaron unos relámpagos, y segundos más tarde se oyó la explosión de los truenos. Otro sonido estalló dentro de la mente de Catherine: la explosión de la caldera.

—¿No es hoy el día cuando los miembros del jurado entregan su veredicto?

Ala vaciló antes de responder.

—Sí. Yo no te hice acordar porque...

—No me hace mal, y quiero saberlo.

Él la miró un instante; luego asintió.

—De acuerdo.

Catherine vio que se dirigía a una radio que había en

318

un rincón. Buscó con el dial la estación de la BBC, que estaba transmitiendo las noticias.

"...y el Primer Ministro presentó hoy su renuncia. El premier tratará de formar un nuevo gobierno". La transmisión se oía con mucho ruido, y la voz por momentos se perdía.

—Es esta maldita tormenta —comentó Alan.

El sonido retornó.

"En Atenas, ha llegado a su fin el juicio a Constantin Demiris, y el jurado acaba de entregar su veredicto hace apenas instantes. Para sorpresa de todo el mundo, el veredicto..."

Ya no se oyó más.

—¿Cuál te parece que fue el veredicto, Alan?

Él la tomó en sus brazos.

—Depende de si crees, o no, en los finales felices.

Capítulo 34

Epílogo

Cinco días antes de la fecha de inicio del juicio a Constantin Demiris, el guardiacárcel abrió la puerta de su calabozo.

—Tiene visitas —dijo.

Demiris levantó la mirada. A excepción de su abogado, hasta ese momento no le habían permitido visita alguna. No quiso demostrar ni la menor curiosidad. Esos hijos de puta lo trataban como a un preso común, y por eso no les iba a dar el gusto de demostrar emociones. Fue con el custodio hasta la pequeña salita de reuniones.

—Pase.

Demiris entró y se detuvo. En un sillón de ruedas vio a un anciano inválido de pelo totalmente blanco. Su rostro era un horrible remiendo de tejido quemado color rojo y blanco. La comisura de los labios le había quedado hacia arriba, formando un espantoso rictus de sonrisa. Demiris demoró un instante en darse cuenta de quién era.

—¡Dios santo! —exclamó, pálido.

—No soy un fantasma —sostuvo Napoleon Chotas. Su voz era un ronquido áspero. —Pasa, Costa.

Demiris recuperó la voz.

—El incendio...

—Salté por la ventana y me quebré la espalda. El mayordomo consiguió alejarme antes de que llegaran los bomberos. No quise que te enteraras de que había salvado la vida. Estaba demasiado cansado como para seguir peleando contigo.

—Pero... se encontró un cadáver.

—El de un sirviente mío.

Demiris tomó asiento.

—Me... alegro de que estés vivo —dijo con voz tenue.

—Debería estarlo, porque voy a salvarte la vida.

Demiris lo observó, cauteloso.

—¿Ah, sí?

—Sí. Pienso defenderte.

Demiris soltó una carcajada.

—Leon, después de tantos años, ¿me tomas por tonto? ¿Cómo se te ocurre que voy a poner mi suerte en tus manos?

—Porque soy el único que puede salvarte, Costa.

Constantin Demiris se puso de pie.

—No, gracias. —Se encaminó a la puerta.

—Hablé con Spyros Lambrou y lo convencí de que declare que estuvo contigo a la hora en que murió su hermana.

Demiris se detuvo y giró sobre sus talones.

—¿Por qué lo haría?

Chotas se inclinó hacia adelante en su sillón de ruedas.

—Porque lo persuadí de que apoderarse de toda tu fortuna sería una venganza mucho más dulce que enviarte a la muerte.

—No entiendo.

—Le aseguré que, si atestiguaba a tu favor, le cederías toda tu fortuna: tus barcos, tus empresas, todo lo que posees.

—¡Estás loco!

—¿Te parece? Piénsalo, Costa. Su testimonio puede salvarte. ¿Acaso tu fortuna tiene más valor para ti que tu propia vida?

Hubo un largo silencio. Demiris volvió a sentarse y lo miró con cara de desconfiado.

—¿Spyros está dispuesto a declarar que estuve con él a la hora en que murió Melina?

—Así es.

—¿Y a cambio pretende quedarse con...?

—Todo lo que tienes.

Demiris meneó la cabeza.

—Yo tendría que quedarme con...

—*Todo*. Quiere desplumarte entero. Ésa sería su venganza.

Algo tenía intrigado a Demiris.

—¿Y esto a ti qué te reportaría, Leon?

Los labios del abogado formaron algo que quiso ser una sonrisa.

—Yo me quedo con todo.

—No te entiendo.

—Antes de que le transfieras la Corporación Helénica a Lambrou vas a ceder todos los bienes a una empresa nueva. Una compañía de mi propiedad.

—Y así Lambrou no recibiría nada.

Chotas se encogió de hombros.

—Siempre hay uno que gana y otro que pierde.

—¿Y él no sospechará nada?

—De la manera que pienso hacerlo, no.

—Si lo traicionas a él, ¿cómo sé que no harás lo mismo conmigo?

—Muy sencillo, mi estimado Costa. Estás protegido. Vamos a firmar un convenio por el cual la nueva empresa me pertenecerá sólo en caso de que te absuelvan. Si te condenan, no me toca nada.

Por primer vez Demiris sintió interés. Estudió con la mirada al abogado paralítico. *¿Sería capaz de arruinar el juicio y perderse cientos de millones de dólares sólo para vengarse de mí? No, no es tan tonto.*

—De acuerdo —dijo lentamente—. Acepto.

—Bien. Acabas de salvar tu vida, Costa.

He salvado mucho más que eso, pensó él, gozoso. *Tengo cien millones de dólares escondidos en un sitio donde nadie los puede encontrar.*

La reunión de Chotas con Spyros Lambrou había sido difícil. Lambrou casi lo echa de su oficina.

—¿Pretende que declare para salvarle la vida a ese monstruo? Váyase de aquí.

—Usted quiere vengarse, ¿no?

—Sí. Y lo voy a conseguir.

—¿Le parece? Conoce muy bien a Costa, un hombre al que le importa más la fortuna que su vida. Si lo ejecutan, sufrirá apenas unos minutos, pero si usted logra quebrarlo, si le saca todo lo que tiene y lo obliga a seguir viviendo sin dinero, le infligiría un castigo mucho mayor.

Lo que el abogado sostenía era cierto. Demiris era el hombre más codicioso que hubiera conocido.

—¿Dice que está dispuesto a transferirme todos sus bienes?

—Todo. Su flota, la empresa, hasta la última compañía de su propiedad.

Era una tentación enorme.

—Déjeme pensarlo. —Lambrou lo miró salir en su sillón de ruedas. *Pobre tipo*, pensó. *¿Qué aliciente tiene para seguir viviendo?*

A medianoche llamó por teléfono a Chotas.

—Ya me decidí —dijo—. Trato hecho.

El periodismo estaba enloquecido. No sólo se juzgaba a Constantin Demiris por el homicidio de su mujer sino que también lo defendía un hombre que había vuelto de entre los muertos, el prestigioso penalista que, según se suponía, había fallecido en un holocausto.

El juicio tuvo lugar en la misma sala donde se realizó el de Noelle Page y Larry Douglas. Sentado a la mesa de la defensa, Constantin Demiris parecía envuelto en un aura de invisibilidad. A su lado, Napoleon Chotas en su silla de ruedas. Por la otra parte, el fiscal especial Delma.

En ese momento, Delma se dirigía al jurado.

—Constantin Demiris es uno de los hombres más influyentes del mundo. Su enorme fortuna le concede numerosos privilegios. Pero hay uno que no tiene: el derecho a cometer un asesinato a sangre fría. Nadie tiene ese derecho. —Se volvió para mirar al acusado. —Esta fiscalía demostrará de manera indubitable que Constantin Demiris es culpable de haber asesinado brutalmente a su esposa, que lo amaba. Cuando hayan terminado de escuchar las declaraciones, estoy seguro de que sólo podrán arribar a un veredicto: culpable de homicidio premeditado. —Regresó a su asiento.

El juez se dirigió a Chotas.

—¿Está lista la defensa para presentar su exposición inicial?

—Sí, su Señoría. —Chotas se arrastró en su sillón y fue a colocarse delante de los miembros del jurado. Pudo distinguir una expresión de lástima en sus rostros cuando trataban de no mirar su cara grotesca y su cuerpo tullido.

—A Constantin Demiris no se lo juzga porque sea rico o poderoso. O quizá sea *debido a eso* que se lo haya traído ante este tribunal. Los débiles siempre tratan de destronar a los poderosos, ¿verdad? Al señor Demiris puede culpársele de ser rico y poderoso, pero algo voy a probar con absoluta certeza: que no es culpable de haber dado muerte a su mujer.

El juicio había comenzado.

El fiscal Delma interrogaba al teniente de policía Theophilos.

—¿Puede describir lo que vio cuando llegó a la casa de veraneo de Demiris, teniente?

—Mesas y sillas tiradas por doquier. Todo se hallaba revuelto.

—¿Daba la impresión de que hubiera habido un terrible forcejeo?

—Sí, señor. Como si hubieran entrado en la casa a robar.

—¿Encontró usted un cuchillo ensangrentado en el lugar del crimen?

—Sí, señor.

—¿Había en él huellas digitales?

—Así es.

—¿A quién pertenecían?

—A Constantin Demiris.

Los ojos de los miembros del jurado se posaron en el acusado.

—Cuando registraron la casa, ¿qué más encontraron?

—Al fondo de un placard hallamos un pantalón de baño ensangrentado, que tenía bordadas las iniciales de Demiris.

—¿Podría ser que ese pantalón hubiese estado desde hace tiempo en la casa?

—No, señor. Todavía estaba húmedo de agua de mar.

—Gracias.

Le tocó entonces el turno a Chotas.

—Teniente Theophilos, usted tuvo oportunidad de conversar personalmente con el reo, ¿verdad?

—Sí, señor.

—¿Cómo lo describiría físicamente?

—Bueno... —Miró hacia donde estaba Demiris—. Yo diría que es fornido.

—¿Le pareció fuerte? Quiero decir, físicamente fuerte.

—Sí.

—No del tipo de hombre que necesitaría dejar patas arriba toda una habitación para matar a su mujer.

Delma se puso de pie.

—Protesto.

—Ha lugar. El defensor se abstendrá de orientar al testigo.

—Pido disculpas, Su Señoría. —Chotas volvió a dirigirse al teniente. —Al conversar con el señor Demiris, ¿lo consideró usted un hombre inteligente?

—Sí, señor. No creo que nadie pueda hacerse tan rico sin ser muy inteligente.

—Totalmente de acuerdo con usted, teniente. Y eso nos lleva a una interesante cuestión. ¿Le parece usted que un hombre inteligente como él va a ser tan tonto de cometer

325

un crimen y dejar en el lugar del hecho un cuchillo con sus impresiones digitales y un pantalón de baño con manchas de sangre? ¿No diría que eso no fue muy inteligente?

—Bueno, a veces en el apasionamiento, al cometer un crimen la gente hace cosas extrañas.

—La policía encontró un botón de la chaqueta que supuestamente vestía Demiris, ¿verdad?

—Sí, señor.

—Y ésa es una prueba clave contra el acusado. ¿La teoría policial es que su esposa se lo arrancó en el forcejeo cuando él intentaba matarla?

—Correcto.

—Así, tenemos a un hombre que acostumbra a vestir con corrección. Le arrancan un botón del saco, pero no se da cuenta. Vuelve a su casa con el saco puesto y sigue sin notarlo. Después se lo quita y lo cuelga en el placard... y todavía no lo advierte. De ser cierto, mi defendido no sería sólo tonto sino también ciego.

El señor Katelanos, dueño de la agencia de investigaciones, se hallaba en el estrado y trataba de sacar el máximo provecho de su momento de gloria. Delma lo estaba interrogando.

—¿Es usted propietario de una agencia de detectives privados?

—Sí, señor.

—¿Es cierto que unos días antes de morir, la señora de Demiris fue a verlo?

—Así es.

—¿Qué quería?

—Protección. Dijo que iba a divorciarse del marido, y que éste había amenazado con matarla.

Corrió un murmullo entre los espectadores.

—De modo que la señora estaba muy trastornada.

—Sí, sí. Mucho.

—¿Y contrató a su agencia para que la protegieran del marido?

—Correcto.

—Es todo. Gracias. —Se volvió hacia Chotas. —Su testigo —dijo.

Chotas se acercó en su sillón de ruedas hasta el banquillo de los testigos.

—Señor Katelanos, ¿cuánto hace que está en el negocio de los detectives?

—Casi quince años.

Chotas se mostró impresionado.

—Bueno, es mucho tiempo. Entonces debe ser muy competente en su trabajo.

—Supongo que sí —respondió el testigo, modestamente.

—Me imagino que tendrá mucha experiencia en tratar con personas que tienen problemas.

—Por eso vienen a verme —se ufanó Katelanos.

—Y cuando la señora de Demiris fue a verlo, ¿la notó un poquito perturbada o...?

—No, no. Estaba *muy* alterada. Podríamos decir, presa del pánico.

—Entiendo. Porque tenía miedo de que el marido la matara.

—Así es.

—Cuando la señora se fue de su oficina, ¿cuántos hombres envió con ella? ¿Uno? ¿Dos?

—Bueno, no. No mandé a ninguno.

Chotas frunció el entrecejo.

—No entiendo. ¿Por qué no?

—Porque ella dijo que quería que comenzáramos el lunes.

Chotas lo miró desconcertado.

—Me está confundiendo, señor Katelanos. La mujer que fue a verlo, aterrada de que el marido fuera a matarla, ¿se fue así no más, diciendo que no necesitaba protección hasta el lunes?

—Bueno... así fue.

—Yo me pregunto entonces —reflexionó el abogado— hasta qué punto estaba asustada la señora.

La criada de los Demiris se hallaba en el estrado.

—¿Oyó usted una conversación telefónica entre la señora Demiris y su esposo?

—Sí, señor.

—¿Podría relatar la conversación?

—Bueno, la señora le dijo al marido que quería el divorcio, y él le contestó que no se lo iba a dar.

Delma miró al jurado.

—Entiendo. —Volvió a mirar a la testigo. —¿Qué más oyó?

—Él le pidió que se reuniera con él a las tres de la tarde en la casa de la playa, y que fuera sola.

—¿Especificó que debía ir sola?

—Sí. Y ella me dijo que si no estaba de vuelta para las seis, que diera aviso a la policía.

Se produjo una reacción visible en el jurado cuando todos se volvieron para mirar al reo.

—No hay más preguntas por ahora. Su turno, doctor Chotas.

El defensor se acercó al estrado en su silla de ruedas.

—Su nombre es Andrea, ¿verdad?

—Sí, señor. —La mujer trató de no mirar ese rostro desfigurado, lleno de cicatrices.

—Andrea, dice usted que oyó que la señora de Demiris le decía al marido que iba a pedir el divorcio, y él le contestó que no se lo iba a dar; después, él le pidió que fuera sola a la casa de la playa, a las tres. ¿Correcto?

—Sí, señor.

—Recuerde que está bajo juramento, Andrea. Eso no es en absoluto lo que oyó.

—Sí, sí lo oí.

—¿Cuántos teléfonos hay en la habitación donde tuvo lugar la conversación?

—Uno solo.

Chotas acercó un poco más su sillón.

—¿Y usted no estaba escuchando por otro teléfono?

—No, señor. Jamás haría eso.

—Entonces, la verdad es que sólo oyó lo que decía *la*

señora Demiris. Imposible que oyera lo que hablaba el marido.

—Bueno, supongo...

—En una palabra, usted *no* oyó al señor Demiris amenazar a su esposa ni pedirle que fuera a la casa de veraneo, ni nada. Usted *se imaginó* todo a partir de lo que decía la señora.

Andrea parecía aturdida.

—Bueno, supongo que podría decirlo así.

—Lo *estoy diciendo* así. ¿Por qué se hallaba usted en la habitación cuando hablaba por teléfono la señora?

—Ella me pidió que le llevara un té.

—¿Y usted se lo alcanzó?

—Sí, señor.

—Y lo dejó sobre una mesa.

—Sí, señor.

—¿Por qué no se fue luego?

—La señora me hizo señas de que me quedara.

—¿Ella quiso que usted oyera la conversación o lo que supuestamente fue una conversación?

—Supongo... que sí.

La voz del defensor fue como un latigazo.

—De modo que usted no sabe si ella estaba hablando con su marido o no hablaba con nadie. —Acercó un poco más su sillón. —¿No le parece raro que en medio de una conversación privada la señora la hiciera quedarse y escuchar? Sé que en mi casa, si estamos hablando algo íntimo, no le pedimos al personal que escuche. No. Yo le digo que esa conversación nunca se realizó. La señora Demiris no estaba hablando con nadie. Estaba tendiendo una trampa a su marido para que hoy, en esta sala, se lo juzgara con el riesgo de perder la vida. Pero Constantin Demiris no mató a su mujer. Las pruebas en su contra fueron dejadas expresamente, con mucho cuidado. Ningún hombre inteligente deja un reguero de pistas tan obvias que conducen a él. Y sea lo que fuere Demiris, no se puede negar que es un hombre inteligente.

El juicio se prolongó diez días más con acusaciones y refutaciones, y el testimonio de los peritos policiales y del médico forense. El consenso era que probablemente Demiris fuese culpable.

Napoleon Chotas se guardó la bomba para el final, cuando puso a Spyros Lambrou en el banquillo de los testigos. Antes de empezar el juicio, Demiris había firmado un acta notarial por la cual transfería todos los bienes de la Corporación Helénica a Lambrou. Un día antes, dichos bienes habían sido cedidos secretamente a Napoleon Chotas, con la aclaración de que el convenio entraría en vigencia sólo si Demiris resultaba sobreseído en el juicio.

—Señor Lambrou. Usted y su cuñado, Constantin Demiris, no se llevaban bien, ¿no?

—No; en efecto.

—De hecho, no sería exagerado asegurar que se odiaban, ¿verdad?

Lambrou miró a Demiris.

—Creo que se queda corto en su afirmación.

—El día que desapareció su hermana, Demiris declaró a la policía que se hallaba lejos de la casa de veraneo. Más aún, que a las tres, hora en que se estima la muerte, estaba reunido con usted en Acrocorinth. Cuando la policía lo interrogó respecto de esa reunión, usted negó que se hubiera realizado.

—Es cierto.

—¿Por qué?

Meditó antes de responder. Luego habló con voz de enojo.

—Demiris trataba muy mal a mi hermana. Constantemente la humillaba, y yo quería castigarlo. Como me necesitaba a mí de coartada, resolví no declarar a favor de él.

—¿Y ahora?

—No puedo vivir más con la mentira. Tengo que confesar la verdad.

—Aquella tarde, ¿se reunió Constantin Demiris con usted en Acrocorinth?

—Sí. La verdad es que sí.

Se produjo un alboroto en la sala. Delma se puso de pie, con rostro demudado.

—Protesto, Su Señoría.

—No ha lugar.

El fiscal volvió a sentarse. Demiris estaba inclinado hacia adelante, con los ojos brillosos.

—Háblenos sobre esa reunión. ¿La había planeado usted?

—No. Fue idea de Melina. Nos engañó a los dos.

—Los engañó, ¿cómo?

—Me llamó por teléfono para decirme que su marido deseaba encontrarse conmigo en mi chalet para hablar de negocios. Después llamó a Demiris y le dijo que yo quería que nos reuniéramos allí. Cuando llegamos, no teníamos nada que decirnos.

—¿Y dicho encuentro se produjo a media tarde, a la hora en que se estableció la muerte de su hermana?

—Así es.

—Acrocorinth queda a cuatro horas de viaje en auto hasta la casa de playa. Mandé que se tomara el tiempo. —Chotas miraba al jurado. —De modo que es imposible que el señor Demiris haya estado en Acrocorinth a las tres y de regreso en Atenas antes de las siete. —Se volvió para dirigirse a Lambrou. —Está bajo juramento, señor Lambrou. Lo que acaba de relatar, ¿es la verdad?

—Sí. Que Dios me castigue si no lo es.

El jurado estuvo cuatro horas deliberando. Demiris los estudió con la mirada cuando retornaron a la sala. Se lo veía pálido, nervioso. Chotas no miraba al jurado sino a su defendido. Demiris había perdido el aplomo y la arrogancia. Era un hombre que estaba haciendo frente a la muerte.

—¿El jurado ha arribado a un veredicto? —preguntó el juez.

—Sí, Su Señoría. —El presidente mostró un papel que tenía en la mano.

—Que me lo alcancen, por favor. —Un oficial se acercó al jurado, recibió el papel y se lo llevó al juez. Éste lo leyó y levantó la mirada. —El jurado declara que el acusado es inocente.

Se produjo un infierno dentro de la sala. La gente se levantaba; algunos aplaudían; otros silbaban.

La expresión de Demiris era de éxtasis. Respiró hondo, se puso de pie y fue hasta donde estaba su abogado.

—Lo conseguiste —dijo—. Estoy en deuda contigo.

Chotas lo miró a los ojos.

—Ya no, porque ahora yo soy rico y tú eres pobre. Ven, vamos a festejar.

Demiris empujó el sillón de ruedas. Cruzaron en medio del gentío, pasaron frente a los periodistas y llegaron a la playa de estacionamiento. Chotas señaló un coche que había cerca de la entrada.

—Ése es mi auto.

Demiris lo llevó hasta la puerta.

—¿No tienes chofer?

—No lo necesito. Hice acondicionar el auto para poder conducirlo yo. Ayúdame a subir.

Demiris le abrió la puerta, lo levantó y lo sentó al volante. Plegó la silla y la puso en el asiento de atrás. Luego se sentó en el asiento del acompañante.

—Sigues siendo el mejor abogado del mundo.

—Sí. —Puso en cambio y arrancó. —¿Qué vas a hacer ahora, Costa?

Demiris midió su respuesta.

—Bueno, ya de alguna forma me voy a arreglar. —*Con cien millones de dólares, puedo reconstruir mi imperio.* —Se rió. — Spyros se va a disgustar mucho cuando se dé cuenta de que lo estafaste.

—No puede hacer nada. El contrato que firmó le otorga una compañía que no vale nada.

Iban rumbo a la montaña. Demiris miró a su compañero mover las palancas que accionaban el acelerador y el freno.

—Te manejas muy bien con esto.

—Uno aprende a hacer lo que necesita. —Subían por un camino angosto.

—¿Adónde vamos?

—Tengo una casita allá arriba. Vamos a brindar con champagne, y después llamo a un taxi para que te traiga de vuelta. ¿Sabes, Costa? Estuve pensando en todo lo que sucedió...la muerte de Noelle y Larry Douglas. Y del pobre Stavros. Ninguna se debió a un asunto de dinero, ¿no? —Se dio vuelta para mirar a su acompañante. —Fue todo por odio. Por odio y amor. Tú amabas a Noelle.

—Sí. La amaba.

—Yo también. Eso no lo sabías, ¿verdad?

Demiris se sorprendió.

—No.

—Y sin embargo contribuí a matarla. Eso nunca me lo he perdonado. ¿Tú te lo has perdonado?

—Se merecía el castigo que le tocó.

—Creo que a la larga, todos nos merecemos lo que nos toca. Una cosa no te he contado, Costa. Ese incendio...desde aquella noche, he sentido dolores insoportables. Los médicos trataron de volver a armarme, pero no les salió bien. Quedé demasiado paralítico. —Movió una palanca que aceleró el coche. Tomaban velozmente curvas cerradas, y cada vez subían más. El mar Egeo se veía ya muy abajo.

"Precisamente, es tanto lo que sufro, que ya no tiene sentido seguir viviendo. —Volvió a empujar la palanca, y el auto avanzó a más velocidad.

—Ve más despacio. Estás yendo demasiado...

—Entonces resolví que tú y yo íbamos a terminar juntos.

Demiris se volvió y lo miró horrorizado.

—¿Qué estás diciendo? Aminora, hombre, que nos vamos a matar.

—Eso es. —Chotas volvió a mover la palanca.

—¡Estás loco! Eres rico. No quieres morir.

Los labios llenos de cicatrices formaron una horrenda imitación de sonrisa.

—No, no soy rico. ¿Sabes quién lo es? Tu amiga, la

hermana Theresa. Doné todo tu dinero al convento de Jannina.

Corrían hacia una curva ciega en el empinado camino de montaña.

—¡Detén el auto! —gritó Demiris. Trató de manotear el volante, pero no pudo quitárselo. —Te daré lo que quieras. ¡Para!

—Ya tengo todo lo que quiero.

Un segundo después se despeñaban por el precipicio. El auto cayó por la escarpada pendiente dando tumbos, en una elegante pirueta de muerte, hasta que al final se hundió en el mar. Se oyó una tremenda explosión; luego un silencio profundo, eterno.

Todo había terminado.